Yvonne Besson

Née à Rennes, Yvonne Besson a grandi à Dinard auprès d'une mère enseignante et d'un père libraire. Agrégée de Lettres modernes, elle est actuellement professeur de Lettres à Dieppe. Ancrant ses romans policiers sur la côte normande, notamment dans la petite ville tranquille de Marville, elle invente le personnage de Carole Riou, capitaine de police judiciaire présente dans tous ses romans.

Après *Meurtres à l'antique* (1998, prix Rompol – prix virtuel du polar – en 2001), *La Nuit des autres* (1999) et *Double dames contre la mort* (2002, Prix Rompol), *Un coin tranquille pour mourir* a paru aux éditions des équateurs en 2004.

Retrouvez l'actualité d'Yvonne Besson sur :
www.yvonnebesson.rayonpolar.com

DOUBLE DAMES
CONTRE LA MORT

DU MÊME AUTEUR
CHEZ POCKET

UN COIN TRANQUILLE POUR MOURIR

YVONNE BESSON

DOUBLE DAMES CONTRE LA MORT

LA TABLE RONDE

© 2002, Éditions de la Table Ronde.

ISBN 978-2-266-15709-4

À Danielle et Jean-Jacques Lebréquier.

« Car JE est un autre. »

Arthur Rimbaud.

CHAPITRE Ier

Dinard, samedi 16 décembre 2000.

Une cloche lointaine au son étouffé par les nuages bas sonna onze coups. Dans la nuit et le froid de décembre tout était pétrifié, les branches immobiles et les contours presque imperceptibles des toitures aux saillies luxuriantes. La pâle lumière que diffusaient les rares réverbères était stoppée avant d'arriver au sol, comme une substance gélifiée. La mer, retirée de l'autre côté du banc de sable, avait, plus tôt, exhalé une odeur d'iode imprégnant l'humidité, mais retenait à présent sa respiration, étale et muette. Il paraissait improbable qu'il y eût une présence humaine dans cette rue étroite de la Malouine, qui serpentait entre les propriétés haut perchées au-dessus de la plage. Une voix, pourtant, surgit des ténèbres.

— Greg, j'ai les boules.

Le garçon ainsi interpellé avait déjà passé une jambe de l'autre côté du mur de pierres qu'il venait d'escalader. Ils avaient repéré dans la journée l'endroit idéal, loin de tout éclairage, là où le mur était le moins élevé et présentait des saillies. Dans l'obscurité, il distinguait

11

à peine la silhouette de son copain, qui lui sembla roulée en boule sur le trottoir.

— Déconne pas, mec, grimpe. C'est toi qu'as voulu venir !

Il poussa un soupir d'exaspération, s'assit à califourchon sur le faîte moussu, et assurant son équilibre en posant une main devant lui, braqua quelques secondes le rayon de sa lampe torche vers le bas. Dans le rond lumineux se détacha le visage de Thomas, qui ferma les yeux, ébloui.

— Éteins ça ! On va nous voir ! Je monte.

— Y a pas un chat ! Tu risques rien !

Malgré tout, Grégoire, d'un clic, rendit son pote à la nuit. Il devina les mouvements du corps qui se redressait, froufrous du blouson, taches blanchâtres des mains cherchant à agripper les aspérités. Il chuchota :

— Je t'attends. On sautera ensemble dans le jardin.

Les semelles des baskets raclèrent la pierre, puis un bruit mat, un juron étouffé trahirent l'échec de la tentative. Au sommet du mur, l'adolescent se sentit à son tour submergé par la panique. Un crachin glacial commença à tomber, imbibant ses narines et poissant ses joues. L'autre était vraiment trop con. Ils n'y arriveraient jamais. Ils croyaient pourtant avoir tout prévu. Quand, le mercredi après-midi, ils avaient aperçu cette porte entrouverte, ils avaient réalisé que, comme par miracle, leur vieux rêve devenait accessible. Depuis leur petite enfance, ils avaient envie de pénétrer dans une des villas, de voir comment c'était. Jusque-là, aucune possibilité ne s'était présentée. L'été, quand les vacanciers investissaient les quartiers résidentiels, quand les volets des grandes maisons étaient ouverts et que séchaient dans les jardins les maillots et les serviettes, quand des enfants inconnus s'appropriaient leur territoire, Grégoire et Thomas se sentaient évincés. Ils

12

se contentaient d'aller se baigner dans une crique peu fréquentée. Puis ils traînaient dans leur zone, au pied des HLM ou dans le petit centre commercial dont les boutiques fermaient les unes après les autres, tandis que le supermarché dévorait peu à peu l'espace laissé vacant. Mais dès que se terminaient les vacances, les envahisseurs disparaissaient, les garçons redevenaient maîtres de leur royaume, les hauts promontoires rocheux qui s'avançaient dans la mer, de part et d'autre de la grande plage, sur lesquels, cent ans auparavant, les « villas », comme on les appelait à Dinard, avaient été construites, plus près du ciel que de l'eau. Des années folles, elles avaient l'arrogance et l'exubérance, exprimées dans la pierre par des délires architecturaux mêlant aux créneaux moyenâgeux des clochetons gothiques et des balustres italiens. Elles étaient, pour les adolescents qui avaient grandi dans deux apparte-ments ouvrant sur le même palier, châteaux mysté-rieux, repaires de légendes, inaccessibles palais. Citadelles vides, elles dormaient, en hiver, derrière leurs volets clos, protégées par de hauts murs ou des grilles et des portails cadenassés.

— T'imagines, disait l'un, qu'est-ce que ça doit être grand ! Combien y a de pièces ? Cent, tu crois ?

— Et des beaux trucs ? Des lits avec des rideaux au-dessus, comme on en a vu aux châteaux de la Loire, au voyage scolaire ?

— Et des passages secrets ? Si seulement on pouvait en visiter une !

On ne pouvait pas. Alors, ils déambulaient dans les rues abandonnées, où ils ne croisaient que quelques vieux promenant leurs chiens. Jusqu'à ce mercredi, trois jours auparavant. Thomas, sur la pointe des pieds, une fois de plus, lorgnait à travers les barreaux d'un portail de fer, le jardin où pourrissaient encore des feuilles mortes, le perron et sa volée de marches protégée par une marquise, la porte à deux battants surmontés d'une imposte qui, de loin, ressemblait à un vitrail.

— Regarde ! On dirait que la porte est entrouverte !

Aussitôt l'idée avait pris forme. De jour, ils n'auraient jamais osé pénétrer dans la propriété. Mais de nuit... Ils avaient décidé de tenter le coup, le samedi, parce que leurs parents seraient sortis. Dans l'après-midi, ils étaient venus inspecter les lieux et vérifier une dernière fois que la porte n'avait pas été refermée. Il fallait renoncer à escalader la grille qui se trouvait juste sous un réverbère. Ils franchiraient le mur. Bien plus tard, le cœur battant, ils s'étaient rejoints au pied de leur immeuble, et avaient parcouru le kilomètre qui les séparait du bord de mer, sans rencontrer âme qui vive.

La pluie s'infiltrait dans le col de Greg. Il tremblait. Sous sa main, la mousse qui recouvrait les pierres devenait gluante. Rien ne se passait. Il crut tout à coup qu'il était seul, à califourchon sur son mur, aveugle et sourd dans un univers d'où la vie avait disparu.

— Où t'es, Thomas ? Qu'est-ce que tu fous ?

Il ralluma brusquement sa lampe, et faillit hurler. À quelques centimètres de lui, une masse se mouvait. Le faisceau lumineux accrocha une forme laiteuse et on toucha sa jambe qu'il dégagea d'une ruade instinctive.

— T'es dingue ! Tu vas me faire tomber !

Son copain avait enfin réussi. Ni l'un ni l'autre n'étaient plus très sûrs d'avoir envie de sauter de l'autre côté. Aucun ne pouvait l'avouer.

— On y va ?

Ils retombèrent sans dommage sur la terre détrempée. Avant d'aller plus loin, il fallait protéger ses arrières. Ils avaient repéré un container à ordures en plastique vert foncé, dans un coin du jardin, sous un sapin. Ils le trouvèrent facilement, et le portèrent au pied du mur. En grimpant dessus, l'escalade du retour serait un jeu d'enfant. Il n'y avait plus qu'à rejoindre l'allée gravillonnée, et à la suivre jusqu'au perron. Facile ! Le silence les oppressait, mais le crissement de leurs pas était encore plus effrayant. Thomas s'accrochait au blouson de Greg, se collait à son dos, les deux silhouettes n'en faisaient plus qu'une, grosse bête avançant lourdement, froissant à peine l'opacité de la nuit. Ils parcoururent presque tout le chemin sans allumer la lampe, sans dire un mot. Au pied des marches, soudain, ils s'arrêtèrent, saisis d'effroi. Le réverbère le plus proche éclairait vaguement la façade de la maison. Leurs vêtements suintèrent un peu de bleu dans la lumière jaunâtre. Alors que l'accès au royaume était à leur portée, l'ouverture entrebâillée devenait menaçante. Quel piège recelait cette invite ?

— Greg, j'ai les boules !

— Encore ! T'es vraiment trop trouillard.

— N'empêche que c'est pas normal, qu'elle soit ouverte, cette porte.

Thomas ne répondit pas et gravit les marches, le souffle court, en sueur, malgré son jean mouillé qui lui collait aux jambes. Sa main se posa sur le bois du vantail qu'il poussa doucement. Le grincement les fit sursauter, mais ils purent se faufiler à l'intérieur.

— Tu peux allumer, maintenant, chuchota Thomas.

Sa voix avait repris de l'assurance. L'excitation remplaçait à présent la peur. Ils avaient réussi. Même la perspective de l'exploration était moins enthousiasmante que ce constat. Le faisceau balaya le grand hall, s'arrêta sur les vitraux où vibrèrent des teintes pastel, dessinant des fleurs stylisées dans des losanges entourés de plomb. Puis surgirent de la nuit des paysages marins, accrochés au mur, une commode avec des tiroirs à poignées dorées.

— Génial ! dit Greg.

— Oui, mais ça pue, répondit Thomas en reniflant.

Plus ils avançaient vers le fond du vestibule, plus l'odeur s'imposait. L'air sentait bizarrement le tabac froid et le vin, comme le bar du père de Thomas, le matin. Mais aussi le moisi, le rance, avec des relents indéfinissables, évoquant de vieux fonds de poubelle.

— Qu'est-ce qui pue comme ça ?

Greg, à son tour, fronçait le nez, mal à l'aise. Au milieu du vestibule, un escalier monumental amorçait sa montée aux étages, avant de se séparer en deux volées distinctes dont les marches s'enfonçaient dans une obscurité que la lampe ne parvenait pas à percer.

— On reste en bas, hein ? D'accord ? demanda timidement Thomas.

Grégoire acquiesça, soulagé. Il se dirigea vers une porte, à gauche de l'escalier. Ils pénétrèrent dans une salle immense, donnant, du côté opposé à la rue par laquelle ils étaient venus, sur la mer. À travers la baie vitrée, on devinait le clignotement vert d'un phare, et, au loin, les lumières de Saint-Malo. Fascinés, les visiteurs clandestins oublièrent de promener leur rayon lumineux sur l'intérieur de la pièce, et à cet instant insensibles aux miasmes de plus en plus écœurants qui les enveloppaient, avancèrent en direction du rectangle magique.

Le pied de Thomas cogna sur une masse molle. Il faillit trébucher, poussa un petit cri. Son copain se retourna, braqua sa torche vers le sol. Et hurla. Une femme les regardait. Allongée sur le plancher, ses longs cheveux blonds étalés autour de son visage, elle les regardait fixement, de ses yeux morts que ne faisait pas ciller la lumière.

La Scénic blanche de la Sûreté urbaine finissait sa ronde du samedi soir par la Malouine. Tournée de routine. Il ne se passait jamais rien dans les quartiers des rupins. Ni l'été, quand c'était peuplé. Ni l'hiver, puisqu'il n'y avait personne. Le désert. Les policiers avaient pourtant mission de vérifier que tout était en ordre. De surveiller des villas inhabitées. Sûrement pleines de trésors. Comme des musées. Dans dix minutes, ils seraient de retour au commissariat, et finiraient tranquillement leur nuit de garde. Le brigadier Lefrileux, qui attendait paisiblement la retraite sans se soucier de son estomac qui enflait ni de ses cheveux qui se raréfiaient, faisait équipe avec la petite dernière, l'agent Roxane Fiquet. Un beau petit lot, mais qui n'avait pas inventé la poudre. Il la laissait cependant conduire, ce qui lui permettait à la fois de cuver ses bières et de somnoler, peinard, en écoutant distraitement Europe 1. Une nouvelle le réveilla. Il alluma une cigarette, et coupa la radio en ricanant. L'équipe de foot de Rennes, qui était incapable de gagner sur son terrain, avait battu les Monégasques chez eux !

— Quelle bande de cons !

— Pardon ?

— Rien... Juste que...

Il s'interrompit.

— C'est quoi, ce bordel ?

Deux silhouettes tombant du ciel qui venaient d'atterrir sur le trottoir se détachaient dans la lueur des phares, et se mirent à galoper devant la voiture.

— Merde ! D'où ils sortent ? De La Chênaie, on dirait ! Rattrapez-les ! cria Lefrileux en écrasant la cigarette dans le cendrier.

Un peu d'animation. On allait rigoler. Le moteur vrombit. Les fuyards tournèrent dans la première rue à droite, mais furent rapidement rejoints. Les agents jaillirent de leur véhicule et les ceinturèrent.

— Ne bougez plus.

L'agent Fiquet serrait les bras de Thomas. Greg se débattait, empoigné par le brigadier.

— On n'a rien fait ! C'est pas nous !

— Des mômes, s'étonna Lefrileux. Qu'est-ce que vous foutiez dans cette baraque ?

Les adolescents pleuraient, mais, la tête basse, se taisaient désormais obstinément.

— Bande de saligauds ! Vous vouliez jouer aux cambrioleurs, hein ? Ou simplement tout casser, pour vous amuser ? On va y aller ensemble. Par où êtes-vous entrés ? Faites-nous voir et plus vite que ça !

L'idée de retourner dans la villa fit aux garçons l'effet d'un électrochoc. Ils ruèrent, mordirent, et se retrouvèrent menottés. La voiture de police les ramena devant le portail. À leur grande surprise, ils constatèrent que celui-ci, qu'ils n'avaient même pas essayé d'ouvrir, cédait sous la poussée du brigadier.

— Tout est ouvert, la porte d'entrée aussi, dit le policier à l'agent Fiquet.

Puis, se tournant vers ses prisonniers :

— Comment vous avez fait ?

— C'est pas nous ! C'était ouvert ! se lamenta Thomas.

Ils refirent, tétanisés, le trajet qui les séparait du grand hall, furent à nouveau assaillis par l'odeur pestilentielle. Ils avaient perdu leur lampe en déguerpissant, mais cette fois, c'est sous l'éclairage éblouissant des lustres, quand le brigadier eut appuyé sur les commutateurs, qu'ils redécouvrirent le luxe du grand vestibule, et surtout ce qu'il y avait vraiment dans le salon. Un indescriptible désordre régnait. Des chaises étaient renversées, des coussins et des piles effondrées de CD jonchaient le sol. Partout traînaient des assiettes en carton, des saladiers où pourrissaient des restes innommables, des verres sales, des bouteilles vides, des cendriers débordant de mégots. Et elle, étendue au milieu de la pièce, sur le plancher ciré, avec ses cheveux blonds, en auréole, tout autour de sa tête, ils la virent, couchée sur le dos. Ils la virent, nue, une femme, toute nue. Alors ils ne purent se retenir de détailler cette nudité, mais ils virent aussi qu'elle les fixait encore, que sa bouche était ouverte, et qu'une langue bleuâtre en sortait.

— Je vais vomir, dit Greg.

— Putain, quelle saloperie, murmura le brigadier en essayant de retenir sa respiration. Qu'est-ce que vous avez fait, bande de petits cons ?

Il envoya à la voiture la jeune Roxane qui commençait à blêmir, pour y garder les suspects et appeler du renfort. Puis il sortit sur le perron, respirer un peu d'air pur en se disant qu'il n'aurait pas dû toucher les interrupteurs. Quelle vacherie ! Il avait fallu que ça tombe sur lui.

L'officier de garde, aussitôt prévenu, était le lieutenant Fabien Boitel. Un bleu, tout frais sorti de l'école de police. Quand le téléphone sonna, il dut interrompre en jurant une activité conjugale bien entamée et retrouver des esprits embrumés par la frustration et l'alcool ingurgité lors du repas pris précédemment avec un couple d'amis. Il pria pour ne pas se planter dans la procédure, alerta le parquet et l'Identité judiciaire, et fila rapidement rejoindre les collègues sur les lieux du crime.

— Jusque-là tout va bien, jusque-là, tout va bien, se récitait-il en conduisant.

La noirceur poisseuse, derrière le pare-brise, recelait des menaces. Il allait être confronté à son premier cadavre. À peine franchi le seuil, d'une allure qu'il voulut dégagée, et avant même d'avoir vu le corps, il faillit ne pas résister à la puanteur.

— Tu sais qui c'est ? demanda-t-il, avalant péniblement sa salive.

— Pas le moins du monde, répondit Lefrileux. Mais je sais où c'est.

— Explique-toi.

— Cette villa, La Chênaie, elle appartient à Valençay.

Boitel jura. Bordel, Valençay ! Il faudrait marcher sur des œufs. Cependant, en attendant l'arrivée du juge d'instruction et de l'IJ, qui venaient de Saint-Malo, il procéda d'une manière parfaitement réglementaire aux premières constatations, presque oublieux des nausées qui lui tordaient l'estomac. La victime avait, à l'évidence, été étranglée. Sur son cou se dessinaient des meurtrissures rougeâtres. Qu'avait-on utilisé ? Une corde ? Un lacet ? L'objet, en tout cas, s'était volatilisé, avec les vêtements de la morte. L'œuvre de putréfaction était bien entamée, le crime n'était pas récent. Alors, que foutaient là ces fichus mômes ? Visiblement, une bande avait réussi à entrer dans la villa pour y organiser une java d'enfer, qui avait mal tourné. Mais pourquoi deux d'entre eux étaient-ils revenus ? Leur participation, sinon leur culpabilité, lui paraissait a priori indubitable. On en saurait plus pendant la garde à vue.

Soudain, tout s'accéléra. Des voitures arrivèrent, des hommes en blouse, gantés de caoutchouc, s'activèrent, vidèrent des cendriers et déposèrent leur contenu dans des sacs en plastique, ramassèrent les bouteilles, déposèrent de la poudre un peu partout pour relever des empreintes. Montèrent et descendirent les escaliers, inspectèrent la moindre surface, dans la maison comme dans le jardin. Des flashes crépitèrent. Le juge observait.

— Jean-Pierre Marquet, s'était présenté cet être longiligne, aux cheveux blancs.

— La décomposition est déjà avancée, dit un homme de l'Identité judiciaire. Ça fait plus de trois jours qu'elle est morte.

— Et c'est pas une gamine, ajouta son collègue. À première vue, elle a une trentaine d'années. Qu'est-ce qu'elle fabriquait avec ces gosses ?

— Belle gonzesse, bien roulée ! reprit le premier, dans un ricanement qu'il stoppa net devant les regards scandalisés des autres. Je voulais juste détendre l'atmosphère, s'excusa-t-il.

Enfin, des brancardiers emballèrent et emportèrent le corps, sans brutalité, avec une espèce de tendresse attristée. Il irait attendre le bon vouloir du légiste à la morgue de l'hôpital. Le silence tomba.

— Vous placez les mineurs en garde à vue. Avertissez les parents, dit le juge d'instruction. Vous commencerez les interrogatoires demain matin. Dès lundi, des hommes du SRPJ prendront la relève. Je demanderai l'autopsie en urgence. Essayez d'identifier la victime. Je me charge de prévenir le propriétaire. Vous êtes sûr qu'il s'agit bien de Jean-François Valençay ?

Le lieutenant sentit le malaise du magistrat.

— C'est ce que prétend le brigadier. Croyez-moi, il connaît tout le monde à Dinard.

Puis il marmonna :

— Et comment je fais, moi, pour l'identifier, la victime ? J'ai pas de boule de cristal.

Aucun de ses vêtements n'avait été retrouvé. Une fouille en règle n'avait rien appris aux enquêteurs, sauf que certaines chambres, dont les lits étaient défaits, avaient été occupées. Les armoires ne contenaient que des cirés et quelques vêtements d'été. Boitel reprit le chemin du commissariat quand furent arrivés les agents qui devaient garder les lieux en attendant la venue d'un serrurier pour clore la maison. Il était crevé, mais il fallait encore signer les formulaires de garde à vue, appeler les parents, les recevoir. Et jeter un premier coup d'œil au fichier des personnes disparues.

— Jusque-là, tout va bien, reprit-il.

C'est sur le trottoir, à sept heures le dimanche matin, qu'il fit sa première erreur. Alertés par un sixième sens qui portait sans doute le nom d'un flic vénal, trois correspondants de presse rôdaient, quémandant des infos. Le juge l'avait averti que le procureur s'adresserait le lendemain aux journalistes. Sans réfléchir, et pour qu'ils le laissent aller se coucher, il lâcha le nom de Valençay et la prise de deux jeunes voyous.

CHAPITRE II

La pluie ne s'arrêterait jamais. Toute la Normandie était gorgée d'eau, et dans le port de Marville, les chaluts qu'on n'étendait plus pour les faire sécher restaient en boule sur le pont des bateaux, dégageant de fortes odeurs d'algues pourries. Découragée, le capitaine Carole Riou alluma le plafonnier en pénétrant dans son bureau, au premier étage du commissariat. Elle avait une vague gueule de bois, alors qu'elle n'avait pratiquement rien bu pendant le week-end. Rien bu, pas fait grand-chose. Un week-end de merde. Dont, pourtant, elle s'était promis des merveilles. Emmanuel lui avait proposé une balade à Honfleur. Ils auraient dormi à l'hôtel, sur le port, ils auraient visité des galeries de peinture. Et puis, il avait flotté de plus en plus dru, comble de malchance le vendeur était tombé malade et n'avait pu venir ouvrir la librairie le samedi après-midi, et en définitive, Carole n'avait plus eu envie de bouger. Ni de quoi que ce soit, même pas d'être avec son homme. Le soir, faute de perspective plus exaltante, ils avaient dîné dans un restaurant du port, mais s'étaient chamaillés au dessert. Parfaitement consciente d'être

23

de mauvaise foi, elle avait rendu Emmanuel responsable du temps pourri, de la grippe de Nicolas, son employé, de sa déception, de cette fin de siècle minable. Ou de son désamour ?

C'était la question qu'elle se posait depuis qu'elle avait refusé d'aller chez lui, en sortant du restaurant, depuis qu'elle s'était effondrée sur son lit en pleurant de dépit, dans son nid perché au-dessus du chenal. Elle y avait ruminé sa mauvaise humeur, le dimanche, lovée au fond de son canapé, fumant clope sur clope devant la télé allumée qu'elle ne regardait pas. Elle essayait juste de compter les gouttes qui frappaient les carreaux. Et cet abruti qui ne téléphonait même pas ! Que leur arrivait-il ? Il y avait plus d'un an qu'Emmanuel, innocenté, était sorti de prison[1], l'avait appelée dès son retour à Marville et l'avait invitée à dîner. Elle se souvenait du tremblement de ses mains, quand elle avait raccroché, de la fièvre avec laquelle elle s'était préparée, désireuse d'être belle pour lui. Elle se souvenait de cette brûlure dans son ventre, de ce désir avide qu'elle avait cru ne plus pouvoir éprouver après la mort, trois ans plus tôt, de son mari, dans un accident de voiture en Bretagne. Elle aimait Emmanuel, fils du romancier Aubin Corbier, disparu en 1972, et libraire à Marville, qu'elle avait défendu de toutes ses forces quand il avait été accusé de meurtre. Deux jours après leur première soirée, ils étaient amants. Elle s'était donnée sans retenue, enfin libérée de cette peur d'aimer qui l'avait séparée du monde, parce qu'elle ne voulait plus avoir à craindre un autre déchirement. Qu'avait-elle donné, en réalité ? Son corps, certes, qui redécouvrait l'exigence du plaisir partagé, qui avait réappris

---

1. Voir, du même auteur, *La Nuit des autres*, à paraître chez Pocket en décembre 2007.

les gestes de l'amour. Mais pourquoi n'avait-elle jamais voulu s'engager plus avant ? Pourquoi refusait-elle obstinément de vivre avec Emmanuel, comme il l'en suppliait ? Elle lui répondait qu'elle ne se sentait pas prête... Pas prête à quoi ? À partager à nouveau le quotidien ou à cesser de se complaire dans une marginalité arrogante et morose ?

Elle s'installa à son bureau, ouvrit un dossier qu'elle devait compléter d'urgence et envoyer au procureur dans la journée. Des broutilles, de la petite délinquance, le train-train. Il était presque neuf heures et demie, et le jour ne semblait pas décidé à se lever. Carole, prête à apposer sa signature au bas d'un document, resta le stylo en l'air. À cet instant, elle aurait fait n'importe quoi pour qu'Emmanuel fût là, ou du moins pour entendre sa voix. Elle sursauta quand un coup fut frappé à sa porte. Ce n'était que son collègue, le lieutenant Alain Modard, qui lui apportait le café du matin.

— Salut, Carole ! Ça boume ? Passé un bon week-end ?

D'ordinaire, elle était heureuse de voir la bonne bouille ronde, la tignasse hirsute de celui en compagnie de qui elle travaillait depuis son arrivée à Marville. Il l'avait toujours épaulée de son mieux, surtout aux pires moments, et la traitait en grande sœur, en confidente. Il avait même récemment renoncé au vouvoiement, spontanément, sans demander. Cela avait d'ailleurs enchanté Carole, qui pensait avec amusement qu'il était plus à l'aise en face d'elle maintenant qu'elle avait un « mec », comme il disait. Ce matin-là, pourtant, la mine réjouie du lieutenant exaspéra la jeune femme. Tout baignait, disait Modard, depuis que son épouse Béatrice et lui s'étaient installés en ville et avaient eu leur troisième enfant, une petite fille appelée Louise, dont il était complètement gâteux, sortant sans cesse des photos de ses poches, assommant le commissariat des exploits de son rejeton.

— Très bon, marmonna Carole, qui n'avait nulle envie de s'épancher. Et toi ?

Elle sirota son café, laissant se déverser un flot de mots qu'elle n'écouta pas.

— Au fait, dit soudain Modard, sortant *Paris-Normandie* de sa poche, tu as vu ça ? Les loubards attaquent dans le paradis de ton enfance !

— Quoi ? À Dinard ?

— Bingo ! Ils ont chopé deux jeunes qui sortaient d'une maison. Selon le journal, ils avaient laissé un cadavre derrière eux. Et tu ne devineras jamais à qui appartient la baraque !

— Non, mais tu vas me le dire.

— À Valençay.

Valençay... Comme tout le monde, Carole savait qui il était. Le P-DG du groupe Amandi, le roi de l'industrie du luxe, le patron qui faisait la une des journaux « people ». Elle savait aussi de quelle villa il était propriétaire, La Chênaie, l'une des plus grandes et des mieux situées de la station balnéaire. On disait d'ailleurs qu'il n'y venait pas souvent, préférant inviter sur son yacht, amarré à Monaco.

— Fais voir l'article, demanda-t-elle.

« Assassinats en série », titrait le quotidien, qui rapportait le double meurtre d'un couple de quinquagénaires sans histoire dans l'Hérault et la découverte d'une jeune femme étranglée, dans la résidence secondaire des Valençay, à Dinard, sur la Pointe de la Malouine. « Jusqu'où ira la violence, s'interrogeait le journaliste, si même La Perle de la Côte d'Émeraude n'est plus préservée de la sauvagerie ? » D'après les premières informations livrées par un officier de police judiciaire, deux adolescents avaient été arrêtés sur les lieux par la police locale. On ne savait pas encore s'ils avaient agi seuls. La villa avait été saccagée. La victime, qui n'avait pas été identifiée, avait été retrouvée entièrement nue. Selon le procureur, qui avait donné une conférence de presse, la mort remontait à plusieurs jours. On en saurait plus après l'autopsie. Le magistrat refusait dans l'immédiat de confirmer la culpabilité des jeunes garçons.

— J'ai l'impression que l'OPJ a parlé trop vite, remarqua Carole. Il va se faire remonter les bretelles par le proc !

— Tu y crois, à la bande de loubards dinardais ? interrogea Modard.

— Pas trop. Ceux de Marville sont encore relativement inoffensifs, alors je conçois mal des bandes organisées dans une ville d'à peine dix mille habitants l'hiver ! Ceci dit, je n'y vis plus depuis longtemps. Je ne peux rien garantir. Il suffit de quelques meneurs complètement déjantés...

Elle reposa le journal, mal à l'aise. Juxtaposer les deux clichés que l'article avait imprimés dans son cerveau était difficile, tant ils étaient contradictoires. Comment imaginer le cadavre d'une jeune femme, sa nudité obscène, dans ce décor de carte postale, qui semblait hors du temps, enclave de beauté immuable hantée par les fantômes exquis des années d'insouciance ? Carole frissonna. Elle ne pouvait être indifférente à cette morte. Elle lui appartenait, un peu. Et elle lui en voulait aussi d'être cette tache sur l'image d'Épinal qui la rassurait. Dinard, elle y allait rarement. Mais, tout près, lui restait la maison de ses parents qu'elle n'avait pas vendue, une assurance contre la tristesse. Un rêve possible. Si j'en ai trop marre, je pars là-bas, j'y serai protégée de la laideur du monde. Un meurtre, c'était une souillure impardonnable. Une vague de pitié la submergea brutalement, et elle se reprocha sa réaction égoïste. Je suis vivante, se dit-elle. J'ai Emmanuel, et je suis vivante.

— Tu me le rends, mon canard ? demanda Modard, ou tu l'apprends par cœur ?

Carole lui rendit son journal. Il était temps de se mettre au travail sérieusement.

— Au fait, réunion à onze heures chez le patron, dit-elle. Je crois qu'il a prévu une intervention de nuit dans la semaine, mais je ne sais pas de quoi il s'agit au juste.

— Une surveillance de nuit ? La tuile ! Qui va s'occuper de ma Béatrice ?

Il arrivait toujours à faire rire sa collègue, cet idiot.

À Dinard, le commissariat était en émoi. Il était installé, ainsi que la mairie attenante, sur le boulevard Féart, dans une villa de pierre, aux fenêtres bordées de briques bicolores, aux toits en terrasses ceints de parapets, ancien royaume d'une Américaine que son faste avait fait surnommer Reine de Dinard, au début du siècle. Malheureusement, rien, à l'intérieur, ne subsistait du luxe d'antan. On avait cloisonné les salles de réception, ripoliné les murs, arraché les moulures. Le hall d'accueil, les bureaux dans les étages étaient ternes, exigus, tout juste fonctionnels. Des mégots jonchaient le sol. D'ordinaire, en décembre, on ronronnait. On avait même le temps de décorer un sapin de Noël. Or, l'agitation de ce lundi était bien plus vive qu'en début d'été quand, accompagnant la vague des estivants, arrivaient les troupes de renfort. D'une minute à l'autre, on accueillerait deux officiers du SRPJ envoyés de Rennes. Du presque jamais vu. En tout cas, pas depuis des décennies. Du coup, il avait fallu chasser un inspecteur de son bureau, donner un coup de propre, remuer des tables, des chaises, un ordinateur, un téléphone avec fax. Au moins, les gamins et leurs parents avaient quitté le poste la veille au soir, à l'issue de la garde à vue. Ils n'étaient, pour l'instant, pas mis en examen, mais devaient rester « à disposition ». Les agents de service étaient bien contents de ne plus avoir à servir de nounous ni à approvisionner les cellules en sandwiches et boissons diverses. Ça discutaillait autour de la machine à café. Le commissaire Leguen était enfermé en compagnie du lieutenant Boitel, qui se faisait passer un savon mémorable.

— Si vous voulez rester dans la police, il faudra que vous appreniez à tenir votre langue, mon petit ami ! Le procureur est fou de rage ! Il s'était mis d'accord avec Valençay pour que son nom ne soit pas balancé à la presse. Bon Dieu, qu'est-ce qui vous a pris ?

Évidemment, Boitel n'avait rien à répondre, et se contentait de regarder ses chaussures. Il songeait seulement un peu amèrement que si le meurtre avait été commis dans un bar du coin, on n'aurait pas pris tant de précautions pour protéger le patron.

— Bon, reprit le commissaire, de toute façon, vous êtes déchargé de cette affaire. Passez le dossier à la PJ, et remettez-vous au boulot. On a un vol de scooter à régler.

— Normalement, je suis de repos, aujourd'hui, balbutia le lieutenant.

— Alors, tirez-vous ! grogna Leguen. Enfin, dès que vous aurez refilé le bébé.

Ceux qui devaient s'occuper du bébé venaient justement d'arriver. Deux hommes, d'à peine quarante ans, aux silhouettes jumelles. Grands, les épaules larges, ils soignaient leur apparence de jeunes cadres dynamiques. Sous les longs pardessus bleu marine, laine et cachemire, on devinait les complets bien coupés, aux pantalons larges. Cravate à fines rayures et chemise blanche, calvitie naissante et lunettes d'écaille, pour l'un. Des pois et du jaune pâle, une chevelure brune, épaisse et ondulée, pour l'autre. Ils piaffaient au rez-de-chaussée, quand Boitel les y rejoignit.

— Capitaine Hervé Lebris, se présenta chemise jaune. Et voici le lieutenant Bernard Marchand. Où nous installez-vous ?

Le fax vomit, à leur entrée dans le bureau préparé pour eux, les premiers résultats du labo. Le policier local résuma ses constatations, confirma qu'on n'avait toujours aucune piste permettant de savoir qui était la victime et transmit les procès-verbaux des interrogatoires de Grégoire et de Thomas.

— Il semble bien qu'ils n'aient rien commis de plus grave que pénétrer dans une maison ouverte pour la visiter, dit-il. Et que c'était la première fois. Leurs témoignages se tiennent, ils ne se sont jamais contredits, bien qu'ils aient été entendus séparément...

— Vous nous permettrez d'en juger par nous-mêmes, le coupa Lebris. Nous lirons tout cela. Vous pouvez nous laisser. Nous vous appellerons si nous avons besoin de vous.

Furieux d'être congédié comme un domestique, après l'engueulade du commissaire, Boitel jeta sur une table un trousseau de clés, précisant qu'il les avait fait faire par un serrurier afin de ne pas laisser la propriété ouverte à tous les vents, traita en aparté les Rennais de sales cons, dégringola les escaliers, démarra en trombe et décida de rentrer terminer ce qu'il avait laissé inachevé le samedi soir. La véritable enquête commençait. Sans lui.

Lebris lut attentivement les rapports. Aucune trace d'effraction n'avait été relevée, ni sur la serrure du portail, ni sur la porte principale. Ou les intrus avaient les clés, ou c'étaient de sacrés professionnels. Des verres sales, une quinzaine de bouteilles et des cannettes de bière, vides, avaient été ramassés dans le salon de la villa, ainsi que dans la cuisine et plusieurs des chambres. Les bouteilles n'avaient contenu que ce qu'indiquaient leurs étiquettes, du Martini, du gin, du champagne, brut, du très bon whisky et de la vodka. Le contenu des cendriers était, sinon plus dangereux pour la santé, en tout cas moins légal. La plupart des mégots étaient des bouts de joints, une grande quantité de cannabis étant mêlée au tabac. Les restes de nourriture avariée collés à des assiettes en porcelaine dataient au minimum de cinq jours. D'autre part, des traces de sperme avaient été décelées sur certains draps. Pas sur tous. Quant aux empreintes, il y en avait une grande quantité, particulièrement sur la vaisselle. Il faudrait systématiquement les comparer avec celle du fichier central, ça prendrait du temps. Ce qui semblait incompréhensible, puisque partout ailleurs les traces de doigts proliféraient, c'est qu'aucune des empreintes ne correspondait à celles du cadavre. Elle semblait n'avoir rien touché ! Pourtant, si le plancher du salon avait été piétiné par des semelles boueuses, aucune marque n'indiquait que le corps avait été traîné jusque-là. Ou elle était morte sur place, ou on l'avait portée, puis jetée à terre. Les salissures, boue, miettes, cendres étaient récentes. Pas de vieille poussière, ce qui était étonnant dans une maison fermée pour l'hiver. Le ménage avait certainement été fait peu avant. Les fibres prélevées sur le cou de la victime provenaient d'un objet en soie vert bouteille. Sans doute une écharpe longue.

— C'est une histoire de fous..., dit Lebris. Bon sang, cette fille n'est pas tombée du ciel ? Appelez-moi donc l'IJ, il y a un détail qui me chiffonne.

Il demanda d'abord au collègue au bout du fil s'il était absolument sûr que les empreintes de la victime ne figuraient nulle part dans la villa. L'autre le prit assez mal :

— On connaît notre boulot, non ? Il y a des tas d'empreintes, mais pas les siennes.

Lebris ne prit pas la peine de s'excuser. Il revint à ce qui le tracassait.

— Elle était bien sur le dos ?

— Oui, pourquoi ?

— Est-ce que c'est une position normale ? Je veux dire, est-ce que quelqu'un qui meurt étranglé tombe naturellement sur le dos ?

— On peut l'envisager. Si le meurtrier lâche sa victime, elle s'affaissera et on la retrouvera plutôt en position fœtale, sur le côté. Mais il peut aussi avoir le réflexe d'accompagner la chute. Dans ce cas, s'il est placé derrière, il recule, et le corps tombe sur le dos. C'est ce qui a dû se produire. L'assassin aurait tourné le dos à la porte-fenêtre donnant sur la mer. Et la femme se serait dirigée vers la porte.

— Vous croyez donc qu'elle a été tuée sur place ?

— Difficile d'avoir une certitude. Le corps a pu aussi être apporté de l'extérieur sur le dos ou dans les bras du tueur, et déposé sur le plancher.

— En gros tout est probable et rien n'est sûr ! O.K. ! Tirez-nous des photos présentables et faxez-les en urgence. On va lancer un avis de recherche.

Lebris raccrocha.

— Des nouvelles de Valençay ? interrogea son adjoint. Il a une idée de qui étaient ses invités ?

32

— D'après le proc, il prétend n'être au courant de rien. Il est furibard. Et affirme qu'il n'a autorisé personne à pénétrer chez lui. Sa femme a passé juste une semaine à la villa cet été. Autrement, ni lui ni aucun autre membre de sa famille n'a mis les pieds à Dinard depuis plus d'un an. Il va venir le plus rapidement possible, au retour d'un voyage d'affaires. Bon, on va lancer la machine. On ira sur place tout à l'heure. Et puis, je veux interroger moi-même les deux gamins.

Dans le quartier que les Dinardais appelaient les Grands-Prés, parce que naguère s'y étendaient des champs, avant la construction des immeubles, du lotissement et de l'école, consternation et excitation voisinaient. C'était selon. Le centre commercial faisait recette. Tout le monde avait eu besoin d'un plein de nourriture, justement ce lundi matin, et des petits groupes s'agglutinaient devant les portes automatiques du Shopi. Un frisson se propageait. Un assassinat à Dinard ! Des mômes qu'on connaissait depuis qu'ils étaient nés ! La violence, comme à la télé, ici. Le marchand de journaux avait été dévalisé. S'il n'avait été aussi furibond, Raymond, le père de Thomas, se serait réjoui de vendre autant de cigarettes, d'express et de coups de blanc. En l'occurrence, il nettoyait rageusement son comptoir, répondant à peine aux questions de la clientèle, lui qui, d'ordinaire, était plutôt un homme jovial. Quand on était convoqué au commissariat à son retour d'une soirée entre amis pour y apprendre que son fils unique faisait le mur pour aller découvrir des cadavres, quand ledit fils unique était interrogé pendant des heures comme un malfaiteur, et que tous les journaux le comparaient à un voyou de banlieue, alors qu'il avait toujours été surveillé par sa mère, et qu'il avait seize de moyenne en math, on n'avait pas envie de rigoler, et on n'était même pas calmé par la raclée qu'on lui avait collée ! Les flics leur avaient suggéré de prendre un avocat ! Qui est-ce qui l'aurait payé, l'avocat ? Et toutes ces vieilles commères à l'œil allumé, qui regardaient à travers les vitres du café, puis s'en allaient d'un air faussement craintif, comme si elles croyaient qu'il allait en sortir une bande d'Arabes prêts à les violer. Les parents de Greg seraient moins gênés. Ils n'avaient pas de commerce à ouvrir. Lui, saisonnier dans l'hôtellerie, l'hiver, il était peinard. Et elle, elle pouvait dire à ses patronnes qu'elle était malade et ne pas aller faire ses ménages, pour une fois. Qu'est-ce qui leur avait pris, aux gosses ? Visiter les villas ? C'était franchir une frontière. Ces quartiers-là, ils permettaient à la plupart des habitants de celui-ci de gagner leur vie, l'été. À part ça, on n'avait rien en commun avec ces étrangers. Ni avec leurs cadavres.

De leur côté, Grégoire et Thomas, qui étaient partis au collège les tripes nouées, étaient pleinement rassurés. Ils étaient traités en héros, pas en criminels, et leurs terreurs s'envolèrent. Leur récit, maintes fois répété, s'agrémentait au fil des redites de détails dramatiques, ou croustillants.

— Elle était vraiment à poil, la meuf ? demandaient les garçons. Vous avez vraiment tout vu ? Tout ?

— Ben oui, tout. Poils et nichons.

Greg se rengorgea, et les filles qui l'entouraient protestèrent :

— T'es vraiment trop dégoûtant !

En fait, au-delà des bravades, dans l'imagination de la plupart des collégiens, la villa devenait château, la victime princesse. À tel point que la prof de français, qui n'envisagea pas une seule minute que ses élèves pussent être des assassins, se dit, dans un élan d'optimisme romantique, qu'elle pourrait profiter de l'occasion pour faire lire *Le Grand Meaulnes* à sa classe de troisième.

— Combien de pages, madame ?

— Pas beaucoup, trois cents, environ.

Un hurlement d'indignation lui répondit.

CHAPITRE III

Les deux officiers de la PJ semèrent rapidement un vent de panique dans les effectifs du poste de police. Enfin, surtout le plus gradé. Ce type-là avait une pêche d'enfer et un don inné pour faire bosser les autres. Les agents de la Sûreté urbaine dinardaise allaient l'apprendre à leurs dépens, et envier ceux qui, Boitel ou Lefrileux par exemple, étaient de repos. Les ordres fusaient comme des aboiements, et bientôt des tâches précises furent assignées aux hommes dont la présence n'était pas indispensable à la bonne marche du service. On tira des copies de la photographie de la victime et des agents partirent faire le tour des hôtels et des agences de location. Après tout, elle avait peut-être logé ailleurs qu'à la villa. Il fallait vérifier qu'elle n'avait pris ni bus ni train ni avion... Les voitures immatriculées hors département et immobilisées depuis plusieurs jours devaient être signalées.

— Signalées par qui ? grogna le chef de poste. C'est n'importe quoi !

Lui-même était chargé d'appeler les commissariats et gendarmeries des environs, en priant que soit communiqué tout vol récemment commis de boissons alcoolisées. Les délinquants notoires, petits dealers ou fumeurs de haschich de Dinard seraient passés à la casserole, et leurs empreintes comparées à celles qui avaient été relevées sur la scène du crime.

— Ça sera vite fait, ironisa un brigadier. On n'est pas à Mantes-la-Jolie !

— Justement, faites vite ! rétorqua l'officier de la PJ. Demandez à Saint-Malo d'effectuer les mêmes recherches. Et puis convoquez-moi les deux gosses qui ont trouvé le corps.

— Ils doivent être en classe !

— Récupérez-les à la sortie. Ou plutôt, arrangez-vous avec les parents pour qu'ils nous les amènent après les cours. Et apportez-nous du café !

— Bien, capitaine.

Ils n'étaient pas ses larbins ! Le café, il aurait pu aller le chercher lui-même ! Des agents partirent faire le tour des bars où se réunissaient les jeunes du coin, celui des épiceries, des supermarchés, pour tenter de découvrir si de nouvelles têtes avaient été remarquées, ou si des clients, inconnus ou pas, avaient effectué des achats d'alcool exceptionnels.

Marchand fut chargé de consulter le fichier des personnes signalées disparues. Depuis plus d'une semaine que cette fille pourrissait dans une maison vide, ce serait bien le diable si nul ne s'était préoccupé de ce qu'elle était devenue !

— Si vous trouvez quelque chose qui puisse correspondre, vous appelez la famille. Dépêchez-vous ! Dès que vous aurez terminé, on file sur les lieux du crime. Je tiens à tout voir par moi-même. On commencera l'enquête de voisinage cet après-midi.

— Quand est-ce qu'on mange ? hasarda le lieutenant.

Les gobelets vides s'accumulaient sur la table et lui donnaient la nausée. Il avait furieusement envie d'une clope.

— Quand on aura arrêté l'assassin, lui répondit son supérieur.

Mais devant la grimace de son collègue, il esquissa un sourire.

— Ne vous inquiétez pas, on déjeunera avant d'aller à la Malouine.

Une fois qu'il eut mis tout le monde au travail, Lebris téléphona au juge d'instruction.

— Je suis confiant, monsieur le juge. J'espère obtenir des résultats rapidement. Quand le médecin légiste doit-il pratiquer l'autopsie ? Demain matin ? C'est parfait. Dites-moi, je sais que Valençay est au Japon, mais j'aimerais le contacter rapidement. Vous comprenez, il semble que les gens qui se sont introduits chez lui avaient une clé, alors il faudrait que je lui demande... Non ? Bon. Et son épouse ? Vous ne savez pas ? Très bien, j'attendrai jusqu'à son retour.

Au même moment, Marchand, devant un ordinateur, faisait défiler une liste de noms. La majorité des filles recherchées étaient trop jeunes, ou c'étaient des vieilles dames qui avaient perdu la boule. Deux étaient noires, alors... Il contacta les familles de celles dont l'âge collait. Certaines « disparues » étaient rentrées au bercail, mais personne n'avait jugé bon de prévenir. L'une avait été retrouvée au fond d'un canal. Suicide, avait-on conclu. Restait un cas. La description et l'âge correspondaient et elle manquait toujours à l'appel. Il eut la mère au téléphone, à Reims. Une voix étouffée par la timidité et les larmes. Leur fille, qu'ils avaient eue sur le tard, n'avait plus donné de nouvelles depuis près de deux ans. Ils espéraient bien qu'elle le faisait exprès. Elle s'était disputée avec son père. Mais à tout hasard, ils avaient averti la police quelques mois auparavant. Ils allaient venir, le plus vite possible. En attendant, déjeuner. Et cigarette. S'il fumait dans la rue, Lebris ne râlerait pas.

Aux Grands-Prés, le père de Thomas commença à souffler vers quinze heures. Il se servit un verre de blanc. Entre les derniers « petits noirs » et les premiers pastis de la soirée, seules des ménagères viendraient faire leur loto. Bien sûr, Joël passerait l'après-midi affalé sur sa chaise, comme d'habitude, les yeux dans le vague, avec les soucoupes qui s'accumuleraient, les mégots jetés à terre qu'il faudrait balayer le soir. Mais lui, c'était une sorte de meuble. Il ne causait pas. Il ne gênait pas. Il n'avait même pas dû se rendre compte que la matinée avait été exceptionnellement agitée, ni savoir qu'on avait trouvé un cadavre. Il ne lisait pas les journaux. Savait-il lire, d'ailleurs ? La femme de Raymond lui reprochait de ne pas flanquer dehors une bonne fois pour toutes cet ivrogne qui faisait tache dans le bar et ne payait même pas tout ce qu'il buvait. Mais Raymond ne pouvait s'y résoudre. Joël était un ancien des Cognets. Comme lui. Il lampa la dernière goutte et passa distraitement un chiffon mouillé sur le comptoir poisseux. Sa colère contre son gamin retombait doucement. Il y était peut-être allé un peu fort. C'était normal que les mômes soient attirés par ces foutues baraques, ces monstres de pierre presque toujours vides. Une vraie provocation.

Il se revit, tout à coup adolescent, avec une impression bizarre de dédoublement. Il lui semblait que son fils n'avait fait que mettre ses pas dans les pas de son père qui avait eu quinze ans en 1969, dans le quartier des Cognets. Il n'en parlait jamais, et en général, n'y pensait pas. Il avait fait son chemin depuis, avait trimé comme un dingue pour acheter ce bar. Il était son propre patron et espérait bien que Thomas irait plus loin, ferait des études. Mais le monde des villas ne lui resterait-il pas inaccessible ? Est-ce que les choses avaient vraiment changé ? Il se laissa tomber sur un

40

tabouret, alluma une cigarette. Un flot d'images jaillit de sa mémoire. Des maisonnettes couvertes en tôle, serrées les unes contre les autres, la peinture jaunâtre délavée avec des coulées brunes sur les murs. À l'intérieur, tout était pourri par l'humidité et l'hiver le poêle à bois ne parvenait pas à réchauffer les pièces pourtant minuscules. Trois rues, pas plus, ou plutôt trois chemins de boue. C'était ça, les Cognets. Il y était né, mais n'avait jamais su qui l'avait fait construire, ni à quelle époque. Qui avait-on voulu y loger ? Pas les domestiques, qui couchaient sous les combles des villas et des hôtels. Plutôt les autochtones qui n'avaient pas les moyens de s'établir à proximité des plages ou du centre et qu'on reléguait aux lisières de la commune... En tout cas, quand il était enfant, c'était le domaine des laissés-pour-compte. De la misère qu'il ne fallait surtout pas que vissent les riches estivants. La honte de Dinard. À l'école, dès qu'on savait que vous étiez un gars de là-bas, vous étiez catalogué. Forcément cancre. Forcément voyou. Forcément sale. Alors on se battait, et on restait entre soi. Les jardinets séparés par des grillages rouillés servaient de terrain de jeu. Son père à lui cultivait des légumes. La plupart des pères ne cultivaient rien. La plupart des pères cuvaient le vin qu'ils avaient bu au café. Le café des Cognets, bien sûr, installé dans une construction en briques au croisement des trois rues et qui faisait aussi épicerie. Les femmes y laissaient des ardoises qu'elles payaient quand arrivaient les allocs. On entendait tout, d'une maison à l'autre. Qu'est-ce que ça gueulait ! Raymond avait de la chance. Son père était invalide, mais il ne buvait pas. Il était communiste. Ils étaient quelques-uns dans les taudis. Raymond l'aidait à vendre *L'Huma* sur le marché. Aux Cognets, on était communiste ou alcoolique. Parfois les deux. Sauf une famille. Pourquoi pensait-il justement à ces gens-là depuis la veille, alors qu'il les avait complètement oubliés ? Eux, ils étaient calotins. Les bigots, on disait. Il ne se rappelait plus leur vrai nom. On ne les aimait pas car ils se donnaient des grands airs alors qu'ils étaient bien dans la même merde que les autres. La mère était morte assez tôt, il ne savait plus de quoi. Lui, il était maçon mais il buvait comme les autres et ne gardait jamais une place. Une brute, même s'il allait à la messe tous les dimanches ! Ils avaient deux filles plus âgées que Raymond, qui allaient à l'école libre. Elles se prenaient pour des demoiselles. N'empêche que l'aînée avait dû partir travailler comme bonniche, avant même d'avoir passé le certificat. L'autre était plus jolie, plus douce. Un jour, on ne l'avait plus vue. Quel âge avait-il quand elle était partie ? Douze ans, par là. Malgré ses préventions, il aimait bien la regarder... Elle était blonde.

Est-ce que Thomas avait une copine ? Il ne parlait pas beaucoup à ses parents. Et il faisait le mur pour visiter les villas ! Aux Cognets aussi, on en rêvait. Mais même pour laver leurs parquets, ils ne voulaient pas de vous. Raymond était capable de flanquer une volée à un mec plus grand, il n'aurait jamais eu le cran de pénétrer par effraction dans une maison. On avait peur des gendarmes à cette époque. Et puis, la Malouine, c'était vraiment une autre planète. Tout juste si on osait aller à la plage.

Il réalisa qu'une cliente était entrée et le regardait d'un drôle d'air.

— Ça va pas, monsieur Raymond ? Vous vous tracassez pour le petit ?

La mère Jouvenel. Elle bichait, cette salope.

— Pourquoi je me tracasserais ? Il a rien fait, le petit. Rien du tout.

— Quand même, c'était qui, cette fille qu'il a trouvée ?

42

— Comment voulez-vous que je le sache ? gronda Raymond. Qu'est-ce que je vous sers ?

Quand la vieille fut repartie avec son Millionnaire perdant, il apporta un verre de rouge à Joël qui s'était réveillé pour réclamer. Thomas ne connaîtrait jamais cette misère. Aussitôt que le bar serait entièrement payé, il serait possible d'acheter une petite maison dans un lotissement, de quitter la HLM. Raymond s'était un peu rapproché de la plage. Aujourd'hui, les taudis des Cognets étaient démolis et de jolis pavillons les remplaçaient. Pourtant la Malouine restait une autre planète. Son fils était plus cosmonaute que lui... Est-ce qu'on méprisait les fils de limonadiers, au collège ? Rien n'avait vraiment changé, finalement. Ils vivaient mieux, c'était tout. Il regretta soudain de ne pas avoir suivi l'exemple de son père. Lui s'était battu, au moins. Paix à son âme. Raymond ne votait même plus. Il se contentait de compter et recompter la caisse, le soir. Et de faire fructifier les bénéfices sur des plans d'épargne logement. Et merde. L'image de la blonde des bigots ne s'effaçait pas. Qu'est-ce qu'elle était devenue ? Elle était morte, non ? Il y avait eu une histoire... Il n'arrivait pas à se souvenir. Le téléphone sonna. Les flics. Il fallait encore amener Thomas au commissariat après la classe. Ça commençait à bien faire.

Les enquêteurs de la PJ arrivaient devant la villa. La rue, d'ordinaire si calme en hiver, connaissait une animation quasi estivale, malgré les grosses gouttes que dégorgeaient les masses grises pesant lourdement sur les toitures d'ardoises. Un break de France 3 Bretagne encombrait le trottoir étroit. Le cameraman filmait à travers les barreaux du portail, tandis qu'une jeune femme tendait un micro à un homme en ciré jaune. D'autres personnes, badauds ou journalistes, prenaient des photos. Étrangement, les chiens de la ville semblaient s'être donné rendez-vous, et tiraient sur leurs laisses pour se renifler à loisir pendant que maîtres et maîtresses, sous les parapluies, se serraient les uns contre les autres. Ce qui frappa les policiers, ce fut le silence. Même les chiens n'aboyaient pas. On n'entendait que la voix de la journaliste. Quand ils descendirent de leur voiture, les regards, auparavant fixés sur la façade de La Chênaie, se dirigèrent vers les deux hommes qui découvrirent alors les expressions inquiètes, dans des visages fripés. C'étaient des vieux qui s'étaient regroupés là. Et ils avaient peur. Si Marchand ressentit une certaine émotion, Lebris vit surtout en eux des témoins potentiels.

— Police, claironna-t-il, en sortant de la poche intérieure de son pardessus la carte tricolore.

Une rumeur en crescendo succéda au silence.

— Qui est-ce ? Vous savez qui est la victime ? D'où elle vient ? Avez-vous trouvé l'assassin ? Que dit M. Valençay ?

— Sûrement un règlement de comptes, des gens d'ailleurs.

— Des voyous de banlieue ! Des drogués !

La voix était stridente, une autre lui répondit, presque hystérique :

— Il paraît qu'elle était toute nue ! Encore une de ces prostituées... Qu'est-ce qu'elle est venue faire chez nous ?

Ils parlaient tous en même temps. Lebris écarta avec mauvaise humeur les journalistes qui se précipitaient vers lui.

— Je vous en prie, messieurs, laissez-nous travailler.

Puis, s'adressant aux propriétaires de chiens :

— Y a-t-il, parmi vous, des gens qui viennent régulièrement se promener par ici ?

Trois ou quatre mains se levèrent timidement, comme à l'école.

— Quelqu'un a-t-il remarqué une présence insolite, la semaine dernière, ou plutôt, entre le 9 et le 11 décembre, autour de la villa, ou dedans ?

Trois signes de dénégation. Une dame plus jeune que les autres, aux cheveux encore bruns, intervint :

— Le quartier est désert, à cette époque-ci. Il peut s'y passer n'importe quoi ! Une honte ! Ils ne respectent plus rien !

Elle n'expliqua pas qui étaient ces « ils », ni ce qu'ils n'avaient pas respecté. La vie d'une jeune femme ou la propriété d'un grand patron ? s'interrogea Marchand. Cependant, l'homme qui était au bout de la laisse d'un labrador fit signe qu'il avait quelque chose à dire. Il se détacha du groupe pour raconter son histoire. C'était un retraité de la marine, habitant rue Saint-Énogat. Il sortait sa chienne généralement le soir, vers six heures, à la Malouine. Plusieurs jours auparavant, à cent mètres d'ici à peu près, deux autos l'avaient dépassé. L'une d'elles avait failli heurter la bête, qui pissait dans le caniveau.

— Le samedi, je crois bien. Je suis pas sûr. En tout cas, ils roulaient trop vite. Les rues sont étroites, dans ce coin. Pas faites pour les dingues du volant !

Non, il ne connaissait pas la marque des véhicules, et il n'avait pas vu les conducteurs. Encore moins les numéros. Dame, il faisait noir. Des petites voitures, basses. Un peu comme les voitures de course. Pas les Formule 1, bien sûr, les autres. Lebris voyait. Bagnoles de sport, gosses de riches ? Cela ne collait pas avec sa théorie. Il demanda :

— Vous savez où elles se sont arrêtées ?

Le capitaine fut déçu.

— Non. J'ai pas fait trop attention. Je m'occupais

de la chienne, j'avais peur qu'elle ait été blessée par ces abrutis. Il me semble que les moteurs se sont tus. Je ne peux pas vous en dire plus. D'où j'étais, de toute manière, je ne voyais pas cette rue, et encore moins la villa de Valençay. Et puis, j'ai continué ma balade, mais elles n'étaient garées nulle part.

Lebris soupira. Il n'était guère plus avancé. Néanmoins il nota les coordonnées de l'ancien marin. À tout hasard. Les chauffards n'avaient sans doute rien à voir avec le crime. Il réclama à Marchand le trousseau de clés et se dirigea vers le portail qu'il ouvrit. Les chiens et leurs maîtres amorcèrent une séparation. Chacun regagnerait la chaleur de son domicile, se sécherait, mais leur démarche lourde indiquait qu'ils emportaient aussi leur anxiété. Le capitaine n'empêcha pas l'objectif de la caméra de suivre ses mouvements, mais repoussa fermement le journaliste qui tentait de s'introduire à sa suite dans le jardin. Il verrouilla la grille derrière Marchand, puis s'immobilisa, contemplant, posée sur son lit de gazon, l'énorme construction. C'était une bâtisse en granit clair, de trois étages, flanquée de tours carrées, et surmontée de pignons aigus et festonnés, percés d'ouvertures imitant des vitraux gothiques. Les angles et les bordures des multiples fenêtres étaient soulignés par le rouge de pans de briques. Des marches blanches menaient à la porte principale, surmontée d'un auvent de verre et de fer forgé. Lebris émit un sifflotement appréciateur :

— Quel monument ! On comprend que la visite puisse tenter des mômes ! Et des cambrioleurs !

Une allée de graviers se séparait en deux tronçons. Le premier menait à l'entrée, l'autre, que les policiers empruntèrent, contournait la maison. Ils parvinrent sur une sorte d'esplanade pavée où pouvaient stationner plusieurs voitures, dès lors complètement invisibles du dehors. Le capitaine montra à son adjoint une trace boueuse où se dessinaient de vagues motifs.

— On dirait bien une trace récente. Il faudra vérifier si l'IJ l'a relevée.

Un jardin buissonneux descendait en pente assez raide vers la plage. Sur la façade qui donnait sur la mer étaient greffés balcons et bow-windows, peints en blanc sous lesquels grimaçaient de drôles de gargouilles à la gueule ouverte et aux oreilles pointues.

— Je me verrais bien contempler Saint-Malo d'un de ces balcons, l'été, soupira Marchand. Quand je pense qu'ils ne viennent jamais !

— Cessez de vous lamenter, mon vieux. On va visiter ! Ce n'est pas donné à tout le monde.

Ils revinrent sur leurs pas. Au pied du mur qui séparait la pelouse de la rue, au milieu de feuilles mortes, se trouvait encore la grande poubelle que Greg et Thomas avaient escaladée dans leur fuite. En haut du perron, la serrure de la porte refermée céda facilement. La visite des enquêteurs fut plus complète et moins éprouvante que celle, clandestine et écourtée, des enfants des Pâtures. L'odeur infecte commençait à disparaître. La lumière chiche qui venait du dehors leur suffit pour découvrir dans le hall les marines signées de petits maîtres du dix-neuvième, le motif Art nouveau de l'imposte. Pourtant, les deux hommes ressentirent un malaise dont ils avaient du mal à analyser l'origine. Était-il dû à la silhouette dessinée à la craie blanche sur le parquet du grand salon ? Aux couleurs ternes, estompées par l'hiver, dans un cadre fait pour le soleil ? Et puis le panorama, à travers la porte-fenêtre ouvrant sur un balcon, était brouillé par des traînées de pluie, le désordre persistait dans les pièces du rez-de-chaussée, particulièrement dans la cuisine, bien que les cendriers eussent été vidés, les bouteilles enlevées. Les chambres où certains matelas étaient à nu sentaient le renfermé. En réalité, c'était plutôt une vague nostalgie qui suintait de toute cette maison, trop grande, pleine de coins et de recoins, de ces enfilades de portes donnant sur des couloirs moquettés de rouge, comme dans de très anciens hôtels... La nostalgie d'un temps où les lieux avaient été le témoin de fêtes, de rires, un temps d'insouciance et de luxe. La villa puait l'abandon. Elle n'était plus qu'une coquille, peu à peu privée d'âme.

— Apparemment, il n'y a pas eu de casse, remarqua Lebris, redescendant les escaliers, après leur tournée d'inspection dans les étages.

— Regardez, dit Marchand, quand ils furent revenus au salon.

Il tenait à la main un vase rond au col effilé, haut d'une quinzaine de centimètres, en pâte de verre d'un blanc translucide, dans laquelle des coulées vertes et jaunes dessinaient des arums.

— C'est un vase, et alors ? dit Lebris.

— Un Gallé, signé. École de Nancy. Il vaut une fortune. Et il y en a d'autres, ajouta-t-il, désignant du doigt d'autres bibelots.

— Où vous avez appris ça, vous ?

— C'est ma femme, balbutia le lieutenant, elle...

Mais son chef ne l'écoutait pas. Il semblait perplexe.

— Il reste des objets de valeur, pas de casse. Drôles de cambrioleurs. Ou bien ils n'y connaissaient rien, ou bien nous devons conclure que le but de l'opération était seulement le meurtre.

— Ou la fiesta, le meurtre s'étant produit par accident ?

— Vous avez déjà étranglé quelqu'un par accident, vous ? Ça ne colle pas. Je ne le sens pas. J'ai hâte de voir Valençay. Et de lui demander à qui il a bien pu filer les clés de cette baraque. Bon, on se tire. On va aller interroger les voisins. Il n'est pas possible que personne n'ait rien vu. Au fait, téléphonez à l'IJ pour les traces de pneus.

Marchand sortit son portable sur le perron. Il raccrocha après une brève conversation qu'il résuma au capitaine en l'édulcorant. L'homme de l'Identité judiciaire l'avait invité à dire à ce con une fois de plus qu'il connaissait son boulot, et que les traces étaient inutilisables. Plusieurs véhicules étaient passés dans la boue.

Le vieil homme posa ses jumelles sur le guéridon et les recouvrit du gilet que Mathilde lui avait apporté et qu'il avait refusé d'enfiler. Il n'avait jamais froid ! Elle l'emmerdait avec ses lainages ! Si les autres venaient, ils n'avaient pas besoin de savoir qu'il les avait épiés derrière les jumelles. D'ailleurs, ils allaient le croire sourd, aveugle et gâteux, comme tout le monde ! Même Mathilde. Ça l'arrangeait bien. Quand il s'était rendu compte, dans sa quatre-vingt-douzième année, que ses jambes commençaient à ne plus le porter, que les longues heures de la nuit devenaient irrémédiablement des heures de souffrance, il avait décidé de mourir. Alors, il avait fait comme si. Il s'était coupé du monde, attendant impatiemment que le monde se coupe de lui. À la manière des enfants qui ferment les yeux pour faire croire qu'ils dorment. Mais la camarde, cette peau de vache, ne s'était pas présentée. Simplement, tout le monde avait cru qu'il était gâteux, sourd et aveugle. Aucune importance. Au moins, on lui foutait la paix. Isolé dans cette chambre dont il ne descendait plus, il jouissait finalement de tous les duper. Il n'y avait que le petit Bertrand à savoir la vérité. Tant mieux. Il aurait besoin d'un complice pour lui faire une course ou deux. Ces jours-ci, il appréciait le sursis que la mort lui offrait. Parce qu'il avait un secret. Un gros. Voilà longtemps qu'il ne s'était autant amusé. Il regarda à nouveau dehors. De la fenêtre de sa chambre, au premier étage, il avait une vue plongeante sur la rue et le jardin de La Chênaie, juste en face. Dès qu'il était levé, il exigeait d'être installé dans ce fauteuil. Mathilde obéissait sans comprendre. À quoi ça sert, monsieur Édouard, puisque vous n'y voyez plus ! Si. Il apercevait la mer, de part et d'autre de la masse de la villa des Valençay. Il ne s'en lassait pas. Combien d'heures avait-il passées à compter les voiles blanches ? En été, il y avait de quoi faire. D'habitude, en hiver, il s'ennuyait. Pas cette année. Tiens, ils sortaient. Le chauve s'arrêtait sur les marches pour téléphoner. Pourvu qu'ils ne sonnent pas ici avant que Mathilde ne soit rentrée des courses. Si elle n'était pas là pour ouvrir, ils penseraient qu'il n'y avait personne, et ils repartiraient. Non, ils continuaient sur le même trottoir. Et le vieil homme vit arriver, à l'autre extrémité de la rue, sa gouvernante, un panier au bout de chaque bras, qui traînait les pieds et levait désespérément le coude, tentant d'essuyer ses lunettes avec la manche de son manteau de lainage gris. Qu'est-ce qu'elle était moche, la garce ! Il aurait préféré que son fils embauche une petite bien ronde, à la croupe rebondie, qui se serait laissé un peu tripoter... Mais il n'avait pas eu le choix. C'était Mathilde ou l'hospice. La maison de retraite, disait son fils. Ça, il n'en était pas question. Il mourrait dans la villa construite par son grand-père, où il avait passé ses vacances durant son enfance et sa vie active, et où il s'était installé définitivement, trente-trois ans auparavant. Dans le décor qu'il aimait par-dessus tout. Sa Malouine, la belle assoupie courtisée par des fantômes familiers. Il entendit claquer la porte d'entrée. Mathilde était rentrée. Il allait lui faire grimper les escaliers. Après, elle serait bien fatiguée, et dormirait comme une souche. Ainsi que toutes les nuits. Il était sûr qu'elle n'entendrait même pas la sonnette reliée à celle qui était placée à la tête de son lit et sur laquelle il devait appuyer s'il avait besoin d'elle. Tant mieux. Tant mieux aussi que la chambre de Mathilde donne de l'autre côté, sur le jardin. Lui seul avait pu jouir du spectacle. Et les autres ne se doutaient sûrement pas qu'il était capable de se lever tout seul, avec ses cannes, et d'aller s'installer derrière la fenêtre, quand il ne parvenait pas à dormir. Il n'était pas aveugle ! Il n'avait encore rien décidé. Il fallait qu'il réfléchisse. Pour le moment, il attendait. Il jouissait de son secret. Il saisit une canne et donna de grands coups dans le plancher.

— Mathilde ! Mathilde !

La voix chevrotait, l'appel s'acheva dans une quinte de toux. En bas, la femme enleva son manteau, posa les sacs de victuailles sur la table de la cuisine, et trotta vers l'escalier.

— J'arrive, monsieur, j'arrive.

Lebris et Marchand firent demi-tour. Ils avaient parcouru la rue qui serpentait, épousant les méandres de la promenade longeant la mer, loin en contrebas. Les villas séculaires, toutes différentes, avaient pourtant en commun leur démesure, et l'extravagance de leur architecture, mélange de néogothique victorien et d'influences méditerranéennes. Des volets pleins les aveuglaient. Aucune n'était occupée. Les policiers appuyèrent sur des sonnettes muettes, agitèrent des cloches de bronze qui n'éveillèrent que les goélands.

— C'est le royaume de la Belle au bois dormant, ricana Marchand. Quand je pense qu'on parle de crise du logement !

En pestant, ils arpentèrent le trottoir opposé. Encore

51

des mastodontes désertés, mais certaines demeures y étaient plus récentes, plus modestes. Celles-là n'avaient pas la vue directe sur la mer et paraissaient habitées. Une femme, enfin, assez jeune, leur ouvrit sa porte. Une petite fille s'accrochait à sa jupe. Son mari, leur dit-elle, travaillait à Saint-Malo. Elle restait presque tout le temps à la maison, et n'était d'ailleurs pas très rassurée, avec cette histoire. Malheureusement, elle ne pouvait rien leur apprendre. De chez elle, elle ne voyait pas la partie de la rue où se dressait La Chênaie. Elle n'avait observé aucune agitation particulière. Le week-end du meurtre, ils étaient chez ses beaux-parents, à Rennes. La veille, elle n'avait même pas eu conscience de la présence de la police dans le quartier. Authentique ! Elle n'avait appris la nouvelle que dans le journal, le matin même.

— Vous n'êtes quand même pas les seuls à habiter dans le quartier toute l'année ?

— Non, bien sûr. À côté, c'est généralement occupé. Des retraités.

Elle sourit.

— Il y en a beaucoup dans cette ville ! Mes voisins partent régulièrement en décembre. Sur la Côte d'Azur. En face de La Chênaie, vous trouverez du monde. La forteresse, comme on l'appelle. Elle appartient à un très vieux monsieur qui ne sort jamais. Il vit en compagnie d'une gouvernante. Une dame d'un certain âge.

De possibles témoins ? Ils auraient dû commencer par là, mais la grande baraque grise leur avait paru vide. Sans doute parce qu'elle n'offrait pas la même profusion d'ouvertures et de balcons que les autres. Avec ses fenêtres étroites, son toit en terrasse ceint de mâchicoulis, elle méritait bien son surnom. En tout cas, quand ils appuyèrent sur le bouton, une sonnerie retentit. La porte s'entrebâilla bientôt.

52

— C'est pour quoi ?

Ils s'expliquèrent. Le personnage en tablier à carreaux et aux frisures poivre et sel devint prolixe.

— Si c'était que moi, et s'il n'y avait pas le pauvre monsieur, je resterais pas une minute de plus. La nuit, je barricade. Et je vérifie, plutôt trois fois qu'une. Et j'ai peur de sortir ! Faut pourtant que je fasse les courses ! Vous allez les arrêter ?

La bonne volonté de la gouvernante était tout ce qu'elle avait à offrir. Elle non plus n'avait rien remarqué. Une garde-malade la remplaçait, deux jours par semaine. Mais pendant la période où les journaux disaient que le crime avait été commis, elle était là.

— Et, vous ne me croirez pas, je ne me suis rendu compte qu'il se passait quelque chose qu'hier matin, à cause des voitures de police, garées sur notre trottoir ! Forcément, ma chambre donne sur le jardin de derrière, la cuisine aussi ! Et monsieur qui m'appelle, les escaliers à grimper ! J'ai mieux à faire qu'à espionner dans la rue ! À neuf heures, je suis couchée et je regarde la télé dans mon lit. En été, c'est pas pareil. Les gens, on les rencontre forcément. Y en a plein partout ! Tandis qu'à cette époque...

— Personne ne vient jamais à La Chênaie ? Pour entretenir, aérer ?

— Franchement, je ne sais pas. Il y a cinq ans que je suis à Dinard, et je n'ai pas fait de connaissances, conclut-elle, sans logique apparente, avec une pointe d'amertume.

Lebris demanda s'il pouvait voir son patron. Où était-il ?

— Dans sa chambre. Derrière sa fenêtre, sûr. Mais il pourra rien vous dire. Il a quatre-vingt-treize ans, vous imaginez ? Il peut plus marcher, il entend mal, et il n'y voit pratiquement plus ! Cogner sa canne sur le plancher et gueuler, c'est tout ce qui lui reste !

Marchand eut un frisson. Il espérait bien ne pas finir ainsi. Les policiers montèrent pourtant à l'étage. La chambre était immense, encombrée de meubles imposants, de livres, de photos. Elle avait l'odeur des endroits où l'air n'entre pas, une odeur de rance, d'urine, de vieille sueur. Ratatinée dans un fauteuil de cuir aux accoudoirs râpés placé dans le renfoncement de la fenêtre, une silhouette immobile. Un vieillard desséché, dont les mains tavelées, squelettiques, se crispaient spasmodiquement sur une couverture écossaise. Il ne semblait pas avoir conscience de la présence des visiteurs. Cependant, une voix rauque, étonnamment puissante, sortit du corps avachi :

— Mathilde ! Qui est-ce ? Mon père ? Dites-lui de s'en aller ! Je ne veux pas le voir !

La gouvernante leva les yeux au ciel.

— Son père ! Il est mort depuis belle lurette, son père.

Puis, se mettant à son tour à hurler :

— C'est des policiers, monsieur Édouard. Ils veulent savoir si vous avez vu quelque chose chez les Valençay.

Le vieux ne réagit pas. Les prunelles grises, larmoyantes, restaient fixes. Puis, sa main décharnée se tendit, tâtonna dans le vide. Il agrippa finalement la manche du pardessus de Marchand qui recula, effrayé.

— Où sont mes petites biscottes ! Je veux mes petites biscottes.

On n'en tirerait rien. Avec un soupir d'exaspération, le capitaine regarda à travers la vitre. Un poste d'observation en or. Ce déchet humain aurait pu faire un témoin de premier ordre. Et merde ! En redescendant l'escalier, aucun des trois ne pouvait imaginer qu'une lueur de malignité brillait à présent dans l'œil humide de M. Édouard.

Les inspecteurs rentrèrent au commissariat et organisèrent une réunion de tous les hommes qui avaient passé la journée sur le terrain, à laquelle le commissaire lui-même assista. On leur rendit compte des investigations de la journée. Apparemment la jeune femme n'avait séjourné ni dans un hôtel, ni dans un meublé. En décembre, d'ailleurs, les touristes étaient rares et elle aurait été facilement repérée. On avait montré sa photo à la gare de Saint-Malo, aux chauffeurs de bus, aux employés de l'aéroport de Pleurtuit. En vain. Aucune voiture abandonnée n'avait été signalée. Quelques jeunes à problèmes avaient été interrogés. À Dinard et à Saint-Malo. Ils semblaient hors de cause, et leurs empreintes ne collaient pas. Aucun vol de boissons alcoolisées, pas d'achats en gros, sinon les emplettes ordinaires des familles préparant Noël. Le seul élément intéressant était le témoignage spontané d'un couple qui disait s'être promené sur la digue de la plage de l'Écluse, le samedi 9, vers minuit, en sortant du cinéma. Ils avaient vu de la lumière aux fenêtres de La Chênaie, côté mer. Ils étaient sûrs de ne pas se tromper. Ce qui prouvait que les squatters de Valençay ne cherchaient même pas à se cacher. Quel culot !

Greg et Thomas attendaient dans le hall, flanqués de quatre parents nerveux et agacés. L'interrogatoire faillit dégénérer parce que Hervé Lebris commença en menaçant les gamins des pires châtiments s'ils ne se mettaient pas à table. Le cafetier, écarlate, tapa sur la table.

— Mon fils a peut-être fait une connerie, mais ce n'est pas un criminel !

Finalement, ils répétèrent mot à mot ce qui était consigné dans les premiers rapports. Ça sonnait juste.

— C'est bien le mercredi que vous avez constaté que la porte était ouverte ?

Ils acquiescèrent.

— Et le week-end précédent, vous n'avez rien remarqué d'anormal ? Tout était fermé ?

— Mais on a déjà juré qu'on y était pas allés, cette semaine-là ! J'avais un contrôle de math. Je ne suis pas sorti le samedi, s'insurgea Greg. Thomas est venu me chercher vers cinq heures le dimanche, on a fait un tour vers la Thalasso. La balade de Notre-Dame du Roc. Puis on est rentrés. La Malouine, on n'y a pas mis les pieds pendant plus d'une semaine.

Il n'y avait plus qu'à les laisser partir. Bernard Marchand regarda les deux familles se lever, quitter le bureau. Des gens normaux, des adolescents curieux, parfois irréfléchis. C'était ça aussi, une ville comme Dinard. Pas seulement l'ombre évanescente d'un passé fastueux, pas seulement un musée de cire.

Mardi 19 décembre.

La journée du mardi n'apporta que des déconvenues. Le couple âgé, arrivé de Reims après avoir conduit toute la nuit, pleurait et s'excusait, sans qu'on sût de quoi. Heureusement, le médecin légiste n'était pas encore là. Ils s'enfoncèrent en se tenant la main dans les sous-sols de l'hôpital, ne détournèrent pas leur regard du visage dévoilé. Ils sourirent, enfin, parlèrent à l'unisson.

— Évidemment, ce n'est pas elle. Anita n'est pas morte.

Et ils s'esquivèrent, discrètement.

On élargit la recherche de témoins aux autres rues du quartier, sans succès. Personne n'avait rien vu, rien entendu. Boitel, de service et prêt à tous les sacrifices pour faire oublier sa gaffe, était resté des heures en stationnement devant la villa pour guetter les promeneurs de chiens. Il avait obtenu de maigres résultats. Une vieille dame qui sortait en fin de matinée et à sept heures le soir pour donner de l'exercice à son bâtard roux prétendit qu'elle avait cru apercevoir de la lumière dans la propriété des Valençay. Plutôt le dimanche. Elle n'était pas certaine. En plus, elle se trompait peut-être, parce qu'il pleuvait et qu'on n'avait pas inventé les essuie-glaces à lunettes. En tout cas, aucune automobile n'était garée dans la rue.

— Si les visiteurs sont venus en voiture, et qu'ils les ont rentrées dans le parc, l'interrompit Marchand à qui il rendait compte, elles étaient complètement invisibles de la rue.

Lebris assista à l'autopsie. Mais le médecin, un homme de son âge, très maigre, austère, refusa de répondre à ses questions pressantes, et le renvoya à ses occupations d'un sec :

— Je ne peux rien dire pour le moment. Vous aurez mon rapport demain.

L'officier était donc d'une humeur massacrante quand il rentra au commissariat, où il apprit que le commissaire Leguen avait demandé à la plupart de ses agents de reprendre les affaires courantes. Sur son passage, les sourires narquois des collègues le firent bouillir de rage. Mais il ne put rien faire d'autre que lire et relire son dossier, engueuler Marchand qui sortait pourtant dans le couloir pour fumer, et attendre, attendre. Le juge d'instruction appela. Le capitaine fit dire qu'il était sorti. À quinze heures, il roulait vers Rennes.

Au même instant, Mathilde partait faire ses courses. Il crachinait toujours. Ses jambes la faisaient souffrir. Chaque jour, elle parcourait un long trajet pour trouver des commerces. Pas de boulangerie avant la place du Calvaire, à Saint-Énogat. Elle remonta le boulevard Albert-Lacroix. M. Édouard avait bien mangé, ce midi. Ce soir, elle lui ferait une petite purée. Elle fut récompensée de ses peines en choisissant une salade à la supérette. La patronne voulait tout savoir. Les dames présentes écoutaient avec passion Mathilde raconter la visite des policiers. Elle ne se doutait pas qu'en son absence le vieil homme avait réussi à attraper dans le tiroir d'un bureau une paire de ciseaux et un tube de colle, et qu'il découpait de vieux journaux d'une main tremblante. Devant lui une feuille de papier était déjà à moitié couverte de lettres d'imprimerie collées.

CHAPITRE IV

Mercredi 20 décembre.

Sur la quatre voies Rennes-Saint-Malo, qu'il empruntait pour la troisième fois, Hervé Lebris pestait. Depuis combien de mois n'avait-il pas conduit sans entendre l'agaçant couinement de son essuie-glace ? C'est le genre de petits détails qui minent, surtout quand on a une Audi noire flambant neuve. Et qu'on dirige une enquête qui piétine. À côté de lui. Marchand n'arrêtait pas de renifler. Il ne faisait pas froid, mais cette saleté d'humidité permanente véhiculait des microbes. Le capitaine espérait bien un jour quitter la Bretagne pour le Sud, lorsqu'il serait commandant. Bientôt, le plus tôt possible. Il faisait tout ce qu'il fallait pour brûler les étapes. Si seulement cette fichue enquête avançait... L'identité de la fille restait un mystère complet. Sa photo avait été envoyée dans les gendarmeries et commissariats de la France entière. Si nécessaire, on la donnerait aussi à la presse. Et même à la télé. Peut-être une étrangère ? Il n'y avait aucun moyen de savoir quelle langue elle parlait ! Les morts, évidemment, ne parlent pas. À moins qu'elle n'ait, la veille, livré un secret au médecin légiste qui l'avait découpée ? Quel type odieux, ce toubib ! Il avait hâte de lire son rapport qui n'expliquerait pas, à coup sûr, d'où sortait le macchabée. Elle semblait vraiment tombée de nulle part. Ce n'était pourtant pas une extraterrestre ? Quelque part, forcément, des gens la connaissaient, s'inquiétaient de ne pas la voir. Elle était encore jeune, certainement jolie. Avait-elle été élégante ? Il avait bien vu, en tout cas, quand il lui avait rendu visite à la morgue, que ses cheveux mi-longs étaient entretenus par un bon coiffeur.

— Vous êtes sûr que rien ne vous a échappé dans le fichier des personnes disparues ? demanda pour l'énième fois Lebris au lieutenant.

— Absolument sûr. Quoi de prévu, aujourd'hui ? dit Marchand.

— La visite de Valençay. En début d'après-midi. Il est d'accord pour aller voir le corps. Il est déjà à Dinard car il souhaitait constater lui-même l'état de la villa, et s'assurer que rien n'avait été volé. Boitel doit l'accompagner.

Ils reçurent le rapport du médecin légiste en arrivant. Il confirmait que l'individu, de sexe féminin, mesurant un mètre soixante-huit, pesant environ cinquante-six kilos, avait le type européen et une trentaine d'années. N'était pas vierge, mais n'avait pas eu d'enfant. Appartenait sans doute à un milieu aisé : elle portait les traces de produits de maquillage haut de gamme, se faisait régulièrement épiler par une esthéticienne. Bronzage par UV. Avait également recours aux soins d'une manucure.

Marchand émit un petit sifflement.

— Rupine ?

— Ou pute de luxe, ricana son chef.

Elle avait subi assez récemment une petite intervention chirurgicale. Sans doute l'ablation d'un kyste sur l'ovaire droit. La mort était due à une strangulation effectuée avec une écharpe de soie comme l'indiquaient les fibres prélevées dans les chairs du cou. En faisant l'hypothèse que la pièce où on l'avait trouvée n'avait pas été chauffée, et compte tenu de la température extérieure, le décès était intervenu entre le 8 et le 11 décembre. En marge, une note manuscrite précisait : « Je sais que vous allez me demander si je peux rétrécir la fourchette. Franchement, c'est quasiment impossible. » La victime ne semblait pas s'être débattue. Le corps ne présentait aucune contusion, les ongles n'avaient rien accroché. Aucune trace vraiment probante d'agression sexuelle, pas de sperme.

— Elle a dû être attaquée par-derrière. Donc, elle ne se méfiait pas ? Ou elle connaissait son assaillant, ou elle ne l'a pas entendu s'approcher, suggéra Marchand qui lisait derrière l'épaule de son supérieur.

— Ça, c'est incroyable ! s'exclama Lebris, en découvrant le paragraphe suivant.

L'analyse du contenu de l'estomac révélait que la jeune femme était à jeun. Au moment de sa mort, elle n'avait pas mangé depuis au moins cinq heures, et surtout, n'avait absorbé aucune boisson alcoolisée.

— Ils ont picolé comme des dingues... et elle n'aurait rien bu ? Elle venait d'arriver et ils lui ont sauté dessus ? Parce qu'elle représentait la ligue anti-alcoolique et les a engueulés ? ricana Marchand.

— Arrêtez vos conneries. Elle n'a rien touché, non plus. Pas laissé une trace. Incompréhensible. Et qui sont ces « ils », d'abord ? J'aimerais bien le savoir. Je suis persuadé que ce ne sont pas les deux ados. Dommage qu'ils n'aient rien vu le week-end précédent.

— Normal, s'ils sont vraiment allés du côté de la Thalasso qui est assez loin de la villa. C'est le mercredi qu'ils se sont baladés dans le quartier de la Malouine, fit remarquer le lieutenant.

— Oui, l'après-midi. À ce moment-là ils ont constaté que la porte était ouverte. Or, la fille était déjà morte. Vous croyez qu'ils y seraient retournés s'ils avaient deviné qu'ils tomberaient nez à nez avec un cadavre ? D'après les agents qui les ont interpellés, ils étaient vraiment secoués. Leur histoire est crédible, et je n'ai pas réussi à les faire se couper. Leurs profs et les voisins qu'on a interrogés l'ont affirmé, ce sont des solitaires, ils n'appartiennent à aucune bande. Ni des anges, ni des délinquants. Des collégiens normaux, plutôt bons élèves.

Lebris se tut. Sous l'effet de la concentration, son front se plissait. Il frappa du poing sur un bureau et reprit :

— Mais, bon sang, pourquoi était-elle à jeun ? Les autres ont bu comme des trous. Je reste convaincu que la beuverie est à l'origine du meurtre, et du fait qu'ils se sont tirés en laissant tout ouvert.

— Vous pensez que ce n'étaient pas des Dinardais ? interrogea Marchand.

— Aucune idée. J'essaie de me persuader que ce n'étaient pas des fantômes ! D'ailleurs, si ce quartier était hanté, l'hiver, personne ne s'en apercevrait !

La suite ne leur apprit rien de notable, sinon que la victime devait beaucoup fumer, pas mal boire, ne se droguait pas – en tout cas pas de traces de piqûres – et était en bonne santé.

— Le cadavre était en bonne santé ! Surréaliste, non ?

Le capitaine Lebris posa le rapport sur le bureau. Puis le reprit, le feuilleta, sourcils froncés.

— Quelque chose vous tracasse ?

— Un détail, une expression bizarre. Je m'étais promis d'y revenir, mais je ne me rappelle plus... Si, voilà ! Pourquoi le légiste a-t-il écrit : « aucune trace vraiment probante d'agression sexuelle » et pas seulement « aucune trace » ?

— Il va falloir le lui demander.

Ils joignirent le médecin au téléphone en fin de matinée. Il sembla gêné d'avoir à expliquer la formule qu'on le priait de préciser. Il prétendit d'abord que l'ambiguïté était involontaire.

— Elle n'a pas été violée, j'en suis certain.

— Mais... vous subodorez un truc bizarre !

— Bon, d'accord. Je vous livre cela à titre officieux. Une intuition trop vague pour être mise noir sur blanc. J'ai cru déceler à l'entrée du vagin une légère tuméfaction qui aurait pu être produite par l'introduction d'un corps étranger un peu encombrant... si vous voyez ce que je veux dire !

— Pas vraiment !

— Ne jouez pas les innocents. Le problème, c'est qu'il est impossible de savoir si elle s'est fait cela elle-même, ou si elle a été agressée post mortem. Elle n'était pas blessée sérieusement.

Ce même jour, au poste de police de Marville, le courrier était en cours de distribution. Le lot habituel de circulaires, les avis de recherches centralisés à Paris, puis rediffusés par paquets à travers l'Hexagone. Il y en avait tant qu'on n'y prêtait plus vraiment attention. Or, ce matin-là, Carole Riou les attendait avec une sorte d'impatience. Elle suivait dans la presse le déroulement de l'enquête dinardaise. Bien que reléguée en pages intérieures, l'arrestation du tueur de l'Hérault faisant la une, et que le nom de Valençay ne fût plus prononcé, le crime continuait à susciter l'intérêt, surtout parce que la victime n'était toujours pas identifiée. La piste des deux adolescents paraissait abandonnée, et les journalistes ne glosaient plus sur l'extension du phénomène de bandes. Pour l'instant, aucune photo n'avait été publiée, mais Carole savait qu'ils en recevraient une du ministère de l'Intérieur. Elle la guettait, sans s'expliquer très bien pourquoi elle se sentait concernée par cette histoire. Elle ne cultivait pas la nostalgie du pays natal, ne connaissait de Valençay que le personnage public. Pourtant, elle ne parvenait pas à se débarrasser d'une émotion ambiguë, à la fois apitoiement sur la jeune morte, et irritation qu'elle ne fût pas allée se faire tuer ailleurs. C'était ridicule. Elle avait assez de ses propres tourments. Elle s'était réconciliée avec Emmanuel, ils avaient passé deux nuits ensemble, chez elle. Leur relation restait ce qu'il y avait de meilleur dans l'existence de Carole. Quand ils faisaient l'amour, la perspective d'une vie commune s'imposait comme inéluctable. Mais, au matin, réapparaissaient la lassitude, le désarroi, l'anesthésie des sentiments. La faute, se disait-elle pour se rassurer, au besoin de vacances, à la grisaille des cieux et du monde, à la pluie tiédasse qui volait les couleurs depuis des mois. Banal. Un cafard de fin de siècle, sans doute partagé par la plupart de ses contemporains, désabusés. Un an auparavant, la Terre entière s'apprêtait à fêter l'an 2000 dans un délire équivoque. Le naufrage de l'*Erika* et la grande tempête du 26 décembre avaient été un avant-goût d'apocalypse. Chacun s'était senti solidaire des sinistrés, dans le désespoir et la peur, tout en éprouvant une sorte de joie hystérique à l'idée d'entrer dans une année au chiffre magique comme dans un roman de science-fiction... Carole et Emmanuel avaient simplement dîné à Saint-Véran, dans la maison sur la falaise, en compagnie de la veuve d'Aubin Corbier, atteinte de la maladie d'Alzheimer, et de sa vieille gouvernante qui ne cessait de bougonner. Ils étaient heureux, pourtant. Ce mois de décembre-ci s'éternisait mollement. Même les illuminations de Noël semblaient ternes, et les acheteurs sans fièvre. Le changement de millénaire approchait dans l'indifférence générale. Elle sursauta quand un agent pointa le nez à la porte.

— Le courrier, capitaine. On vous demande en bas pour un dépôt de plainte. Une cave cambriolée.

— J'arrive. Une minute.

Un exemplaire de chaque circulaire de recherches était remis aux officiers. Celui que Carole attendait était dans la liasse, feuille blanche encadrée d'une guirlande rose formée par la répétition des mots « diffusion générale ». Objet : Identification de cadavre. La photo occupait le tiers de la page. Elle sauta à la figure de Carole, qui ferma les yeux, prise de vertige. Ce visage, auquel les photographes de la police avaient tant bien que mal essayé de redonner l'apparence de la vie, elle le connaissait. Ou plutôt, car elle était incapable de lui adjoindre une identité, elle le reconnaissait. Il lui était familier, et en même temps, paradoxalement, n'éveillait en elle aucun souvenir précis. Il s'inscrivait logiquement dans une chaîne de réminiscences, jusque-là non conscientes, qui justifiait la fascination qu'exerçait sur elle ce meurtre depuis la lecture du premier article. En fait, elle n'était pas vraiment étonnée de ce qui lui arrivait, mais, intuitivement, savait qu'il lui faudrait remonter très loin pour avoir la réponse aux questions que soulevait cette image. Et fouiller dans une zone obscure de sa mémoire où se terraient de très vieilles émotions, dont elle pressentait que le poids d'un tabou les avait occultées. De vieilles émotions éprouvées dans son enfance... Comment était-ce possible ? La femme de la photo était plus jeune qu'elle ! Elle ne pouvait l'avoir rencontrée quand elle était petite fille ! Quelle absurdité ! Pour le moment, rien ne venait. Elle lut attentivement la circulaire. Le signalement de l'inconnue – type européen, trente ans environ, teint clair, corpulence mince, cheveux blonds, mi-longs, souples, yeux bleus –, dans sa sécheresse administrative ne fit jaillir aucune lumière. Le plaignant l'attendait. Elle descendit l'escalier, troublée, dans le brouillard. Et ce brouillard, elle s'en rendait compte, ne déformait pas l'escalier mais la représentation idyllique qu'elle s'était forgée de Dinard. Elle n'y avait que peu vécu, finalement. Dès la sixième, on l'avait mise en pension à Rennes. Pourquoi ? Il y avait un lycée sur place. Elle était fille unique, son père, marin au long cours, était souvent absent. Pourquoi sa mère avait-elle choisi de rester seule, de se séparer si tôt de son enfant ? Carole ne s'était pas posé la question, alors. Aujourd'hui elle comprenait que ses sentiments d'adolescente avaient oscillé entre un vague sentiment de culpabilité et le soulagement. Elle devait mériter d'être éloignée pour quelque faute mystérieuse mais elle était mieux ailleurs. Le souvenir des années d'école primaire s'était estompé, fané au fil du temps. Il n'en restait que des lambeaux aux couleurs fades. Dinard s'était repoudrée de soleil. Plus tard. La ville des week-ends et des vacances, des balades en bord de mer. Pierre et elle y venaient peu, les liens familiaux s'étaient distendus. On n'avait rien à se dire. Maintenant que ses parents étaient morts tous les deux et qu'elle était propriétaire de la maison des bords de Rance, elle avait inventé un cliché en bleu et or. Au plus profond de la détresse, il faut bien qu'il y ait quelque part un paradis à espérer. Le paradis était brouillé soudain par des effets de grisaille. Des hivers interminables et les vieilles qui guettaient derrière leur fenêtre. Les mômes à l'école au tablier déchiré et au regard sournois. Un chien loup, un jour, avait agressé Carole sur un trottoir. Au catéchisme, une affreuse vieille fille vous tapait sur les

66

doigts quand vous vous trompiez et vous inculquait la peur des garçons cantonnés dans une autre école, dans un autre monde, et à qui il était interdit de parler et même de penser. Carole arriva dans le hall. Elle tendit la main à l'homme qui se levait de sa chaise en skaï :

— Suivez-moi, je vous prie.

Elle ne voulait pas laisser peser à nouveau sur ses épaules la peur du péché que cette fichue photo avait sortie des limbes.

Pour leurs déjeuners, Lebris et Marchand s'étaient dégoté un petit bar sympa, près de la poste, qui proposait un plat du jour. Un bistro d'autochtones, qui vivotait toute l'année, sûrement ignoré des estivants. Il était surtout fréquenté par des vieux qui buvaient un apéro après avoir passé la matinée à jouer aux cartes. Quelques employés y prenaient leurs repas et s'interpellaient d'une table à l'autre. Les murs d'un jaune crasseux étaient décorés de filets de pêche où s'accrochaient des crabes et des langoustes en plastique. Derrière son comptoir, le patron, un gros homme qui portait des bretelles sur une chemise à carreaux, dirigeait les opérations menées par la serveuse, d'une voix de stentor. Il parvenait à faire trois choses à la fois : lire *L'Équipe*, lancer des vannes à ses habitués et siroter des verres de blanc sec. Nul n'évoquait le fait-divers macabre. Les deux policiers ne s'en étonnaient pas. On ne parlait pas devant des inconnus en costume. Les langues devaient se délier dès qu'ils avaient franchi la porte. Il était clair qu'à Dinard, on ne pensait qu'à « ça », tant l'irruption d'un événement dramatique dans la torpeur hivernale de la station était exceptionnelle.

Dans les rues du centre parcourues pour gagner le restaurant, les policiers percevaient le même malaise que le lundi dans le quartier de la Malouine. Là aussi, des petits groupes abrités par de grands parapluies sombres chuchotaient sur les trottoirs. Des femmes aux cheveux blancs protégés par des capuches de plastique transparent sortaient des magasins en scrutant les environs, à gauche, à droite, avant de s'élancer à petits pas rapides, leurs filets à provisions bringuebalant au bout du bras. Une partie de ceux qui habitaient la ville en permanence étaient des retraités aisés souhaitant finir leur vie au calme. Les perturbations du monde ne leur parviendraient plus qu'à travers leur écran de télévision, croyaient-ils. Alors, depuis le dimanche, s'imagina Marchand, ils vérifiaient trois fois verrous et serrures avant d'aller se coucher, surtout terrifiés, au fond, à l'idée qu'une bande avait pénétré dans une villa. Car, si on devait les assassiner, ça ne serait que pour les piller, les dévaliser. Le lieutenant dit en attaquant son œuf-mayonnaise :

— Si on ne trouve pas rapidement les coupables, on va droit à la psychose collective !

— Je sais, rétorqua Lebris, enfournant un morceau de pain. C'est ce que m'a dit le directeur de la PJ au téléphone tout à l'heure ! Et qu'il fallait ménager Valençay ! Mais pour débusquer les coupables, il faudrait d'abord savoir qui ils ont tué !

— Beaucoup de gens reçoivent leurs enfants pour les vacances. Ils ne sont pas tranquilles.

Il avait une aptitude intacte à la compassion. Pas son supérieur.

— Ça, mon vieux, je m'en fous ! Au moins, en ce moment, ils ont un autre sujet de conversation que leurs rhumatismes et ceux de leurs chiens ! Vous croyez qu'on va passer les fêtes tranquillement, nous ? Mon seul problème, c'est d'aboutir vite pour qu'on ne me prenne pas pour un con.

Marchand esquissa un sourire narquois. Il avait espéré quelques jours de congé la semaine suivante, pour profiter de sa famille. Raté ! Lebris était divorcé, et sa femme avait mis des kilomètres entre lui et son fils. Elle ne le lui confierait sûrement pas à Noël ! S'en souciait-il ? Le travail était sa préoccupation première. Ou plutôt, sa carrière. Lebris, certes brillant, était un fieffé arriviste. Un jeune loup aux dents longues. Par goût de l'argent, par goût du pouvoir. Surtout par goût du pouvoir, pensait Marchand. Ils avaient à peu près le même âge, Lebris était déjà capitaine. Le lieutenant était conscient, lui dont le parcours était plus laborieux, d'envier parfois son collègue, d'essayer de lui ressembler jusque dans sa façon de s'habiller. Mais sa bonne nature stoppait les pincements de jalousie, avant qu'ils ne devinssent de l'acrimonie.

La serveuse, une quadragénaire rondouillarde, moulée dans un jean délavé, sortit des cuisines et, toujours houspillée par le patron, posa sur leur table, en soupirant, des assiettées de lapin à la moutarde qui exhalaient un fumet délicieux. Les deux hommes achevèrent leur repas en silence. Au café seulement, quand les tables voisines furent libérées, ils reprirent leur conversation.

— Que pensez-vous des suppositions du légiste ?

Étrangement, le sujet les gênait. Lebris haussa les épaules.

— Ou bien c'était une sacrée salope, ou l'assassin est particulièrement vicelard. À moins qu'elle n'ait porté un jean trop serré ? suggéra-t-il.

Ils payèrent, puis sortirent, sensibles aux regards braqués dans leur dos. Ils n'attendaient Valençay qu'à deux heures et demie et envisagèrent un instant une balade le long de la plage, histoire de prendre l'air. L'éternel crachin les fit rebrousser chemin dès leur arrivée sur la digue, déserte. La mer était basse, des traînées marron de goémon et quelques rochers émergeants permettaient seuls de délimiter les surfaces immobiles, sable, ciel, eau, camaïeu de grisaille délavée, brumeuse. Les contours de Saint-Malo s'étaient estompés à l'horizon. Plus près, bordant la plage des deux côtés, les rangées de villas haut perchées sur leurs pointes, la Malouine à gauche, le Moulinet à droite, perdaient de leur superbe. Leurs murs dégoulinant de bave grise semblaient ployer sous le poids de la couche nuageuse. Avant de faire demi-tour, Marchand pointa le doigt vers la gauche.

— La voilà, la maison du crime. Je ne l'avais pas encore vue de ce côté. C'est dingue, cette muraille de granit ! On dirait l'enceinte d'un château fort !

Entre la promenade de bord de mer et les derniers arbres du jardin pentu se dressait en effet une masse de pierres, haute de dix mètres, au sommet crénelé qui s'arrondissait, épousant la forme de la côte, en trois donjons anachroniques.

— Ouais, maugréa Lebris.

Il ajouta en frissonnant, jetant un coup d'œil dégoûté sur le paysage :

— Et on appelle ça la Côte d'Émeraude !

Une Safrane bleu nuit s'arrêta devant le commissariat à deux heures trente-cinq. Le chauffeur ouvrit la portière arrière. Un homme d'une cinquantaine d'années descendit de la voiture, en finissant d'enfiler un imperméable froissé. De petite taille, il était trapu, avec un cou de taureau. Sous la couronne frisée de cheveux gris, son visage légèrement prognathe et fripé, sa bouche lippue avaient quelque chose de simiesque. Mais les yeux clairs n'exprimaient pas la naïveté de l'animal et la voix entendue par l'agent posté à l'accueil était ferme et autoritaire.

— Jean-François Valençay. On m'attend.

Le brigadier guida lui-même et promptement le visiteur jusqu'au bureau du premier étage. Il faisait parfaitement la différence entre ceux qui disaient « je suis convoqué » et ceux qui affirmaient qu'on les attendait. On pouvait faire poireauter les premiers, pas les seconds. Marchand nota que son supérieur amorçait une courbette quand le grand patron pénétra dans la pièce. Lebris se contenta cependant de tendre la main, en se présentant, avant de nommer son adjoint.

— Enchanté, dit Valençay. En quoi puis-je vous être utile ?

Ils se rendirent d'abord à la morgue. Le corps, découpé, éviscéré, avait été rafistolé tant bien que mal après l'autopsie et replacé dans son tiroir glacé. Bientôt, si personne ne le réclamait, il serait livré anonymement à la terre. La décision appartenait au juge d'instruction. La figure, quoique marbrée de taches verdâtres, paraissait intacte. Sans broncher, très attentivement, Valençay l'observa. Puis le verdict tomba :

— Jamais vue.

Lorsqu'ils se retrouvèrent au commissariat, le propriétaire de La Chênaie s'installa dans un fauteuil, accepta un café qu'il but d'un trait, avant de s'impatienter :

— Je vous écoute. Je tiens toutefois à préciser que je me sens totalement étranger à cette fâcheuse histoire. Mon seul lien avec cette jeune femme, dont je déplore évidemment le sort tragique, est qu'elle s'est fait tuer dans une maison qui m'appartient. Je n'en sais pas plus. Si des voyous ont réussi à pénétrer chez moi, à vous de mettre la main dessus. Je vais, bien sûr, porter plainte.

— Pour quel motif ? demanda le capitaine, un peu perfidement.

71

— Vol avec effraction, non ?

— Nous n'avons constaté aucune effraction. Les portes étaient ouvertes, c'est tout. Nos collègues ont fait appel immédiatement à un serrurier, qui n'a eu qu'à refaire des clés pour refermer, en attendant que vous puissiez venir. Je me suis rendu sur les lieux lundi. Il y régnait, certes, un grand désordre, mais je n'ai pas remarqué de casse. Vous êtes passé chez vous ce matin ? Des objets ont-ils disparu ?

— Apparemment pas. C'est d'autant plus étrange que nous avons quelques belles pièces Art nouveau, notamment un guéridon de Majorelle et des pâtes de verre de l'école de Nancy. Particulièrement, un très beau vase de Gallé, signé.

Marchand ne put se retenir de regarder son supérieur avec un petit sourire de contentement.

— J'ai acheté la villa meublée, il y a une dizaine d'années, continuait leur témoin, et nous avons tout laissé en l'état. L'ancien propriétaire, qui l'avait héritée de son père, Alban de Réville, vous savez, les aciéries, avait de grosses difficultés financières, il a bradé ! Une bonne affaire.

Une sorte de jubilation se lisait dans les yeux de Valençay. Dix ans après, il se réjouissait encore d'avoir pu ramasser les miettes d'un ancien empire aujourd'hui disparu, lui, l'homme dont le père était cordonnier ! Il reprit :

— En arrivant, je ne m'attendais pas à retrouver les objets d'art. Vos voleurs étaient-ils trop ignares pour avoir conscience de leur valeur ?

— Nos voleurs – Lebris, agacé, insista sur l'adjectif possessif – sont-ils des voleurs ? Vous reconnaissez vous-même que rien n'a disparu ! À mon avis, l'infraction doit être caractérisée comme violation de domicile.

— Allons-y pour violation de domicile !

Marchand enregistra donc la plainte, pianotant avec deux doigts sur l'ordinateur.

— Souhaitez-vous accuser nommément les enfants qui ont pénétré chez vous ? Ou, si l'on présume qu'ils ne sont pas responsables du reste, préférez-vous porter plainte contre X ?

— J'ai cru comprendre qu'ils ne sont finalement coupables que d'une curiosité abusive ?

— Ils sont pratiquement disculpés. Il est vraisemblable que le juge choisira l'indulgence et les renverra à leurs études après un discours musclé sur le respect de la propriété privée.

— Je ne serai donc pas plus royaliste que le roi ! Plainte contre X.

Valençay signa sa déposition, se leva à moitié de son siège. Mais Lebris n'avait pas l'intention de le laisser filer.

— J'ai encore besoin de vous, monsieur Valençay !

L'homme soupira.

— Finissons-en. Mais faites vite. Je dois être à Paris ce soir.

— Dites-moi, articula lentement Lebris, marquant une pause entre chaque interrogation, quand la villa a été occupée pour la dernière fois, s'il vous arrive de la louer ou de la prêter à des amis. Avez-vous chargé quelqu'un sur place de la surveiller, et éventuellement de l'entretenir ? Combien de trousseaux de clés possédez-vous, et où sont-ils ? Ce point est très important. Les intrus possédaient probablement des clés.

L'esprit de son interlocuteur avait parfaitement enregistré l'ensemble des questions, les réponses furent nettes.

— Personnellement, je n'y ai pas mis les pieds depuis l'été 99, si mes souvenirs sont bons. J'ai très peu de vacances, et je ne raffole pas de la Bretagne.

Mon épouse a dû venir cette année, en août, avec des amis. Elle s'est ennuyée, et est repartie plus tôt que prévu.

Le lieutenant écoutait, interloqué, pensant aux sacrifices qu'il consentait pour louer un gîte rural. Pourquoi ce type gardait-il une telle baraque dont, visiblement, il se fichait éperdument ? Et comment pouvait-il ne pas être absolument sûr de ce que son épouse avait fait durant l'été ?

— Je n'ai jamais loué La Chênaie, continuait l'autre. C'est une suggestion stupide. En revanche, elle a été occupée trois fois, à titre gracieux, par des Japonais de passage en Europe. Mais pas récemment.

— Des clients ? ne put s'empêcher de demander Marchand.

Valençay fit une moue un peu dédaigneuse.

— Appelez-les ainsi, si cela vous convient. Je dirais des relations d'affaires. En tout cas, et je réponds ainsi à votre quatrième question, ces gens ont rendu les clés à la gardienne qui les leur avait confiées. Car nous employons une femme de Dinard, qui remet la maison en état entre chaque passage. Elle vient régulièrement aérer et s'assurer que tout est en ordre. Je crois que nous avons aussi embauché un jardinier.

Lebris saisit son bloc-notes.

— Leurs noms, leurs adresses ?

— Mais, mon cher ami, je n'en ai pas la moindre idée ! Je n'ai pas le temps de m'occuper de ces détails. Voyez ça avec ma femme !

— Et comment peut-on la joindre ?

— Elle est actuellement à Megève. Si c'est urgent, je vous communiquerai le nom de son hôtel.

Lebris, ayant certifié qu'il devait joindre la femme de ménage d'urgence, nota les coordonnées.

— Et les clés ? insista-t-il.

— Je pense qu'il n'en existe que deux jeux. Celui de Dinard, et le nôtre, qui reste à Paris. Je suis certain qu'il n'en a pas bougé, puisque je l'ai pris avant de partir dans le secrétaire où mon épouse le range. Cherchez donc de l'autre côté ! Je ne sais pas ce qu'a pu faire cette personne. On a pu lui voler son trousseau !

— Comptez sur nous pour suivre cette piste. Autre chose, monsieur Valençay. On a trouvé de nombreuses bouteilles vides dans le salon. Vous appartenaient-elles ?

— Qu'est-ce que c'était ?

— Champagne, gin, vodka, bière...

— La bière, non, à coup sûr. Il doit rester un peu de vin, à la cave, un héritage de l'ancien propriétaire. Mon épouse a pu laisser éventuellement du whisky. Pour les autres alcools, je ne peux être formel. Avez-vous fini ?

L'impatience de cet homme pressé était de plus en plus voyante. Lebris reprit la parole, avec des précautions oratoires.

— Je suis désolé, mais je vais devoir m'intéresser à votre vie privée. Nous sommes en présence d'un crime, et je dois faire mon métier. Vous n'avez qu'un enfant, un fils de vingt-trois ans, je crois ?

Apparurent les prémices d'une tempête. Valençay s'empourpra.

— Mon fils n'a rien à voir là-dedans !

— J'en ai la conviction, monsieur. Je dois pourtant vous demander où étaient les membres de votre famille, entre le 9 et le 12 de ce mois.

Les policiers admirèrent la manière dont Valençay contrôla sa contrariété. Il avait pleinement conscience qu'effectivement Lebris faisait son boulot. Le vent retomba.

— D'accord. Comme je vous l'ai dit, mon épouse

est aux sports d'hiver. Depuis le dimanche 3. Vous le contrôlerez sans problème. Alexandre, notre fils, n'habite plus avec nous, il a son propre appartement. Mais je l'ai appelé de Megève et je puis vous affirmer qu'il n'a pas quitté la capitale ! D'ailleurs, il ne possède pas de clé de la villa, et a Dinard en horreur ! Il était à mes côtés quand le procureur nous a appelés dimanche. Je vous assure qu'il était tout aussi stupéfait que moi. Pour ma part...

Il hésita, sortit un agenda en cuir de sa poche.

— C'est ça. J'ai passé ce week-end-là à Megève. Je m'y suis rendu à bord de mon avion privé, que je pilote moi-même. J'ai atterri à Sallanches, où un taxi m'attendait. Vous pourrez vérifier à l'aérodrome, et auprès de la direction de l'hôtel. Le 11, j'étais de retour à Paris. Ma secrétaire vous confirmera que je n'ai abandonné mon bureau que pour manger et dormir, jusqu'au vendredi ! Samedi et dimanche, je suis resté à Paris. Le procureur m'a joint au téléphone chez moi dimanche matin. Je préparais mes dossiers pour Tokyo. Vous êtes satisfait ? Maintenant, avant que je ne vous quitte, racontez-moi un peu où vous en êtes de votre enquête. Je connais le juge Marquet. J'espère que vous le tenez au courant régulièrement de vos investigations.

À partir de ce moment, Lebris, bien qu'il fût en position dominante, derrière le bureau, eut la désagréable impression de subir l'interrogatoire, plus que de le diriger. Sous la pression du flot de questions, il exposa les initiatives prises depuis le début de la semaine, et dut reconnaître qu'elles n'avaient pas encore abouti à grand-chose. Il était dans une impasse. Victime et assassin semblaient avoir débarqué d'une autre planète.

— Si seulement on identifiait la morte, conclut Lebris, on progresserait un peu !

Il s'arrêta. Il en avait assez – trop ? – dit. Il précisa pourtant, comme si cela excusait son incompétence :

— Je suis en contact permanent avec le juge d'instruction.

Valençay approuva d'un hochement de tête. Le capitaine se demanda s'il avait été un bon élève. Il lui restait une couleuvre à avaler.

— Je m'étonne que vous n'ayez pas encore diffusé le portrait de cette jeune femme dans la presse, déclara l'homme d'affaires, déjà debout, la main tendue.

— C'est prévu, rétorqua Lebris, serrant cette main. Et imminent. On espère toujours éviter de jeter ces photos en pâture au public. Là, on n'a plus le choix.

Quand la porte se fut refermée derrière leur témoin, le capitaine hésita à croiser le regard de Marchand, de peur d'y lire qu'il avait été trop obséquieux. Il maugréa :

— Contactez *Ouest-France*, et deux ou trois titres nationaux. Faites faxer la photo.

CHAPITRE V

Le brigadier Lefrileux avait repris sa place de chef de poste. Il était songeur. Quelque chose le tracassait. Ça ne le lâchait plus depuis qu'il avait mis les pieds dans cette baraque et qu'il avait vu le corps. Sur le coup, il n'y avait pas trop prêté attention. Il fallait agir. À présent, si l'impression restait floue, elle l'obsédait. Une impression de déjà-vu comme si dans un rêve ou dans une autre existence il avait déjà vécu la même scène. Il fouillait dans sa mémoire, s'efforçant de débusquer l'origine de la réminiscence en remontant le long sentier de sa vie professionnelle. Il aurait eu besoin d'un verre. Le toubib lui avait interdit l'alcool et à la maison sa femme le surveillait de près. Le soir elle flairait son haleine, et elle gueulait. Heureusement, elle n'était pas toujours là. Pour l'instant. Ses cinquante-cinq ans approchaient, et avec eux la retraite dans la petite maison de Pleurtuit aujourd'hui complètement retapée. Il se demandait s'il avait vraiment envie d'arrêter de bosser et de vivre en permanence sous surveillance... Il avait fait ses débuts ici même, en 1967. Ensuite, on l'avait baladé trop longtemps mais il avait pu revenir terminer sa carrière à Dinard. Sur son territoire. Ses dix ans d'absence n'étaient qu'une parenthèse sans intérêt dans de grandes villes mutantes où il avait détesté bosser. Dans les banlieues pourries, il se sentait menacé, il avait la trouille au ventre. La station balnéaire, elle, n'avait pas changé. Il avait pu oublier très vite qu'il l'avait quittée, et retrouver ses marques. Surtout se laisser aller à sa flemme naturelle. Bon sang, que lui rappelait cet assassinat ? Des cadavres, il en avait vu d'autres bien sûr, et pas seulement quand il faisait les vacations funéraires. Même dans les endroits les plus calmes tout le monde ne mourait pas de mort naturelle. Un cambrioleur abattu une nuit par un commerçant, des bagarres entre ivrognes qui tournaient mal, ça arrivait. Ainsi que des accidents, des noyades. Des gens mouraient dans leur lit, sans prévenir, et les voisins, inquiets, appelaient. Un malade mental avait trucidé sa mère, une boulangère, en 90. Pas besoin de la PJ pour régler ce genre de problèmes, et arrêter d'éventuels responsables. Les vrais crimes se produisaient toujours ailleurs. Sauf une fois. Il fronça les sourcils. Une vieille histoire. De quand datait-elle ? De la fin des années soixante. Il était tout jeune. Après Mai 68, il en était sûr, parce que sa fille était née. Les sensations qui refaisaient surface appartenaient à cette époque-là, c'était sûr. Du contingent d'alors, au commissariat, il était le seul encore sur place. Que pouvaient avoir de commun les deux meurtres ? Le premier n'avait jamais été élucidé. Lefrileux n'avait pas participé directement à l'enquête. Il s'en souvenait à cause de l'effervescence qui avait gagné le poste de police. Dans les deux cas, la victime était une femme, mais l'autre était plus jeune, presque une gamine. Il ne l'avait vue qu'en photo. Un promeneur l'avait aperçue gisant sur un rocher à moitié recouvert par la marée, au pied du chemin de ronde qui permet de longer le rivage, d'une plage à l'autre. Pas au-dessous de La

Chênaie de toute façon, plutôt vers la petite plage de Port Riou. Au début du printemps, sans doute en mars 1969. La fille était du pays. D'un milieu modeste, croyait se rappeler Lefrileux. Peut-être même des Cognets. Pourtant, il lui semblait qu'elle faisait des études à Paris. Drôle de truc. On avait conclu à une histoire de cœur, ou plutôt de cul, qui s'était mal terminée, mais on n'avait jamais retrouvé le mec.

Le téléphone interrompit une minute les réflexions du brigadier. Juste un clébard qui s'était fait la malle. Il raccrocha au nez de la plaignante. La police n'était pas la SPA. Il repartit trente ans en arrière. Le scandale avait d'abord été terrible. Un meurtre à Dinard la bien-pensante qui se remettait à peine de la grosse peur qu'elle avait eue un an avant, en mai 68. Les flics avaient été sur le pied de guerre pendant tout ce mois-là. Lefrileux en avait plein le dos, et ne comprenait rien aux revendications de ces petits cons. Un jour des étudiants étaient même venus de Paris vendre leurs torchons révolutionnaires dans la rue Levavasseur. La vitrine du libraire, soupçonné de tendances gauchistes, s'était en une nuit couverte d'affichettes envoyant les cocos à Moscou. Tout le monde avait rigolé. Les instituteurs qui faisaient grève étaient insultés par les commerçants. Sale ambiance. Alors forcément, quand la petite était morte, on n'était pas tout à fait remis. La plupart des gens avaient été effrayés mais ne l'avaient pas plainte. Une traînée qui l'avait bien cherché. Qui aurait dû aller se faire tuer ailleurs. Très vite le sinistre fait-divers avait été étouffé. On se rassurait en se disant que l'étranger qui l'avait assassinée était aussitôt reparti. D'ailleurs, moins on parlait de ces choses-là, mieux ça valait. Lefrileux dut s'avouer qu'à l'époque il ne s'était guère apitoyé et qu'il avait suivi l'enquête de la PJ de très loin. On l'avait juste chargé d'une corvée de téléphone. C'était quand même une vacherie de mourir si jeune. Aujourd'hui il s'en voulait un peu de son indifférence. Avec l'âge, il devenait sentimental. Il aurait bien bu une bière. Il regarda la photographie que Marchand lui avait demandé de faxer à divers quotidiens, la tritura entre ses doigts. Il ne comprenait toujours pas pourquoi cette fille avait fait surgir le souvenir de l'autre. Il prit brusquement une décision. Il voulait en avoir le cœur net. La petite Fiquet se débrouillerait seule pendant quelques instants. De son pas lourd, il monta au deuxième étage. Dans une pièce où l'on entrait rarement étaient entreposées les archives du commissariat. Normalement, elles étaient brûlées au bout de quinze ans, mais en réalité dormaient là pour l'éternité. Il remua de la poussière, souleva des dizaines de dossiers soigneusement ficelés, et finit par dénicher celui qu'il cherchait. Il défit les lanières du classeur de carton à la couleur indéfinissable, et en sortit des liasses de feuillets jaunis et des photos qu'il commença à compulser. Tout à coup, il se figea, regarda les vieilles images... Il avait trouvé.

— Ça alors ! marmonna-t-il, c'est dingue ! Je vais prévenir le capitaine Lebris.

Quand Lefrileux frappa à la porte du bureau de la PJ, ledit capitaine fulminait. Il essayait depuis le départ de Valençay de joindre la femme de l'homme d'affaires à Megève. On lui avait d'abord répondu qu'elle était sur les pistes, et rentrerait vers cinq heures, pour le thé. À cinq heures dix, elle n'était toujours pas à l'hôtel. Il était cinq heures et demie, le réceptionniste avait demandé de patienter, et cela faisait sept minutes que le policier avait droit à une horripilante petite musique dans l'oreille droite. Du Mozart synthétique.

— Je commence à en avoir ras le bol, pestait-il.

Et quand le brigadier avança son gros ventre vers lui, en quémandant un entretien, il l'envoya aux pelotes.

— Foutez-moi la paix ! Vous voyez bien que je suis occupé ! Allez plutôt nous chercher du café.

Le brigadier Lefrileux se retira, avec un sourire crispé. Après tout, qu'ils se démerdent ! Il rangea le classeur dans son casier personnel. Il en parlerait peut-être à quelqu'un, mais sûrement pas aux mecs de la PJ. Bande d'abrutis. Il se vengea sur l'agent Fiquet.

— Roxane, du café pour ces messieurs, et plus vite que ça.

Quand Lebris eut Mme Valençay au bout du fil, elle lui confirma que son mari était bien venu passer un week-end auprès d'elle.

— Pas le dernier, l'autre. La femme de ménage ? Attendez... Elle s'appelle Letellier. Suzanne Letellier... Oui, bien sûr, une personne de confiance... Non, je n'ai ici ni son adresse, ni son numéro de téléphone. Elle habite dans Dinard. Vous trouverez dans l'annuaire. D'ailleurs, il va falloir que je le consulte moi-même, pour lui demander d'aller remettre de l'ordre au plus vite. C'est possible, n'est-ce pas ?

— Bien sûr, nous avons fini nos recherches sur place. Votre mari nous a aussi parlé d'un jardinier ?

— Lui, vous pouvez laisser tomber. Il m'a prévenue, cet été, qu'il quittait la région. Il m'a rendu sa clé. De toute façon, il n'avait que celle du portail. Il n'avait rien à faire à l'intérieur. Je n'ai pris personne d'autre. Suzanne m'a proposé de tondre la pelouse. Quelle histoire ! J'en suis toute retournée ! Je vais dire à mon mari de se débarrasser de cette maison, je ne pourrai plus y remettre les pieds ! Au revoir, commissaire !

— Capitaine, madame, capitaine.

Et pour son adjoint, il grommela :

— On rentre. On cherchera cette bonne femme demain.

Carole Riou finissait d'accomplir des tâches administratives qui l'ennuyaient profondément. Elle avait hâte de rentrer chez elle. Elle devait dîner en compagnie d'Emmanuel chez les Palante, leurs amis les plus proches. L'opération de surveillance programmée par le commissaire était prévue pour cette nuit-là. Il s'agissait de vérifier que les bars de la zone portuaire respectaient les horaires légaux de fermeture, car la police soupçonnait des trafiquants de drogue d'y faire des descentes nocturnes depuis la capitale pour rencontrer leurs fourgues locaux. Elle avait rendez-vous avec Modard à minuit et demi, ce qui lui laissait le temps de profiter de sa soirée. Son cerveau continuait à être hanté par l'image qui s'y était gravée le matin même. Mais cette image surgie du passé demeurait floue, et de toute manière trop parasitée par les contrariétés multiples qui avaient jalonné la journée pour avoir une chance de se clarifier. Elle n'avait pas été à proprement parler confrontée à des actes graves, seulement à des brouilles exaspérantes. Les délits majeurs que sanctionnaient de lourdes peines, certes bien réels, restaient néanmoins minoritaires. Si à Marville on déplorait, comme partout, l'augmentation de la petite délinquance, des cambriolages ou des vols à l'arraché, la population ne se sentait pas franchement en danger. Ce qui minait Carole, c'était que la vie de tous les jours, dans cette ville qu'elle s'était mise à aimer, fût gâchée par des pétarades de scooters dans les rues piétonnes, des graffitis obscènes sur les murs des bâtiments publics, ou tout bêtement, des crachats et des crottes de chiens. Elle écrasa sa cigarette, rangea son bureau. La nuit était tombée, et la lumière du néon accentuait la ressemblance de la pièce, peinte d'un vert un peu glauque, avec un aquarium. Le silence la surprit. Il manquait le cliquetis des gouttes d'eau derrière les carreaux. En sortant sur le trottoir, elle huma l'air encore imprégné de vapeur iodée. La brise charriait les remugles du bassin de pêche, un mélange de fuel, de poisson et de vase, auquel se joignait l'odeur douceâtre du silo à tourteaux amenée par le faible noroît. Elle récupéra sa voiture et se dirigea doucement vers l'île du Pelot, où elle habitait. Elle ne cessait de penser à la photo, sur l'avis de recherche. C'était exaspérant, comme un caillou dans la chaussure. Qui la jeune morte lui rappelait-elle ?

Deux heures plus tard, douchée et détendue, elle était lovée dans un fauteuil confortable, un verre de porto à la main, chez les Palante, tout près d'Emmanuel. Un feu brûlait dans la cheminée. Elle se sentait bien, en sécurité, au chaud, dans la grande pièce aux murs jaune pâle où livres et objets familiers s'éparpillaient dans un joyeux désordre. Profitant de l'accalmie, elle était montée à pied, se disant qu'Emmanuel la ramènerait. La maison était perchée sur la falaise est, à l'orée d'un quartier pavillonnaire appelé Cité du Marin, juste à côté du sémaphore. Entre la barrière du jardinet et le bord escarpé s'étendait un terrain herbu qui surplombait le port de plaisance et le chenal. Carole y accédait en quelques minutes par un escalier de pierre bordé de vieilles bâtisses aux ouvertures étroites, dont les murs balafrés attestaient de leur combat séculaire contre les vents marins. Elle adorait, pour prix de son effort, admirer en contrebas la nuit qui se transformait en éclaboussement de couleurs. Aux mâts qui se balançaient mollement, les quais offraient un berceau lumineux. Sous l'ocre des hautes façades éclairées par des projecteurs jaillissaient les verts, les rouges, les jaunes des néons signalant bars et restaurants. En décembre, le flot coloré était gonflé par le ruissellement de guirlandes cristallines, coulant entre les rives de la rue commerçante, avant de se déverser en reflets dans les eaux des bassins. Vue de cette hauteur, la ville était transfigurée. Carole retrouvait des joies d'enfant, des souvenirs de feux d'artifice. L'idée de la fête de Noël, toute proche, lui avait un peu gâché le plaisir. La grande foire aux cadeaux ne la concernait pas vraiment. Justement, Marie Palante en parlait.

— C'est dur de n'être en vacances que le 23 ! Samedi, dès que j'ai lâché mes élèves, on file en Bourgogne, chez ma sœur.

Son mari prit un air faussement peiné :

— Je suis définitivement condamné à la belle-famille ! Et vous, les jeunes, qu'est-ce que vous avez prévu ?

Emmanuel Corbier jeta vers Carole un regard troublé.

— Rien de spécial, je dois ouvrir la librairie dimanche. Le soir, j'irai voir ma mère. J'espère que Carole...

La phrase resta en suspens. Le visage de sa compagne s'était fermé. Elle avait récusé tous ses projets. Il l'observa, constatant qu'une fois de plus elle n'était pas tout à fait présente. Elle est belle, pensa-t-il. Les flammes l'éclairaient, teintaient de roux sa courte chevelure brune bouclée. Mais ses yeux verts ne le regardaient pas vraiment. Jamais suffisamment, selon lui. Ils contemplaient un mirage qu'Emmanuel ignorait. Ou ils ressuscitaient un cauchemar et Emmanuel savait lequel. Pourrait-il l'en délivrer ? Les jeunes, avait dit Stéphane Palante. Plus tant que ça ! Carole avait trente-sept ans et lui quarante. Il rêvait de l'avoir toute à lui. Il rêvait de reconstruire une vie avec elle. Il rêvait de lui faire un enfant, il n'était pas encore trop tard. Cependant, dès qu'il tentait d'évoquer leur avenir, Carole détournait la conversation ou se mettait carrément en colère. Elle soutenait qu'il serait irresponsable d'imposer à un être humain un monde aussi malade que celui-ci. Et refusait d'en discuter plus avant. Il la connaissait assez pour deviner qu'elle avait des raisons plus profondes pour craindre à ce point et de s'engager et d'être mère, sans pour autant concevoir le moyen de faire tomber les barrières qu'elle dressait entre eux. Consciente du malaise causé par la question de son mari, Marie embraya sur un autre sujet. Elle venait d'être élue présidente de la Société des Amis d'Aubin Corbier, et elle engagea une discussion avec Emmanuel afin de définir les actions à mener pour continuer à promouvoir l'œuvre de son père. Quand ils passèrent à table, Carole avait retrouvé le sourire.

Au moment du café, Stéphane Palante révélait en riant les prétendues insomnies de sa femme.

— Si elle se réveille une fois, et met cinq minutes à se rendormir, elle est persuadée qu'elle n'a pas fermé l'œil de la nuit ! Au fait, ma chérie, tu n'as pas besoin, ce soir, d'avaler un somnifère. Assieds-toi juste devant la télé, et mets Arte. Ils passent *Muriel*, d'Alain Resnais, à minuit. Tu es assurée de plonger en cinq minutes dans le plus profond sommeil !

Les autres crièrent au blasphème, hilares. Mais brutalement, Carole s'arrêta de rire, se raidit dans son fauteuil, et s'exclama :

— Stéphane, répète ce que tu viens de dire ! Le titre du film ?

— Qu'est-ce qui te prend ? J'ai dit *Muriel*, d'Alain...

— Lui, je m'en fous, l'interrompit-elle. C'est ce prénom. Muriel... Muriel.

Tous s'étaient tus, intrigués par l'intense concentration qui se lisait sur les traits de Carole. Au bout d'un instant, elle se détendit, mais ses yeux trahissaient une insolite excitation. Elle reprit la parole, hésitant encore à prononcer des mots qui semblaient surgir d'une zone très lointaine de son cerveau.

— Je me rappelle maintenant. Ma cousine Muriel. La sœur de Suzanne. Voilà à qui elle ressemble. Bon sang, c'est tellement loin ! J'étais toute petite, on ne voulait rien me dire.

— Si tu nous expliquais ? demanda Emmanuel.

Elle raconta. Elle leur parla du crime qui avait été commis à Dinard, la ville de son enfance, de l'étrange fascination qu'elle subissait. Elle dit qu'elle cherchait depuis le matin pourquoi la photo de la victime avait provoqué en elle d'inexplicables réminiscences. Et que ce prénom, faisant irruption dans sa mémoire, l'avait réveillée. Elle comprenait maintenant le trouble qu'elle avait ressenti. Il s'agissait bien d'un sujet tabou, d'une sorte de secret familial. Elle se souvenait de visites que l'on se rendait. D'interminables déjeuners, autour d'une table rectangulaire recouverte d'une toile cirée à carreaux, dans une vieille maison. C'étaient des parents éloignés. Un cousin de son père. Elle était très jeune, quatre ans, peut-être. Il y avait donc le cousin, et ses deux filles. Pas de mère.

— Elle était morte ou elle s'était tirée, je ne sais plus. Suzanne était l'aînée. Elle faisait la cuisine, elle nous servait. Une fille gentille, pas très jolie. Elle travaillait déjà, je crois. Muriel, je l'adorais. Grâce à elle, ces longs repas devenaient des plaisirs. Elle jouait avec moi, me prêtait ses poupées, m'emmenait voir les lapins. Oui, c'est vrai, ils avaient des lapins, dans des clapiers. Je la trouvais superbe, ma grande cousine. Je la revois, blonde, ses cheveux lui couvrant le dos.

— Et alors ?

— Ce n'est pas clair, dans ma tête. Un jour, Muriel n'était plus là. Je la réclamais, et on m'a dit qu'elle faisait des études à Paris. J'étais triste. Elle me manquait. Puis, il y a eu l'enterrement. Ça, je m'en souviens très bien. J'étais au cours préparatoire, cette année-là, dans la classe de ma mère qui m'a emmenée au cimetière, sans m'avoir dit pourquoi on y allait.

— Muriel était morte ? interrogea Marie Palante.

— Je ne sais plus comment j'ai compris que c'était elle qu'on enterrait. Je revois mes parents, tout en noir, le cimetière, du soleil sur les tombes, et Suzanne, qui sanglotait. J'étais perdue, effrayée. Bizarrement, je n'ai aucune image du père. Je crois qu'il n'y était pas. Ni le souvenir d'une cérémonie religieuse. Ma mère me donnait la main. Quand on est rentrés à la maison, j'ai posé des questions, j'ai demandé si c'était Muriel qui était dans le cercueil.

L'émotion voila la voix de Carole. Des flots de sensations occultées depuis des années resurgissaient. Elle n'avait pas obtenu de réponse. On lui avait simplement dit qu'elle ne devait plus jamais prononcer le nom de Muriel. Plus jamais. Devant personne.

— J'ai longtemps pleuré, le soir, dans mon lit. J'avais l'impression qu'il s'était produit quelque chose de sale, d'abominable, que j'étais menacée des pires horreurs si je prononçais le nom de ma cousine. Je faisais des cauchemars, c'était terrible. Et très culpabilisant, parce que je croyais que l'aimer encore était un péché, alors je m'obligeais à l'oublier.

— Tu n'as pas appris la vérité plus tard ? Personne n'en a parlé devant toi, à l'école, par exemple ?

— Non, certainement pas. Qui connaissait nos liens de parenté ? Et puis, les adultes n'avaient pas raconté cette histoire aux enfants. En sixième, je suis partie en pension à Rennes. Je n'ai plus beaucoup fréquenté les Dinardais.

— Tu as forcément revu le père et la sœur ? s'étonna Emmanuel.

— Le père, non, je ne crois pas. Et Suzanne, rarement, après la disparition de sa sœur. Pas chez elle, en tout cas. À des mariages, ou à des communions... La dernière fois, c'est quand mon père est mort. Elle a été adorable et s'est chargée de toutes les formalités à ma place. Elle a plus de cinquante ans maintenant. Cela peut paraître absurde, mais je n'ai jamais su ce qui s'était passé. Au bout de quelques mois, j'avais réussi à bloquer les cauchemars. J'ai souhaité ardemment me débarrasser de ce fardeau de mystère, de ce danger qui rôdait autour de moi. Belle réussite ! J'avais tout effacé ! Jusqu'à aujourd'hui, cela ne m'avait plus tracassée. Le vieil interdit restait ancré dans mon crâne. À aucun moment je n'ai pensé à Muriel, ni n'ai eu envie de demander quoi que ce soit à son sujet. Pour moi, elle a cessé d'exister, il y a trente ans ! Il me semble que Suzanne m'a dit que son père était paralysé, et qu'elle s'en occupait. Je n'ai pas fait trop attention. Sans doute ne suis-je pas très intéressée par les liens familiaux...

Carole, comme en s'excusant, sourit à Emmanuel qui rougit légèrement. Il était bien placé pour savoir qu'elle la cultivait, sa ténébreuse solitude ! Toutefois, il se rendait compte qu'elle était bouleversée par l'irruption de ce passé que la photo d'un cadavre avait ramené à sa conscience. Il y eut un long silence, que rompit Marie Palante.

— C'est sûrement une coïncidence. Comment peux-tu être sûre que la victime de Dinard ressemble à Muriel, après si longtemps ? Vas-tu enfin te renseigner sur ce qui est arrivé à ta cousine ?

— Vu la façon dont cette photo m'a frappée, la ressemblance doit être réelle. Mais tu as raison, ça ne peut être qu'une coïncidence. Pourtant, maintenant, je suis curieuse d'avoir les réponses que je n'ai pas eues quand j'avais six ans.

— Qu'est-ce que tu vas faire ?

— Aucune idée. Je me vois mal appeler ma cousine et lui demander à brûle-pourpoint comment sa sœur est morte. Chez mes parents, à La Richardais, il y a des tonnes d'albums de photos de famille. J'ignore si Muriel y figure, ou si son visage, comme son nom, a été envoyé aux oubliettes ! Il faudra que j'attende un moment pour le savoir !

La soirée avançait. Dans une demi-heure, Carole rejoindrait le commissariat. Le feu s'était éteint. Dehors, la nuit était lourde de silence et de promesse de pluie. Tous étaient graves.

— Quelle faute elle avait commise, cette gamine, pour être ainsi traitée en paria ? murmura Emmanuel.

— Tu sais, répondit Carole, c'était à la fin des années soixante, dans une petite ville très catho que le vent de liberté de Mai 68 n'avait pas effleurée. Je suis bien placée pour le dire, j'y ai grandi ! Le boulet du scandale passait encore sur les filles qui n'étaient pas sages ! Le plus probable est qu'elle est morte à la suite d'un avortement clandestin. À l'époque, on considérait comme un crime abominable d'abord de tomber enceinte sans être mariée, ensuite d'aller voir la faiseuse d'anges !

— Mais pourquoi ta mère a-t-elle réagi ainsi ? Elle était instit, elle devait être plus large d'esprit.

— Détrompe-toi. La morale républicaine n'avait rien à envier à celle de l'Église ! Et ma mère allait à la messe, de toute façon ! Bon, Emmanuel, je prends une semaine, tu fais tes bagages, et on part à Dinard résoudre le mystère de la cousine Muriel. Tu voulais passer Noël avec moi, non ?

Il ignorait si Carole le faisait marcher. Piteusement, il argua qu'il ne pouvait décemment pas fermer la librairie en cette période. Quelle peste ! Il prit le parti de se moquer d'elle.

91

— De toute manière, je ne te verrais pas. Tu vas me jouer le coup de Maigret en vacances, et vouloir résoudre aussi le mystère de la morte de l'an 2000, pour prouver que tu es la meilleure. Vas-y sans moi !

Carole lui fit une grimace.

— Pas moyen. Tu sais très bien que je suis bloquée ici. Tu n'aurais couru aucun risque à jouer les hypocrites en disant que tu serais ravi de m'accompagner ! Priorité aux chargés de famille pour les repos de fin d'année.

Emmanuel faillit suggérer qu'il ne tenait qu'à elle... mais ce n'était pas le bon moment. Ils prirent congé de leurs amis, et il la reconduisit jusqu'à son immeuble, où elle récupéra sa Clio.

— Tu me rejoins, après ta ronde ?

— Je ne sais pas, Emmanuel, tout dépendra de l'heure. Je suis assez crevée.

Il se garda bien de montrer sa déception.

— Comme tu voudras.

Carole s'engouffra dans le commissariat, et monta les marches quatre à quatre pour aller récupérer son arme de service. Modard était déjà installé au volant de la voiture banalisée, garée sur le trottoir. Deux agents en uniforme les suivraient dans un véhicule blanc sérigraphié. Le lieutenant soupira.

— On démarre ? J'ai hâte de rentrer chez moi, j'ai laissé ma femme toute chaude dans le lit...

— Modard, je te dispense d'allusions cochonnes à ta vie conjugale ! ricana Carole.

— Chef, tu sens l'alcool... Je me demande si je peux te faire confiance !

— T'inquiète, ça va bien. Démarre.

En réalité, le capitaine Riou n'avait pas la tête à la mission qu'elle devait assurer. Elle avait du mal à émerger du flot de souvenirs qui s'était déversé sur elle dans la soirée. Deux visages féminins se superposaient dans son esprit, créant un portrait un peu flou, et elle ne savait plus à qui chacun correspondait. La voiture passa devant la caserne des pompiers. À droite, derrière le rideau orange qui tombait des réverbères, se devinaient les silhouettes noires des chalutiers à quai dans le port de pêche, la masse des cours de marée et la carcasse métallique du pont levant. Les rues étaient désertes. Modard s'engagea, à droite, sur le quai qui surplombait le bassin de plaisance, puis ralentit en longeant les terrasses des bars et des restaurants. Les enseignes multicolores restaient allumées, mais les établissements semblaient vides, bien fermés. Carole alluma une cigarette, s'appuya confortablement au dossier de son siège. La ville dormait. Ce serait une mission de routine, peinarde, comme presque toutes. Qui justifierait simplement le droit à un rab de sommeil le lendemain matin.

— C'est pas folichon, le mercredi soir ! Tu prends à gauche, on va faire la tournée des petits troquets, on en trouvera bien un à verbaliser, avec des joueurs de belote attardés !

— Sadique, va !

Ils roulèrent au pas dans les ruelles étroites du quartier qui s'étendait entre plage et port. Autrefois habité par des familles modestes qui s'entassaient dans des appartements sombres, insalubres, il grouillait de vie. Les rez-de-chaussée étaient alors occupés par des petits commerces, un à un disparus. De vieux Marvillais, dont les descendants étaient désormais logés plus confortablement, mais relégués loin du centre, refusaient de partir et évoquaient avec nostalgie le bon vieux temps où des hordes d'enfants jouaient dans la rue en sortant d'une école qu'on avait démolie. L'existence n'était certes pas facile, pourtant ça riait, ça bavardait de fenêtre en fenêtre, alors que maintenant les irréductibles vivotaient au ralenti, déambulant dans un monde de volets clos, suant la mort, désolé. Certains immeubles réhabilités étaient rachetés par des Parisiens, pour les vacances. D'autres étaient à l'abandon. Seuls quelques cafés, trop éloignés des lieux de promenade pour attirer les touristes, subsistaient, grâce à une clientèle locale. Les deux premiers devant lesquels passèrent les policiers étaient plongés dans l'obscurité, derrière leurs vitres poussiéreuses. Mais dans le troisième, situé sur une placette au sol pavé, il y avait encore de la lumière. Carole lut son nom, « Chez Claudine », écrit en lettres blanches sur la devanture.

— Ils n'ont pas d'autorisation de nuit, dit-elle à Modard. On y va.

Ils se garèrent vingt mètres plus loin, descendirent de la voiture, firent signe à leurs collègues d'attendre dehors. Il était inutile de faire une arrivée en force pour une infraction aussi banale. Carole tâta machinalement le Manurhin, à l'abri dans son étui de cuir, bien qu'elle fût persuadée qu'il ne servirait pas, et, tranquillement poussa la porte. Un joyeux carillon salua leur entrée, sans provoquer d'autre réaction chez les deux buveurs attablés au fond de la pièce enfumée qu'un lent mouvement du torse vers les visiteurs. C'étaient des hommes encore jeunes dont les faces rougeaudes et fripées témoignaient de relations anciennes avec l'alcool. Leurs yeux, embués, un peu hagards, étaient à moitié cachés par les paupières alourdies. Derrière le comptoir, une femme somnolait, juchée sur un tabouret, la tête cachée entre les bras. On ne voyait d'elle qu'une masse de cheveux jaune paille, et la tache rouge du pull moulant des formes rebondies. Elle réagit, cependant, leva le cou, montrant sa figure maquillée, à la manière d'une tortue quittant sa carapace.

94

— On ferme ! grommela-t-elle. Z'avez pas vu l'heure ?

— Justement, dit calmement Carole, après avoir fait un signe à son adjoint, c'est pour ça qu'on est là. Police.

Modard et elle, d'un même geste, sortirent leur carte officielle. Ensuite, tout alla tellement vite que Carole ne put jamais reconstituer exactement la scène. Elle gardait l'impression d'une succession de flashes, de perceptions incohérentes. L'un des deux ivrognes se lève, brutalement. La table est renversée dans un grand fracas. Une image s'imprime sur la rétine, des carreaux de lino beige, tachés, jonchés de morceaux de verre, de mégots, de paquets de cigarettes froissés, de sciure. Que fait l'autre ? Il a disparu. La femme en rouge hurle. L'homme a sorti un couteau à cran d'arrêt. La lame scintille étonnamment dans la salle chichement éclairée. Le type jure, il éructe. Il a pété les plombs. Carole se demande pourquoi elle perd de précieuses secondes. Elle est pétrifiée. Il fallait sortir son arme, menacer, appeler les renforts, à portée de voix, dans la rue. Il le fallait. Mais Modard s'est glissé entre son chef et la brute au couteau. À quel moment l'inéluctable s'est-il produit ? Le bras s'est abaissé, a frappé violemment. Carole entend son collègue murmurer « Non... merde », et un écœurant froissement. Le lieutenant s'affaisse, doucement. Le sang jaillit de son ventre quand le tueur arrache le couteau. Il lui fait face, il s'apprête à s'enfuir, elle a son revolver à la main – quand l'a-t-elle saisi ? –, elle tire, par réflexe, dans la jambe. Il semble que le coup de feu fasse tout exploser. L'homme est couché sur le côté, tenant son genou, « Salope, salope ! » gueule-t-il, le sang dégoulinant sur son pantalon rejoint dans la sciure le flot qui se répand autour du corps de Modard. Le carillon tinte, allègre et dérisoire, les deux agents, alertés par la détonation, se précipitent dans le café.

Carole vécut dans un brouillard les heures qui suivirent. Accroupie, elle tint son ami évanoui contre elle, comprimant les bords de la plaie pour essayer d'arrêter l'hémorragie, jusqu'à l'arrivée des deux ambulances. La première emporta l'agresseur menotté, traîné sans ménagement jusqu'au brancard. Les médecins du SAMU installèrent Modard, après lui avoir posé une perfusion, dans la seconde qui démarra à toute vitesse, la plainte de la sirène lacérant le silence de la nuit. Carole les suivit jusqu'à l'hôpital, conduisant comme un automate. Elle attendit. On vint lui dire que le blessé était en réanimation, qu'il n'avait pas repris connaissance, puis un peu plus tard, un chirurgien affirma que le pronostic était très réservé. On allait opérer, mais le foie et l'intestin étaient atteints, et la perte de sang considérable. Le commissaire Giffard arriva bientôt, tendant un verre de cognac que Carole avala d'un trait.

— Un épouvantable malentendu, capitaine Riou. Vous n'y êtes pour rien. Ce type venait de prendre trois mois avec sursis pour avoir tabassé un voisin, et il était à nouveau convoqué au tribunal pour non-paiement de pension alimentaire. Il était ivre mort, il a cru que vous le cherchiez. Il a paniqué. Une méprise, une connerie, quoi. C'est une brute épaisse.

Comme Carole ne réagissait pas, il ajouta :

— Rentrez chez vous. La femme de Modard est prévenue. Elle sera là dans quelques minutes. Vous ne pouvez rien faire de plus. Allez vous coucher. Il vous reste des congés à prendre, arrêtez-vous une semaine ou deux. On se débrouillera.

— Est-ce qu'il va s'en sortir ?

À cette question-là, le commissaire ne pouvait répondre que par des propos lénifiants.

— Personne ne peut le dire pour l'instant. Il faut espérer.

Il restait à la jeune femme à affronter le chagrin et la colère de Béatrice qui se précipita vers elle en lui reprochant d'avoir laissé tuer son mari, avant de revenir s'excuser, peu après, en pleurant.

— Je suis désolée, Carole. J'étais sous le choc. Partez, maintenant, je reste avec lui. Les voisins s'occupent des enfants.

Alors, seulement, le capitaine Riou quitta l'hôpital. Ce n'était plus à elle de s'occuper de Modard. Trop tard.

Le cognac lui faisait tourner la tête. Elle gravit les trois étages qui menaient à son deux-pièces dans un état de semi-conscience, sans tenter d'essuyer les larmes qui trempaient ses joues. Elle eut du mal à introduire la clé dans la serrure. À peine entrée dans l'appartement, elle décrocha le téléphone. Les sonneries se succédèrent, longtemps, longtemps. Il était cinq heures du matin. Finalement, la voix ensommeillée d'Emmanuel émergea du néant.

— Oui ?

— Viens ! Je t'en supplie, viens tout de suite.

— Carole ! Qu'est-ce qui se passe ? Tu sais quelle heure il est ?

— On s'en fout, hurla-t-elle. Il faut que tu viennes.

— J'arrive. Calme-toi, j'arrive.

Il raccrocha. Carole resta debout, hébétée. Elle contemplait ses mains, souillées de sang. Ses vêtements étaient pleins de sang, l'appartement ruisselait de sang. Une bavure ! Juste une connerie ! Et le sang était partout. Toujours. Le sang de Pierre, son mari, à l'intérieur de la voiture explosée, le visage de Pierre qui n'était plus qu'une tache sanglante. Le sang qui dégoulinait du ventre de Modard, qui avait coulé sur elle, quand elle l'étreignait pour retenir la vie qui s'enfuyait de lui, dans le bar. Le sang de l'homme au couteau, qu'il regardait avec étonnement jaillir de son genou, se répandre sur son pantalon, faire une petite flaque sur le carrelage jonché de mégots. L'homme regardait le sang, puis comme dans un ralenti, tombait sur le côté avant de se coucher en position fœtale. Le sang, la vie, la mort tournoyaient dans la tête de Carole, danse macabre dont elle avait été le maître de ballet. Elle n'avait pas su protéger Modard, elle avait tiré sur l'agresseur sans y être obligée, trop tard et par haine pure. Connerie ! Une petite ville tranquille – elle se disait la veille qu'il ne se passait rien. Une petite ville tranquille, et tout peut basculer. La vie d'un homme, la vie d'un flic. Est-ce qu'il allait survivre ? Elle l'entendait râler, gémir. Et le cri de Béatrice déchirait les oreilles de Carole. Le mal, c'était le sang, le mal pouvait surgir n'importe quand. Même pas voulu, même pas prémédité. Une bavure. Le destin. Série de hasards qui mènent toujours au sang. Un flot rouge gicla devant ses yeux, elle chancela et Emmanuel qui venait d'entrer dans la pièce la saisit dans ses bras au moment où elle tombait.

CHAPITRE VI

Jeudi 21 décembre.

Un jour nouveau... ou le même jour qui s'étire indéfiniment, comme la route derrière le pare-brise balayé par les essuie-glaces, entre gris et gris, perpétuant la morosité qui accompagne les hommes vers le troisième millénaire. Ça ne changera rien. Un autre Noël, des guirlandes, des publicités, des cadeaux pour conjurer l'angoisse. Un fils d'ancien président en prison, Bethléem sous bouclage israélien, le baril de poudre des banlieues. Marchand replia son journal en soupirant. Baril de poudre. Fallait pas déconner ! Et sa bonne femme qui voulait faire plaisir à tout le monde ! Est-ce qu'ils avaient vraiment besoin d'un lecteur de DVD ? Est-ce qu'il était raisonnable d'acheter aux garçons une cinquième console de jeux vidéos sous prétexte qu'ils en avaient envie ? La simple idée de sa belle-mère investissant la cuisine pour préparer la farce de la dinde lui donna un haut-le-cœur. En plus elle restait une semaine entière ! Finalement, c'était une bonne chose que cette enquête l'empêche de prendre des congés.

— Ça ne va pas, lieutenant ?

Comme d'habitude, Lebris était tiré à quatre épingles, bien rasé, bien rose. Il conduisait avec décontraction, tout en douceur. Qu'est-ce qui pouvait l'émouvoir, à part une réprimande du directeur de la PJ ?

— Si, si, ça va. Vous croyez qu'il y a un rapport ?

Ils avaient reçu un coup de fil des collègues de Dinan. Dans la nuit, trois mineurs avaient été surpris sur le parking désert du Centre Leclerc, entassant des bouteilles dans le coffre d'une voiture qu'ils avaient « emprunté » au père de l'un d'entre eux. Ils avaient fracassé une des portes vitrées du magasin, avant d'opérer une razzia dans le rayon des alcools. On les gardait au frais, puisque la PJ avait demandé qu'on lui signale ce type de larcins.

— Comment voulez-vous que je le sache ? Vous avez autre chose à me proposer ? On localise des loubards susceptibles d'avoir fait le coup, on va voir. Évident.

Marchand avait compris que son chef privilégiait toujours la piste d'une bande de délinquants de la région qui jouait à squatter des villas vides pour se shooter et s'empiffrer de marchandises volées. Une bande qui aurait fini par tuer une princesse mystérieuse qui passait justement par là... C'était l'hypothèse, bien sûr, qui satisfaisait les autorités, et Valençay. Une hypothèse dans l'air du temps, qui paraissait absurde au lieutenant. Il ne put s'empêcher d'ajouter :

— Quand même, j'aurais préféré qu'on voie d'abord la femme de ménage pour lui parler de ses clés. Si elle les a perdues, tout est possible. Sinon...

— Sinon, quoi ? le coupa sèchement son supérieur. Vous savez très bien que certains cambrioleurs sont capables d'ouvrir n'importe quelle porte, sans laisser de traces.

« Ouais, des pros, pensa Marchand, qui ne s'attarde-raient pas à faire la foire chez leurs victimes avant de partir sans rien emporter ! Et qui n'auraient pas pété à coups de cric l'entrée d'un supermarché ! » Il préféra garder ses réflexions pour lui. Ils avaient trouvé l'adresse de Suzanne Letellier dans l'annuaire, sans problème, et s'étaient présentés chez elle vers neuf heures. Elle habitait une petite maison de pierre, cachée au fond d'une impasse qui donnait sur la route de Saint-Lunaire, mais elle était absente, et après avoir vainement sonné, ils avaient dû repartir bredouilles.

— Vous vouliez poireauter devant sa porte toute la matinée ? On y retournera plus tard.

Il se mit à rire et ajouta :

— Vous avez vu ses nains de jardin ? Je me demande à quoi peut ressembler leur propriétaire !

À Dinan, les trois voleurs furent sortis de la cellule où ils avaient passé la nuit, et amenés sans douceur dans le bureau mis à la disposition des officiers de la PJ pour l'interrogatoire. L'un triturait nerveusement une casquette de toile posée sur ses genoux, un autre se rongeait les ongles. Des mômes au crâne rasé, aux yeux rougis par la fatigue et la trouille qui fuyaient le regard des policiers. Ils avaient juré leurs grands dieux, après leur arrestation, qu'ils se lançaient dans ce genre d'opé-ration pour la première fois. Lebris tonitrua pourtant d'emblée :

— Où est-ce que vous comptiez vous installer pour les boire, cette fois-ci, vos bouteilles ?

Dans les prunelles qui se tournèrent vers lui passa une lueur d'affolement, et surtout de totale incompré-hension. Celui qui semblait le plus âgé répondit :

— C'était pas pour les boire ! C'était pour les vendre !

— La dernière fois, vous les avez bues, non ? Vous

êtes allés à Dinard ? Où les aviez-vous volées, celles-là ?

Marchand, à présent totalement convaincu que tout cela n'aboutirait à rien, vit les fronts se plisser dans un effort désespéré pour déchiffrer les propos énigmatiques du capitaine. Puis les garçons se regardèrent, et un index à l'ongle rongé ébaucha un geste vers une tempe. Le propriétaire du doigt choisit finalement de le porter vers sa bouche, en s'exclamant :

— Vous êtes cinglé, ou quoi ? Y a pas eu d'autre fois ! Et qu'est-ce qu'on irait foutre à Dinard ? On n'a pas de voiture, d'abord !

— Et celle de cette nuit ?

— C'était juste pour un petit trajet, dit le premier qui était intervenu. Et en plus, mon père, il va me tuer, quand il va le savoir, ajouta-t-il, sans logique apparente.

— Alors, expliquez-nous ce que vous vouliez en faire, de tout cet alcool !

Lebris s'entêtait à crier, mais son adjoint se rendait compte qu'il n'y croyait plus.

— On a besoin de thunes, et on avait des commandes. Pour les réveillons. Des gens du quartier, on dira pas qui, on n'est pas des balances.

« Ils regardent trop la télé », pensa Marchand. Au bout de quelques minutes, il devint évident que si, quoi qu'ils prétendissent, les trois jeunes n'étaient pas des anges, ils avaient commis là leur premier cambriolage, et en tout cas, n'avaient pu se rendre à Dinard le week-end du meurtre. L'un était au mariage de sa sœur, et la fête avait duré trois jours, un autre était au lit, terrassé par une gastro. Le troisième avait rendu visite à sa grand-mère, avec ses parents. Tout serait vérifié, mais leur ignorance de ce dont on les accusait était flagrante. Il ne restait plus qu'à laisser les collègues locaux finir leur boulot.

Le retour se fit en silence. Ils arrivèrent sur la place de l'Église. Marchand tourna la tête vers la droite, escamotant ainsi l'édifice de granit construit au siècle précédent, qu'il trouvait hideux, avec sa nef haute et étroite flanquée de deux ailes bien symétriques, collées comme des appentis, et son clocher malingre. Au fond de la baie, où la marée basse avait découvert une vase écumeuse, il devina la flèche élégante de la cathédrale de Saint-Malo. En pénétrant sur le boulevard Féart, Lebris tapota nerveusement sur son volant, et laissa exploser sa colère.

— Nom de Dieu, on n'avance pas ! Qu'est-ce qu'elle foutait là, cette pute ? D'où elle sortait ? Pourquoi ont-ils embarqué ses vêtements ?

Marchand évoqua avec mélancolie le corps profané de l'inconnue qui attendait toujours dans sa glacière que quelqu'un daignât la reconnaître, lui rendre, à défaut d'un dernier hommage, au moins une identité. Qu'adviendrait-il d'elle si personne ne la réclamait ? Il se demanda si on l'habillerait avant de la mettre en terre. Quelle idée stupide ! Il se secoua et grogna :

— Pourquoi vous la traitez de pute ?

Son chef lui jeta un regard noir, mais ne répondit pas directement.

— Il est tard, on va déjeuner. On repassera au commissariat après. La diffusion de la photo dans la presse aura peut-être donné des résultats.

Ils décidèrent de changer de restaurant. Ou plutôt, Lebris décida qu'il en avait assez de voir tous les jours les mêmes vieux en avalant la même crème caramel.

— Une crêperie, ça vous dit ?

Marchand n'était pas emballé. Chaque fois qu'à Rennes ses enfants exigeaient d'aller manger des galettes, il sortait de table avec l'impression d'avoir le ventre vide. Mais bon, il n'allait pas discuter. Au

103

moins, cela ne lui coûterait pas trop cher, et il avait tendance à prendre du bide. Ils laissèrent la voiture place de la République et remontèrent la rue Levavasseur. Par miracle, il ne pleuvait pas et la couche nuageuse avait pris un peu d'altitude, laissant filtrer quelques rais de lumière blanche. Sur les trottoirs des surfaces sèches émergeaient comme des continents parmi les océans luisants des flaques. L'absence des parapluies n'expliquait pas seule les subtils changements qu'ils perçurent. Bien qu'il fût plus de midi, la rue commerçante semblait plus animée, des silhouettes s'agitaient dans la librairie, dans la pharmacie. Une bande de jeunes gens les doubla en riant. Deux femmes en manteau de fourrure discutaient devant une pâtisserie, montrant du doigt les montagnes de chocolat empilées dans la devanture ornée de papier crépon rose. La peur qui transpirait encore la veille des groupes compacts pétrifiés dans les chuchotements était moins tangible. Du sang frais coulait dans les artères de la cité balnéaire, les habitants n'étaient plus tout à fait seuls au milieu de l'hiver, sous le choc du drame. Les vacanciers de Noël commençaient à arriver, des villas ouvraient leurs volets. Dans la crêperie qu'ils dénichèrent, l'insouciant brouhaha des convives contrastait avec le mutisme méfiant des habitués de leur bistro habituel. Ils s'en fichaient bien, les touristes, de la jeune morte.

Il était plus de deux heures et demie quand ils revinrent. Lefrileux s'était occupé du standard. Il avait eu sept coups de fil.

— Rien d'enthousiasmant. Il y a forcément des dingues, dans le tas ! J'ai eu six noms différents, et une bonne femme hystérique qui m'a raccroché au nez au milieu d'une phrase. On a localisé votre cadavre à Marseille, à Brest, à Annecy, et dans l'Eure, un bled dont j'ai oublié le nom. Le maire en personne. Trois communications venant de Paris, dont celle de l'hystérique. Elle n'a évidemment pas donné son numéro, le type d'Annecy non plus. Il a juste dit que c'était une fille de là-bas et qu'elle avait été sa fiancée. Mais j'avais relevé les chiffres sur l'afficheur avant de décrocher. Ceux que j'ai écrits en rouge. À moins que ce ne soit des cabines, vous les retrouverez ! Vive les nouvelles techniques !

Lebris ne supportait pas l'odeur d'alcool qui flottait autour du brigadier. Ni son air bovin et satisfait. Il lui arracha presque la feuille des mains puis la tendit à Marchand.

— Occupez-vous de ça. Rappelez systématiquement tous les correspondants. Débrouillez-vous pour démêler le vrai du faux. On finira bien par tomber sur quelque chose.

— Et vous ?

— Je retourne chez la dame Letellier.

Il sortit, sans remarquer le sourire narquois de Lefrileux qui murmurait :

— Ne dis surtout pas merci !

Marchand, peu désireux de défendre son chef, ne releva pas et monta l'escalier d'un pas pesant. Il détestait ces corvées de téléphone. Il avait besoin de voir les gens, leur expression, pour savoir s'ils mentaient. Il allait faire de son mieux mais l'arrogance de Lebris devenait insupportable. Lefrileux se gratta le crâne. Il était mort de faim. Mais le vieux dossier, toujours dans son casier, le tracassait. Pouvait-il continuer à se taire ? Malgré sa réticence à donner un tuyau à la PJ, il n'avait guère le choix. Et puis Marchand était plus sympathique que l'autre salopard. Il s'apprêtait à le rejoindre au premier étage, lorsque Boitel, le petit dernier des officiers, franchit le seuil. Le brigadier revint sur ses pas.

— Dis, Fabien, je peux te parler ?

Le nonagénaire avait attendu ce jour avec impatience. Tout était prêt. Il allait attaquer. Il ricana en pensant à l'arrivée des voitures que personne ne semblait avoir vues à part lui, mais surtout à la forme qui se traînait en douce dans le jardin, au petit matin. Il n'avait pas perdu la boule. Il avait parfaitement compris. Il adorait quand Mathilde était de repos. D'abord parce que sa remplaçante, si ce n'était pas une jeunesse, était quand même plus appétissante. Et surtout parce qu'elle amenait Bertrand, le petit. La garde-malade, une veuve, n'avait accepté le poste qu'à condition que son fils de onze ans pût dormir à la villa. Édouard l'aimait bien, ce gosse qui savait tenir sa langue. Devant lui, il cessait de jouer les gâteux et le môme ne l'avait jamais trahi. À son retour du collège, il montait dans la chambre de l'infirme.

— Qu'est-ce que tu fabriques là-haut ? s'inquiétait, au début, sa mère qui préparait le repas à la cuisine.

— Rien, maman. Je fais mes devoirs. Il est content que je lui tienne compagnie.

— Ça m'étonnerait qu'il te le dise ! Il ne te voit même pas ! Enfin, si tu ne touches à rien...

Elle laissait faire. Il touchait. Mais il avait l'autorisation. Il aimait par-dessus tout contempler les photos. Particulièrement celles avec Picasso. Picasso était venu à Dinard ! Picasso, le peintre dont le nom faisait ricaner ses copains, qui n'y connaissaient rien. Lui, il avait regardé des livres à la bibliothèque. C'était un peintre célèbre. Le plus célèbre. Et M. Édouard l'avait bien connu ! Les photos dataient de l'été 1928. Pour les commenter, le vieux retrouvait la parole. Il bredouillait un peu, mais Bertrand comprenait.

— Là, tu vois, c'est lui devant la villa Les Roches, qui donne sur la plage de Saint-Énogat. Elle existe

106

encore. Il l'avait louée. Et moi, à côté. J'avais vingt-deux ans. Range la boîte, maintenant. Tu diras rien, hein ?

Bertrand promettait. La semaine précédente, il avait accepté d'aller piquer un billet dans le portefeuille rangé dans le buffet de la salle à manger et de faire un achat en ville. Toute une aventure. Ce n'était pas du vol, puisque c'était l'argent de M. Édouard ! Et il lui avait rendu scrupuleusement la monnaie. Ce jeudi-là, après la séance photos, le vieillard sortit de sous la couverture qui cachait ses jambes une enveloppe et une pièce de dix francs.

— Tu vas cacher ça dans ton cartable. Demain, en allant à l'école, achète un timbre et poste la lettre. Tu peux garder la monnaie.

Carole se réveilla, la bouche sèche, les paupières lourdes. Emmanuel, après l'avoir obligée à prendre une douche puis à se mettre au lit, lui avait encore fait boire du cognac. Elle avait horreur du cognac, et se demandait pourquoi il y en avait dans sa cuisine. Elle avait donc trop bu, trop fumé, trop parlé. Puis le tremblement qui la secouait depuis qu'elle avait vu couler le sang s'était calmé, et elle s'était endormie d'un coup. Il était dix heures passées, elle sortit du lit. Elle était seule dans l'appartement. Un morceau de papier posé bien en vue sur la table basse du salon disait Je *vais ouvrir le magasin appelle-moi à midi je t'aime* mais tous ces mots n'atteignaient pas son cerveau. Elle téléphona à l'hôpital. L'infirmière du service de réanimation resta évasive. La situation était inchangée, l'état du malade stable. Il était sorti de la salle d'opération, on ne pouvait pas encore se prononcer.

— Voulez-vous que je vous passe Mme Modard ? Elle est revenue.

Béatrice expliqua qu'elle était rentrée chez elle un moment pour s'occuper des enfants. Les grands étaient à l'école, Louise serait gardée par une amie. Aussi longtemps qu'il le faudrait. Elle avait dormi un peu, dans une salle d'attente, pendant l'intervention.

— Je peux faire quelque chose ? demanda Carole.

Le silence qui suivit lui sembla chargé de reproches, mais peut-être Béatrice cherchait-elle seulement quel service solliciter.

— Non, vraiment, merci. Je suis sa femme. Je m'occupe de lui. C'est gentil d'avoir appelé.

Sa femme, bien sûr. Le tremblement revint. Elle, elle n'était que responsable de la blessure de Modard. Ou de sa mort. C'était la veille qu'elle aurait dû faire quelque chose. À présent, son adjoint n'avait plus besoin d'elle. Il avait une femme. Carole n'était rien, et sa sollicitude n'était pas bienvenue. Elle fut soudain tout entière habitée par un seul impératif, une seule idée obsédante, partir. Il le fallait. Elle avait le sentiment d'avoir explosé, d'être en morceaux. Elle devait se reconstruire, comme on remet en place une à une les pièces d'un puzzle éparpillées par terre, mais pas ici. Le vent de Marville ne ferait qu'achever la démolition. Il véhiculait des odeurs de sang, il écrivait dans les nuages des actes d'accusation. Carole ne souhaitait pas vraiment fuir sa culpabilité, plutôt se mettre à l'abri pour trouver la force de l'assumer. Dinard lui apparut comme le seul refuge. Elle composa le numéro du commissaire :

— Vous m'avez bien dit de prendre des vacances ?

— Oui... bien sûr. Cela dit, je vais avoir du mal à vous remplacer pendant le week-end. Vous ne vous sentez pas mieux ?

Il regrettait visiblement sa proposition. Mais la décision de Carole était irrévocable. Il n'était pas envisageable qu'elle reprît le travail, comme si rien n'était arrivé.

— Je vais partir, pour une semaine.

— Quand ?

— Tout de suite.

— Ce n'est pas possible. D'abord, il faut que vous rédigiez un rapport sur ce qui s'est passé cette nuit. Le type a la rotule en miettes, et...

Carole le coupa, elle sentait monter des larmes d'exaspération.

— Il a porté plainte ? Ce fumier a porté plainte ?

Giffard la rassura :

— Non, bien sûr que non. Il vient d'être déféré au parquet, il est bon pour les assises. Dès qu'il sortira de l'hosto, direction la prison. Le problème, c'est que personne ne veut assurer la garde à votre place.

Rien ne pouvait l'étonner de la part de ses collègues. Seul Modard l'avait acceptée. Les autres avaient plus ou moins mis leur duo en quarantaine, et défendraient leurs prérogatives de mecs contre vents et marées, sans l'ombre d'un remords. Mais elle ne céderait pas comme d'habitude, pour avoir la paix, et parce que, au fond, elle se fichait de travailler les jours fériés. Cette fois, qu'ils se débrouillent ! Elle l'affirma clairement au commissaire, et raccrocha. Sa rage lui donna l'énergie dont elle avait besoin pour préparer son départ. Elle reprit une douche, enfila un jean et un gros pull, empila des vêtements dans une valise. Les clés de la maison familiale étaient à Dinard, chez sa cousine Suzanne, qui lui avait proposé, après la mort de son père, de les garder et d'aller de temps en temps vérifier que tout était en ordre. Carole avait accepté son offre avec reconnaissance. Elle chercha le numéro dans un carnet, et s'apprêtait à le composer quand elle s'aperçut que le voyant rouge qui indiquait un appel clignotait. L'appareil avait dû sonner pendant qu'elle était dans la salle de bains. On n'avait pas laissé de message, mais Carole, appuyant sur une touche, put lire les chiffres qui correspondaient au mobile de Marie Palante. Celle-ci avait sans doute appelé de l'école pendant la récréation. Emmanuel l'avait-il mise au courant ? Il aurait fallu les prévenir, elle et lui, de son départ. C'était au-dessus de ses forces. Ils essaieraient de la retenir, et elle n'avait pas le courage de les affronter, ni les mots pour expliquer sa fuite sans blesser Emmanuel. Plus tard, plus tard... Carole espérait qu'il comprendrait. Chez Suzanne, la sonnerie résonna longtemps, mais nul ne répondit. Tant pis, elle réessaierait en route. Elle mit son portable dans son sac, enfila un manteau, attrapa la valise, et quitta l'appartement. Elle roula beaucoup trop vite jusqu'après le pont de Tancarville. Il était enveloppé de vapeurs épaisses et fétides venues de l'estuaire de la Seine. Là-bas, les raffineries dégorgeaient leurs fumées méphitiques, et le fleuve que descendaient nonchalamment les cargos aux coques noires charriait des eaux fangeuses, striées de sillages grisâtres. Carole sentit une nausée la submerger. Elle arrêta la Clio sur le bas-côté, pour vomir le cognac ingurgité, la faute, la peur, le chagrin. Pliée en deux, elle évacua le poison de la nuit, puis, plus légère, remonta dans la voiture, alluma une cigarette, et reprit sa route. L'étau qui lui comprimait la tête se desserra. À l'image obsessionnelle de Modard se vidant de son sang se substitua celle des deux jeunes mortes de Dinard. Elles n'avaient qu'un seul visage. Ce visage s'animait, semblait appeler au secours. Carole eut brutalement l'envie irrésistible de découvrir ce qui était vraiment arrivé à Muriel. En ramenant à la lumière ce qu'on lui avait caché si soigneusement, elle renouerait peut-être avec sa propre enfance. Si elle voulait se reconstruire, il lui fallait commencer par le commencement. La vie d'avant Pierre. Celle de la petite Carole dans une ville qui n'avait rien d'une carte postale et d'où les cousines disparaissaient sans laisser de traces.

Boitel et Lefrileux parcouraient le dossier des archives avec des mines de conspirateurs. Le lieutenant sortit une photo, et la compara à celle qui figurait en bonne place en page deux de *Ouest-France*.

— La ressemblance est indéniable. Mais ça peut être un simple hasard. Et cela n'explique pas ce qu'elle faisait dans la villa de Valençay !

— Tu as vu la date ? Et le rapport du légiste ?

Il lui tendit à nouveau la feuille jaunie.

— Oui, j'ai lu. Je sais à quoi tu penses. J'ai quand même du mal à y croire. Après si longtemps... et selon ce que tu m'as dit, tout le monde était persuadé qu'elle l'avait tué.

— Qu'est-ce qu'on fait ? demanda le brigadier.

— Il faut le leur dire. Si l'autre n'est pas identifiée, il y aura sans doute moyen de pratiquer un test ADN.

— C'est encore possible ? Au bout de tant d'années ?

— Je crois. Il doit bien rester des cheveux.

Ils se regardèrent, soudain saisis d'effroi devant la vision qui s'imposait à eux. Lefrileux hésita. Maintenant qu'il avait soulevé le lièvre, qu'il avait partagé son secret, les conséquences qui en découleraient forcément lui flanquaient la trouille. Comme s'il allait être responsable d'une double profanation. Il aurait mieux fait de se taire.

— Si on attendait encore un peu ? Ils trouveront peut-être tout seuls ?

— Ne sois pas de mauvaise foi ! Comment veux-tu qu'ils devinent ? Ça t'embête de filer un tuyau à Lebris ? Tu préfères qu'il marine encore un peu ?

Penaud, le brigadier acquiesça d'un vague signe de tête. Boitel éclata de rire.

— O.K., je ne le porte pas non plus dans mon cœur. On se donne jusqu'à mardi, après Noël. Tu n'auras qu'à dire que l'idée de consulter le dossier de 1969 ne t'avait pas effleuré plus tôt.

Au premier étage, Marchand commençait à avoir l'oreille rougie à force de la coller sur l'écouteur. Il avait déjà rappelé les numéros de province. La correspondante marseillaise se répandit en excuse. Elle avait cru reconnaître sa boulangère, or celle-ci venait juste de lui vendre une baguette. À Annecy, une voix douce lui avait annoncé qu'il était bien à la clinique des Cimes. La réceptionniste lui apprit qu'il s'agissait d'une clinique psychiatrique et admit qu'un pensionnaire avait téléphoné dans la matinée après avoir vu le journal. Il était coutumier du fait, prétendant systématiquement identifier toutes les personnes portées disparues. Les autres coups de fil étaient plus sérieux. L'homme de Brest pensait qu'il pouvait s'agir de sa sœur, disparue depuis deux ans, mais elle avait plus de quarante ans. Le maire du village de l'Eure confirma qu'il avait trouvé une ressemblance entre la femme de la photo et la fille d'un couple de Parisiens, les Richardson, qui possédait une résidence secondaire dans sa commune.

— Cela dit, précisa-t-il, il y a longtemps que je ne les ai pas vus. Ils ne sont pas venus depuis plus d'un an. D'ailleurs, la maison est en vente.

— Vous savez où ils vivent, à Paris ? Vous êtes sûr du nom ?

— Oui, bien sûr. Richardson. Je connais tous mes administrés qui paient des impôts ! Lui est anglais, je crois. Ils ont une galerie de peinture dans la capitale, je ne sais pas où exactement. Grosse fortune, certainement.

— Quel âge a la fille ? Quel est son prénom ?

— Le prénom, je n'en sais rien. Pour l'âge... je dirais une trentaine d'années. Ils ont acheté la propriété avant ma première élection. Et je suis maire depuis 71 ! Mais j'ai toujours habité la commune. Je suis exploitant agricole, mon père l'était avant moi. Je me souviens que la mère a passé presque toute sa grossesse ici. Elle est repartie juste avant la naissance de la gamine. On l'a vue grandir, la petite. D'un été à l'autre. Mais elle refusait de jouer avec les gosses du village. Et les parents ne l'y poussaient guère. Des gens un peu fiers, quoi. C'est devenu une adolescente superbe. Pas très souriante. Plutôt désagréable, en réalité. Elle devait s'ennuyer, il n'y a pas grand-chose à faire, ici, pour des jeunes. Depuis qu'elle était adulte, elle accompagnait rarement ses parents. Je l'ai quand même rencontrée suffisamment pour savoir à quoi elle ressemblait.

Marchand raccrocha. Il avait tout noté. Il ne serait pas difficile de retrouver le marchand de tableaux. Mais, si la morte était sa fille, pourquoi ne s'était-il pas manifesté lui-même ? Vivait-elle loin de sa famille ? Étaient-ils habitués à ne pas avoir de nouvelles ? Il se pouvait aussi qu'ils ne lisent jamais la presse écrite... Et elle était peut-être bien vivante, à côté d'eux ou chez elle avec un mari et trois gosses... Encore trois vérifications sur Paris. Le lieutenant décida de s'accorder une pause, s'étira, sortit une gauloise de son paquet et l'alluma voluptueusement, profitant de l'absence de Lebris qui ne supportait pas la fumée. Il ne revenait pas, celui-là. Il devait admirer les nains de jardin ! Marchand soupira, aspira une longue bouffée et forma le numéro que Lefrileux avait noté en rouge. Une voix masculine aboya dans son oreille :

— Le Petit Bistro, j'écoute !

Il était tombé sur un bar. Il espéra que la femme

hystérique n'était pas une cliente repartie après avoir passé son coup de fil.

— Est-ce que vous avez appelé le commissariat de Dinard, à propos de la photo publiée dans les journaux ? Vous connaissez cette personne ?

Il y eut d'abord un silence. Puis l'homme maugréa :

— C'est mon épouse qui a dû téléphoner. Je lui avais pourtant dit de ne pas se mêler de ça ! Encore des coups à s'attirer des emmerdements. Moi, je dis, t'occupe pas des affaires des autres...

— Vous me passez votre épouse ? le coupa sèchement Marchand.

— Ouais, si vous y tenez...

Le policier entendit vaguement les échos d'une dispute, puis une voix suraiguë.

— C'est la police ? Comment vous m'avez trouvée ? Si j'avais su, j'aurais rien dit. Il va encore gueuler ! Mais bon, il faut bien rendre service, non ?

— Alors, madame, vous pensez avoir reconnu quelqu'un, en voyant la photo ?

— Ben, oui. On dirait la fille à Richardson.

Le cœur de Marchand battit un peu plus vite. Cette fois, il tenait sans doute le bon bout.

— Vous pouvez m'en dire plus ?

— On tient un bar-tabac, rue Visconti. Richardson a une galerie de tableaux rue de Seine. C'est tout près. Elle venait acheter ses cigarettes régulièrement, tant qu'elle habitait avec eux. Ils ont un appartement, au-dessus.

— Elle n'habite plus là ?

— Je crois pas. Depuis la mort de sa mère, l'année dernière, je l'ai plus vue.

Marchand gribouilla machinalement sur son bloc – mère morte, où est le père ? –, nota l'adresse précise de la galerie et renvoya la dame à son mari et à ses cigarettes. Il bâilla, se demandant s'il valait mieux se débarrasser du dernier témoignage parisien, qui paraissait peu fiable (« homme de soixante-cinq ans. Rue Saint-Antoine. A cru voir sa nièce. Simone Labranche. Censée être en Floride depuis dix ans », avait écrit le brigadier), ou se mettre en rapport avec Richardson. Il avait opté pour la deuxième solution et s'apprêtait à prier un agent de lui dégoter le numéro de la galerie, quand la sonnerie de l'appareil, sur lequel il avait posé la main, le fit sursauter. Un homme de l'Identité judiciaire.

— Allô, Lebris ?

— Il n'est pas là, c'est le lieutenant Marchand.

— Pas grave, mon vieux, on s'en contentera ! On vient de tomber sur un truc qui va vous intéresser.

L'excitation qu'il sentait dans la voix du collègue commença à gagner le policier.

— Je suis tout ouïe.

— On a épluché le fichier des empreintes très soigneusement, selon l'habitude de la maison. En comparant avec celles qu'on a relevées sur les lieux du crime. Devinez ce qu'on a trouvé ?

— Ne me faites pas languir ! Je donne tout de suite ma langue au chat !

— Deux séries qui correspondent...

L'autre faisait durer le plaisir. Marchand piaffait.

— Des mecs fichés ? Quel genre ?

— Vous êtes assis ? L'un s'appelle Brévin. Thibault Brévin.

— Et alors ? dit Marchand déçu. Cela ne me dit rien. Jamais entendu ce nom-là.

— C'est que vous n'avez pas eu l'honneur d'être opéré par le plus grand spécialiste du genou. Bon, on vous pardonnera. Mais le fils du chirurgien est le meilleur ami de l'autre. Et l'autre s'appelle Alexandre Valençay.

— Quoi ?

Marchand avait fait un bond sur sa chaise. Il attrapa une cigarette, la laissa tomber par terre et jura. Valençay avait prétendu que son fils n'était pas venu à Dinard depuis des années.

— Vous êtes sûrs ? Ce sont peut-être de vieilles empreintes ? Après tout, le fils Valençay a passé des vacances à Dinard. Il a pu amener des copains. Et pourquoi sont-ils au fichier ?

À cet instant, Lebris pénétra dans le bureau. Comme il ouvrait la bouche, son adjoint enfonça la touche du haut-parleur, et lui fit signe d'écouter.

— On sait reconnaître des empreintes fraîches ! En plus, celles-là, elles étaient aussi sur des verres. Les deux garçons ont été embarqués pendant une rave l'été 99. Ça se passait dans un champ, pas très loin de Cabourg. Des voisins ont porté plainte et les gendarmes ont fait une descente musclée. Résultat, une quinzaine d'interpellations, des gardes à vue qui ont débouché sur trois mises en examen, dont nos deux héros, pour violences à représentant de la force publique, et surtout possession de stupéfiants. Pas du cannabis, même pas de l'ecstasy. Des sachets d'héroïne.

Lebris manifestait des signes de nervosité. Il ne put s'empêcher d'intervenir, s'emparant du récepteur :

— Qui ? De qui vous parlez, bordel ?

À l'autre bout du fil, la voix se fit goguenarde.

— Tiens, vous êtes revenu, vous ? Vous demanderez à Marchand de vous expliquer. On a identifié le fils Valençay parmi vos noceurs. Pas inconnu des services de police, ce garçon ! Mais sachez que l'affaire n'a jamais été jugée. Les chefs d'accusation sont tombés tout seuls. Comme par miracle. On vous souhaite bien du plaisir.

Le capitaine se laissa lourdement choir sur une chaise. Marchand eut l'impression qu'il verdissait.

— Merde et merde, murmura-t-il.

— Vous avez vu Suzanne Letellier ? interrogea timidement le lieutenant.

Lebris le regarda avec hostilité, comme s'il souhaitait le voir rentrer sous terre. Il grogna :

— Non. Elle n'était pas rentrée. J'ai sonné chez les voisins. Il paraît qu'elle va voir son vieux père dans une maison de retraite tous les jeudis. Vieille fille et bigote. Les seuls mecs de sa vie sont les nains de jardin. Qu'est-ce que vous proposez, maintenant ?

Marchand préféra ne faire aucune suggestion. Il avait quand même une bonne nouvelle à annoncer à son chef : la probable identification de la victime.

CHAPITRE VII

Ils avaient le numéro de la galerie de peinture. Lebris avait repris la direction des opérations, et son adjoint eut l'impression qu'il préférait, dans l'immédiat, foncer sur la piste Richardson et évacuer le problème qu'allait poser la révélation de la présence du fils Valençay à Dinard. Le capitaine était beaucoup plus à l'aise quand il s'agissait de hurler après des casseurs de super-marché que pour affronter des hommes influents. L'in-térêt de sa carrière lui imposait des courbures d'échine. Si Marchand n'était encore que lieutenant, c'est sans doute qu'il avait la nuque moins souple... Comment son supérieur allait-il se sortir de ce merdier ? Pour l'heure, il regardait le plafond, attendant que l'on décrochât. Marchand appuya discrètement sur la touche du haut-parleur. Finalement une voix de femme, très suave, susurra :

— Galerie Richardson, bonjour.

Lebris se présenta sans mentionner sa qualité de flic et demanda à parler à M. Richardson.

— M. Richardson est absent en ce moment. Je suis sa collaboratrice, je peux sûrement vous renseigner.

— Depuis combien de temps votre patron est-il absent ? s'enquit le capitaine.

Il y eut un long silence au bout du fil. Marchand sourit intérieurement. La brusquerie de Lebris et l'emploi du mot « patron » avaient assurément déplu à la femme, qu'il imaginait élégante et distinguée. Elle finit par répondre, assez sèchement :

— Que désirez-vous, exactement ?

Le capitaine précisa alors qu'il était officier de police judiciaire et qu'il cherchait des informations dans le cadre d'une enquête.

— Vous devez faire erreur. J'imagine mal M. Richardson mêlé à une affaire de police, susurra son interlocutrice.

— Écoutez, s'emporta Lebris, si vous ne voulez pas me répondre, je vous ferai convoquer au commissariat de votre arrondissement. Il serait plus simple de me donner les renseignements dont j'ai besoin.

Le soupir d'exaspération poussé à Paris parut s'exhaler dans le bureau. La voix était beaucoup moins suave en reprenant :

— Je vous écoute.

— Je vous ai demandé depuis quand durait l'absence de votre employeur ? Où pouvons-nous le joindre ?

— M. Richardson est à Londres depuis trois semaines. Sans doute ignorez-vous qu'il est d'origine anglaise. Il vient d'ouvrir une galerie à Londres, qu'il va mettre en gérance, et le vernissage de la première exposition avait lieu le 8 décembre. Il devait être présent.

— Et il n'est pas revenu depuis ? Vous avez de ses nouvelles ?

— Évidemment. Il m'appelle régulièrement. Bien qu'il me fasse absolument confiance pour le suppléer, ajouta-t-elle avec une note de fierté, il veut néanmoins savoir ce qui se passe, c'est normal. Il est resté en

Angleterre parce qu'il y a, ce mois-ci, trois ventes prestigieuses d'art contemporain à Sotheby's. Il a déjà acheté plusieurs tableaux et des sculptures. Nous avons, dans notre clientèle, des collectionneurs du monde entier qui seront intéressés.

Elle avait retrouvé son amabilité, semblant oublier qu'elle s'adressait à un flic. Lebris demeurait imperturbable. Marchand, lui, quand il entendait parler d'art contemporain, imaginait de grandes toiles toutes noires, ou blanches, sur lesquelles on avait dessiné des petits traits rouges, ou un triangle bleu. Il s'était toujours demandé comment on pouvait payer des fortunes pour mettre des trucs comme ça sur les murs ! Enfin, ce séjour à l'étranger expliquait peut-être que le galeriste ne se fût pas préoccupé de l'absence de sa fille. Après tout, ce n'était plus une gamine. Son supérieur aborda alors le sujet qui les intéressait :

— M. Richardson a bien une fille ?

Un silence. Une évidente réticence dans la réponse :

— Oui, il a une fille. Lola.

— A-t-elle accompagné son père ?

— Non.

La dénégation fut claironnée comme allant de soi.

— L'avez-vous vue récemment ? Pouvez-vous nous donner ses coordonnées ?

— Est-ce que vous pourriez m'expliquer ce que tout cela signifie ? Que voulez-vous savoir au juste ?

Cette fois, elle était en colère. Lebris sentit qu'il devenait nécessaire de lâcher quelques bribes d'explication.

— Nous pensons qu'elle est indirectement impliquée dans une affaire criminelle. Son témoignage est indispensable.

Marchand apprécia l'euphémisme, songeant à l'ironie macabre des propos de son chef. La voix résonna à nouveau dans l'appareil.

— Écoutez, je ne comprends vraiment pas de quoi vous parlez. Mais je dois vous dire que nous n'avons pas vu Lola depuis des mois. Disons, pour faire simple, qu'elle ne s'entend pas très bien avec son père. Elle a quitté l'appartement familial peu après la mort de sa mère. Il y a un peu plus d'un an. Elle ne nous donne pratiquement pas de nouvelles. Juste un coup de fil, de temps à autre. Elle a plus de trente ans, elle fait ce qu'elle veut !

« Nous » ? La collaboratrice était-elle aussi une maîtresse ? Et sa présence expliquait-elle la brouille entre le père et sa fille ? La voix suave prétendit ignorer l'adresse de la jeune femme. Elle ignorait également si elle travaillait. Lola avait suivi des études d'histoire, mais n'avait jamais exercé d'activité salariée jusqu'à la mort de sa mère. Avec ce qu'elle avait hérité, elle pouvait continuer à vivre comme une princesse. Les policiers notèrent une pointe d'aigreur. Leur interlocutrice ne semblait guère porter la dénommée Lola dans son cœur et ne s'inquiéta plus de ce qui motivait leur appel, plutôt soulagée qu'il s'agît de la fille, et non du père. Ils ne purent rien en tirer d'autre, sinon le numéro du portable de Richardson.

— Une dernière question, madame..., demanda Lebris. Au fait, madame... ? répéta-t-il, ne laissant aucun doute sur la nature de l'interrogation.

— Mademoiselle. Lebrun. Aline Lebrun.

— Avez-vous lu un journal aujourd'hui ?

— Si j'ai lu... ? Non, j'en achète rarement. Pourquoi ?

Le capitaine raccrocha sans répondre après un vague merci. Il avait la quasi-certitude que la morte de La Chênaie avait enfin un prénom. Lola. Au père, maintenant. La ligne était occupée. Aline Lebrun les avait devancés. Ils en eurent la preuve quand ils joignirent

Richardson cinq minutes plus tard. Dès que Lebris se fut présenté, il attaqua :

— Il est arrivé quelque chose à Lola ? Pourquoi la cherchez-vous ?

Il parlait avec une pointe d'accent anglais à peine perceptible. Lui, au moins, manifestait de l'anxiété. Il n'avait eu aucune nouvelle de sa fille depuis qu'il était à Londres et n'avait pas la moindre idée de l'endroit où elle se trouvait. Lebris jugea inutile de tergiverser.

— On a découvert le corps d'une jeune femme, à Dinard. Son portrait a été diffusé dans la presse. Certains témoignages nous font craindre qu'il ne s'agisse de votre enfant... Des gens de votre quartier et le maire du village où vous avez une résidence secondaire pensent l'avoir reconnue.

— C'est absurde. Pourquoi aurait-on tué Lola ? Et surtout à Dinard ! Ce n'est pas elle ! Lola n'est pas morte !

L'homme semblait pris de panique.

— Vous connaissez Dinard ? Vous avez une idée de ce qu'elle y faisait ?

La réponse ne vint pas immédiatement.

— Absolument pas. Je ne comprends pas. J'ai dû séjourner dans cette ville, il y a des années. Avant la naissance de Lola. Et peu de temps.

— Votre fille a-t-elle subi récemment une intervention chirurgicale ?

— Je ne crois pas. Mais nous ne nous voyons pas très régulièrement. Elle ne m'aurait pas forcément prévenu.

— Savez-vous si elle était liée avec le fils de Jean-François Valençay ?

— Valençay ? Le P-DG d'Amandi ? Non, pas que je sache.

— Monsieur Richardson, reprit Lebris, j'espère que

123

nous nous trompons mais je crois qu'il faut que vous veniez le plus rapidement possible voir le corps. Une liaison aérienne quotidienne relie Londres et Dinard.

Cette fois encore il y eut une hésitation perceptible au bout de la ligne.

— Je préfère éviter les transports aériens. Je prendrai plutôt l'Eurostar. C'est aussi rapide.

Aussi rapide ? Le capitaine n'en était pas sûr. Ce type avait-il la phobie de l'avion ?

— Comme vous voulez. Nous nous retrouverons dans ce cas à la gare de Saint-Malo.

Lebris lui donna le numéro du commissariat.

— Prévenez-nous dès que vous connaîtrez l'heure de votre arrivée.

Devant le téléphone muet, ils restèrent un moment immobiles. Ils avaient l'impression que brutalement le brouillard dans lequel ils tâtonnaient depuis le début de la semaine s'était dispersé. Le crime dinardais allait se résoudre dans les hautes sphères parisiennes. La victime aurait bientôt une identité. L'assassin paraissait appartenir au cercle du propriétaire de la villa. La présence de son fils résolvait le problème des clés. Il avait sûrement accès au trousseau de son père. Elle expliquait aussi l'arrivée rapide des voitures de sport qui avaient frôlé le maître du labrador, et la lumière entrevue par la vieille dame et le couple sur la plage. Qui avait tué ? Alexandre ? Un de ses copains ? Il était probable que Lola Richardson fût invitée avec les autres pour un week-end provincial qui avait mal tourné. Que s'était-il passé ? Qu'avaient fait subir ces tarés à la jeune femme ? Marchand se rappelait les réticences du légiste quant à une éventuelle agression sexuelle, et se demandait non sans une certaine jouissance comment son supérieur allait s'y prendre. Il n'avait guère le choix. Les révélations de la police scientifique lui imposaient d'entendre le fils de Valençay. Lui, il s'en foutait, il n'était qu'un sous-fifre. Tout à sa jubilation, il alluma machinalement une cigarette.

— Éteignez ça, bordel ! hurla Lebris. Appelez-moi plutôt le juge d'instruction.

Le lieutenant obtempéra, en bougonnant qu'il n'était pas un larbin.

— Vous dites ?

— Rien. Je vous le passe.

Le juge Marquet écouta le policier lui faire part des derniers événements sans l'interrompre. Lebris se tut, et attendit. Apparemment l'autre restait silencieux. Marchand n'avait pas osé mettre le haut-parleur

— Je vais devoir contacter Paris, pour qu'ils cueillent le garçon en vue d'un interrogatoire. Si les charges qui pèsent sur lui se confirment, ils le mettront en garde à vue. On aura besoin d'une commission rogatoire pour l'entendre là-bas. Vous nous laisserez aller jusqu'au bout, non ? Souhaitez-vous que j'avertisse Jean-François Valençay ? Ou préférez-vous le faire vous-même ?

La réponse fut brève. Le capitaine raccrocha rageusement.

— Et merde !

— Qu'est-ce qu'il a dit ?

— Qu'on aurait la commission rogatoire s'il le fallait vraiment. Pour le reste, c'est notre enquête et il est persuadé que je ferai pour le mieux. Le salaud ! Il ne veut pas se mouiller. Allez, on se tire. J'aviserai demain.

Il attrapa son manteau et quitta le bureau. Lorsque Marchand arriva au rez-de-chaussée, Lebris n'était plus en vue. Il devait l'attendre dans la voiture. Le lieutenant prit le temps de dire au revoir au brigadier Lefrileux et de lui demander s'il avait reçu d'autres appels.

— Non, je vous les aurais passés.

Il était surpris. Les témoignages qui avaient permis de localiser la victime n'émanaient pas de ses proches, mais d'étrangers la connaissant à peine. Bon sang, elle devait bien avoir un mec, des amis ? Personne ne semblait se soucier de sa disparition...

— Ça a donné quelque chose, ceux de ce matin ?

— Elle est sans doute identifiée. Le type de l'Eure avait vu juste. Une dénommée Lola Richardson. Son père est à Londres, il arrive demain.

— Ah bon, dit Lefrileux. C'est bizarre. Eh bien, vous allez avancer, maintenant.

Marchand, qui s'apprêtait à franchir la porte, s'arrêta, étonné.

— Bizarre ? Pourquoi bizarre ? Vous aviez une autre idée ?

— Non, non, bien sûr que non. C'était une parole en l'air.

N'empêche qu'il avait vaguement rougi. Mais le lieutenant était sorti quand le brigadier marmonna qu'il avait bien fait de ne rien dire sinon il aurait eu l'air d'un con. C'était seulement une coïncidence, en définitive.

La nuit était tombée quand Carole atteignit le barrage de la Rance. Elle était épuisée. Sur l'autoroute, camions et voitures se pourchassaient dans une course folle vers d'aléatoires réjouissances, projetant dans leur furie des gerbes boueuses. Le crachin qui l'avait accompagnée tout au long du trajet resta un instant suspendu aux nuages. La Tour Solidor était invisible, un faible halo suggérait la présence de Saint-Malo au-delà de l'embouchure du fleuve, derrière la masse imprécise du rocher d'Aleth. Carole réalisa qu'elle n'avait pas averti sa cousine de sa venue. Elle avait oublié de rappeler. Elle avait son adresse, et savait en gros comment se rendre dans ce quartier, sur la route de Saint-Lunaire. Que ferait-elle, si elle n'était pas là pour lui donner la clé ? Bah, elle trouverait bien un hôtel, pour y passer la nuit. Toutefois, elle souhaitait voir Suzanne rapidement. Elle était le premier maillon de la chaîne, par elle commençaient le lent travail de reconstruction, le cheminement vers la vérité et surtout la rencontre avec le passé, ce passé sans lequel l'avenir ne pouvait se bâtir. Suzanne était ce qui ressemblait le plus à l'ébauche d'une famille. La voiture pénétra bientôt dans la ville, laissa sur sa gauche l'entrée du cimetière, puis remonta la rue de la Corbinais jusqu'à la place où autrefois s'élevait une gare, avant de s'engager dans la direction de Saint-Lunaire. Carole, le cœur serré, se dit qu'elle était presque au bout du voyage. Un cimetière, un fantôme de gare... des trottoirs déserts. De maigres guirlandes aux lumières blanchâtres enjambaient les rues. Il n'était que six heures du soir, et tout était mort. Une silhouette sombre, trottinant hâtivement, traversa pourtant un carrefour. Des lueurs dorées filtraient derrière des volets déjà clos. Ce quartier, un peu excentré, semblait vivre en veilleuse loin des fastes du bord de mer, presque sans commerces, enserrant de ses façades blanches ou grises, de ses jardins au cordeau, les masses assoupies d'un hôpital, d'un laboratoire d'analyses, d'une maison de retraite. Le fragile enthousiasme qui avait soutenu Carole tout au long du trajet vacilla. Le poids de la solitude la rattrapa. « Mais qu'est-ce que je fous là ? » se demanda-t-elle. Elle se gara devant une porte de garage, sous un réverbère. Devenait-elle cinglée ? Que pouvait-elle espérer de cette virée parmi les ombres ? Qu'en avait-elle à faire de cette cousine ? Et de cette ville qui distillait un ennui mortifère ? Toutes ces élucubrations sortaient d'un cerveau malade. Elle était simplement incapable de faire face à

127

ses responsabilités. Elle s'inventait des histoires pour éviter de se dire qu'elle était un mauvais flic, et que si Modard mourait, ce serait sa faute, parce qu'elle n'avait pas réagi assez vite. Comme elle se répétait depuis trois ans qu'elle n'aurait pas dû être éjectée vivante de cette putain de bagnole, qu'elle aurait dû réussir à ouvrir la portière derrière laquelle gisait son mari, avant l'explosion. Il lui était même arrivé, pendant quelque temps, de se persuader qu'elle était au volant au moment où l'accident s'était produit, alors qu'au fond d'elle-même elle n'avait pas besoin des affirmations des gendarmes pour savoir qu'elle n'était que passagère. On n'échappait jamais ni à la culpabilité, ni à la punition. Elle avait longtemps résisté à la tentation d'aimer à nouveau, parce que l'amour est indissociable de la peur. Mais son corps avait cédé. Elle payait. Remonter dans le passé n'effacerait rien. Il ne lui restait qu'à faire demi-tour, à rentrer à Marville pour y attendre les nouvelles de l'hôpital, puis à continuer sa survie solitaire, quelle que soit l'issue. Elle était pourtant trop fatiguée pour reprendre la route ce soir. Elle passerait une nuit à l'hôtel.

Elle allait démarrer lorsqu'une voiture passa au ralenti à côté de la sienne. La conductrice se pencha vers la droite, puis fit de grands gestes et s'arrêta. Piégée, se dit Carole, qui reconnut Suzanne quand elle s'approcha. À contrecœur, elle abaissa sa vitre.

— Carole, c'est bien toi ! Pour une surprise ! J'ai ralenti parce que j'avais vu le 76 de la plaque d'immatriculation et que je me rappelais que tu as une Clio ! Mais j'y croyais pas vraiment ! Tu venais chez moi ? Tu étais perdue ? Pourquoi n'as-tu pas téléphoné ? Ce n'est pas grave ! Tu vas me suivre. Je suis ravie, ravie !

Noyée sous ce déluge de paroles, Carole ne put que descendre à son tour et se laisser embrasser. Sa cousine était une grande femme maigre, noueuse, aux cheveux gris, raides, coupés très court. Son visage aux traits irréguliers était resté étonnamment lisse et derrière les lunettes à monture dorée, ses yeux marron, un peu globuleux, brillaient d'excitation. Quel âge avait-elle ? Cinquante-cinq ou cinquante-six ans. Carole ne pouvait la décevoir. Après tout, elle n'avait rien à perdre.

— J'ai téléphoné, avant de partir. Il n'y avait personne. Je voulais te prévenir que je passerais prendre les clés, dit-elle.

— J'étais partie voir papa. Je rentre de Rennes. Heureusement que je t'ai trouvée ! Tu vas dîner avec moi. Je passe devant. C'est tout près.

Les deux véhicules parcoururent lentement à peu près cinq cents mètres. Juste après le stade de football, Suzanne mit son clignotant gauche, et s'engagea dans une ruelle que Carole n'aurait sans doute pu repérer si elle avait été seule. Une ruelle qui s'avéra être une impasse bordée des deux côtés par de hautes haies qui cachaient les maisons. Tout au fond, un portail peint en vert ouvrait sur un jardin, lui aussi enclos par des troènes. Il faisait très sombre, aucun réverbère n'éclairait l'étroit passage. Dans la lueur des codes, une silhouette se dessina, en train de pousser les deux battants du portail.

— On peut rentrer les deux voitures, cria Suzanne. Attention aux plates-bandes, l'allée est étroite. Gare-toi derrière moi et attends que j'allume la lampe extérieure.

Quand la lumière inonda le jardin, Carole découvrit la maisonnette en pierre grise, aux fenêtres entourées de brique, aux volets blancs. Elle vit la pelouse rase que la puissance de la lampe teignait en vert fluo. Elle vit le petit moulin et, avec leurs barbes blanches et leurs bonnets rouges, les nains de jardin. Elle poussa un gros soupir, claqua sa portière et se dirigea vers la porte que sa cousine tenait ouverte. L'étroit corridor donnait d'un côté sur une salle de séjour, de l'autre sur la cuisine. Tout étincelait de propreté, mais Carole eut l'impression de pénétrer dans une page d'un ancien catalogue de La Redoute. Tapisseries à fleurs, sur fond rose, moquette immaculée, meubles en faux rustique, luisant de cire, napperons brodés. Partout étaient posés des bibelots, vases, poupées, petites boîtes, vierges en plâtre... Et sur les murs, entre deux reproductions de tableaux impressionnistes, un bénitier en porcelaine et un grand crucifix.

— Tu n'étais jamais venue, dit Suzanne, avec un sourire de fierté. Elle est belle, ma maison, non ? Et j'ai trois chambres, dont une en bas, et une grande salle de bains. Ça change de la bicoque des Cognets ! Tu te rappelles ?

Carole ne se rappelait même pas la pièce où elle déjeunait quand elle était petite. Juste la toile cirée à carreaux. Était-ce un taudis ? En vérité, elle gardait surtout l'image des cabanes à lapins. Elle se souvenait qu'à l'école on parlait des Cognets comme d'un quartier qui avait mauvaise réputation. Elle approuva donc :

— C'est très joli. Tu es bien, ici.

Puis, remarquant que sa cousine se déplaçait légèrement courbée en se frottant les reins :

— Tu as mal au dos ?

— Un peu. La voiture. Et l'âge ! Rien de grave. Tant que ça ne m'empêche pas de travailler...

Quel genre de métier pouvait bien exercer Suzanne ? Carole avait dû le savoir. Décidément, elle n'avait aucun sens de la famille.

— Tu ne travaillais pas, aujourd'hui ? interrogea-t-elle, sans oser s'avancer davantage.

— Non. Jamais le jeudi, c'est le jour où je vais voir

mon père. Le dimanche, il y a trop de monde. En hiver, je suis un peu mon maître. Je m'organise comme je veux. Ils ne sont pas là pour vérifier. L'été, j'ai plus de contraintes. Par chance, ils ne viennent pas tous en même temps.

Bon sang, de quoi parlait-elle ? Elle eut la réponse quand sa cousine, après lui avoir dit d'enlever son manteau, la mena dans le couloir devant une sorte de placard mural dont la porte s'ornait d'une serrure vide. Suzanne sortit une petite clé de son sac à main.

— Elle ne me quitte pas. J'ai des responsabilités !

À l'intérieur du placard étaient accrochées d'autres clés, de toutes dimensions. Une dizaine de trousseaux, chacun accompagné d'une étiquette.

— Tu vois, je suis leur gardienne. La gardienne des villas. Ils me paient à l'année pour aérer et entretenir leurs maisons. J'en ai onze. Quand ils sont là, ils m'emploient tous les jours.

Le cœur de Carole se mit à battre un peu plus vite. Était-il possible que parmi les onze il y eût la clé de la villa du crime ?

— Tu ne t'occupes pas de celle des Valençay, par hasard ? lança-t-elle.

Le sourire de Suzanne s'effaça soudain. Elle jeta à sa jeune cousine un regard gêné, et se dirigea vers le séjour où elle s'assit précautionneusement sur le canapé en similicuir, en faisant signe à Carole de l'imiter.

— Si, justement et je suis toute retournée avec cette affaire. J'ai La Chênaie. Le trousseau est là, il n'a pas bougé. Tu peux vérifier, si tu veux !

— Je te crois, dit Carole. Tu dois être bouleversée. Tu aurais dû m'appeler !

— J'ai essayé, mais tu n'étais pas là.

— Le soir, généralement, je suis pourtant chez moi. Sauf hier, c'est vrai.

La veille, elle dînait chez les Palante... Modard était avec Béatrice, heureux de vivre. Il semblait à Carole qu'un siècle s'était écoulé.

— C'est justement hier au soir que j'ai voulu te parler. J'étais terrifiée ! Tu te rends compte, j'aurais pu y être en même temps que les assassins. Et j'avais vraiment besoin de conseils. Les journaux disent que la porte n'a pas été forcée. Si la police pense qu'ils avaient des clés, j'ai peur qu'on s'en prenne à moi, qu'on m'accuse de les avoir prêtées, ou perdues, ou je ne sais quoi. Même d'être complice. Ils vont forcément trouver mes empreintes partout ! Pour l'instant, ils ne m'ont pas interrogée. Je n'en dors plus ! Est-ce qu'on va m'arrêter ? Qu'est-ce que je dois faire ?

Carole retint un éclat de rire. Elle pensait aux nains de jardin et aux vierges en plâtre.

— J'imagine mal qu'on te prenne pour une criminelle. Et tes empreintes ne sont pas dans leur fichier ! Ce serait normal que les enquêteurs te posent des questions s'ils apprennent que tu travailles là-bas. Les Valençay t'ont appelée ?

— Mme Valençay m'a téléphoné hier soir. Elle veut que j'aille remettre tout en ordre.

— Elle ne t'a rien reproché ?

— Non... Pas directement. Elle m'a juste demandé si j'étais sûre de ne pas avoir égaré leurs clés. J'ai juré. Et si elle ne me croyait pas ? Tu comprends, j'ai peur que les gens ne me fassent plus confiance. C'est le curé qui m'a recommandée à mes patrons. Je suis une personne de confiance, ils le disent tous. Faudrait pas que ça change. De quoi je vivrais, moi ?

Carole s'efforça de la rassurer. Une idée germait dans sa tête, un désir un peu fou. Elle ne repartirait sans doute pas le lendemain.

— Tu y vas quand, à La Chênaie ?

— Je ne sais pas si mon dos me permettra de faire le gros ménage, mais je vais aller y jeter un œil demain matin.

— Tu m'emmènerais ?

Suzanne hésita, la regarda d'un air méfiant.

— Pour quoi faire ? Je ne sais pas si j'ai le droit...

— Pour t'aider, tiens ! Moi, je n'ai pas mal au dos !

Avant que sa cousine ait pu répondre, la sonnette de la porte d'entrée retentit. Suzanne fronça les sourcils. Visiblement, elle n'était pas habituée aux visites.

— Qui ça peut être ? Je vais voir.

Carole entendit un murmure de voix dans le couloir. Le visiteur n'était apparemment pas invité à entrer. Elle espérait ardemment pouvoir aller sur les lieux du crime le lendemain. Et elle avait encore d'autres sujets à aborder avec Suzanne. Dans le décor affligeant de cette maison, en présence de cette femme tellement différente d'elle, il lui semblait qu'elle venait d'entamer un jeu qui libérait son esprit de l'angoisse. Elle se dépouillait de sa propre vie pour devenir juste un limier sur une piste, un limier sans âme et sans histoire. Elle oubliait qu'elle était là pour se construire une famille, avec Suzanne pour les fondations. Finalement, cette bigote un peu sotte ne faisait pas l'affaire ! En revanche, elle serait un pion utile dans le jeu. Je suis horriblement cynique, se reprocha-t-elle. Mais pourquoi pas ? Personne n'avait besoin d'elle – bien qu'une petite voix lui suggérât qu'elle était injuste envers Emmanuel –, et elle était en vacances. Cette thérapie en valait une autre. Elle échappait un peu au pathos qui l'avait poussée à fuir.

Suzanne était livide, quand elle revint dans la pièce.

— Qu'est-ce qui se passe ? Tu ne te sens pas bien ?

— C'était ma voisine. Tu avais raison. Il y a des policiers qui sont venus. Deux fois. Comme j'étais absente, ils ont sonné chez elle et lui ont posé plein de questions. Mon Dieu, que vais-je devenir ? Et s'ils me mettaient en prison ! Je ne veux pas quitter ma maison !

— Écoute, tu n'as aucune raison de t'inquiéter. Les Valençay ont dû donner ton nom. Les flics cherchent à savoir comment on a pu pénétrer dans la propriété. Dès que tu leur auras montré ton trousseau de clés, ils te ficheront la paix. Si tu veux, demain matin, j'irai avec toi au commissariat. Si tu te présentes de toi-même, ce sera encore mieux. Après, on ira à la villa. D'accord ?

Suzanne céda. Elle était trop terrorisée pour résister.

— D'accord.

Elle semblait hésiter à ajouter quelque chose. Finalement, elle se lança :

— Je ne t'ai pas tout dit. Le fils Valençay, il vient des fois. Il amène des copains. Ils laissent beaucoup de désordre. Et des bouteilles vides ! En général, il me téléphone quand il repart. Et c'était déjà arrivé.

— Qu'est-ce qui était déjà arrivé ?

— Qu'ils s'en aillent en laissant ouvert. Ils avaient dû trop boire, tu comprends. Heureusement, j'y suis allée dès le lendemain. J'ai prévenu sa mère. Dans le journal, ils ont dit que la porte était restée ouverte. Les gamins des Grands-Prés en ont profité pour entrer.

Carole sentit monter un frémissement d'excitation.

— Tu crois qu'il a recommencé ? Selon la presse, Valençay a affirmé que personne de sa famille n'était venu !

— Oui, je l'ai lu aussi. Il le prétend. Moi je crois le contraire. Si je le raconte, je perds mon emploi, non ?

— Je ne sais pas. Il faut y réfléchir. D'un autre côté, c'est important.

Le flic en elle réagissait. Le témoignage de sa cousine était primordial pour l'enquête. Il lui ferait néanmoins risquer sa place... Suzanne interrompit ses réflexions :

— Je te sers un apéritif ? J'ai du porto, si tu veux. Moi, je ne bois pas d'alcool, mais j'ai toujours du porto. Papa aimait bien ça. Ensuite, je nous prépare à manger.

Carole accepta le porto. Du moment que ce n'était pas du cognac... Elle sortit son paquet de cigarettes. Suzanne protesta :

— J'aimerais autant pas. L'odeur imprègne les murs...

Tant pis. Elle dîna de bon appétit, ce qu'elle n'aurait pas cru possible le matin même. Suzanne avait improvisé un repas avec ce qu'il y avait dans son frigo. Des tomates, une omelette. Elle s'excusait de ne pouvoir offrir mieux, promettait des merveilles, la prochaine fois. Elles bavardèrent, ou plutôt Carole écouta sa cousine évoquer des parents dont elle ignorait jusqu'à l'existence. Suzanne, au contraire, connaissait tout de leur vie, l'âge des enfants, ce qu'ils faisaient... Elle paraissait entretenir une correspondance régulière avec ces gens mais ne les rencontrer qu'à l'occasion des baptêmes ou des enterrements. Elle ne manquait pas une cérémonie religieuse, dût-elle traverser la moitié de la France au volant de sa Twingo. À Dinard, monsieur le Curé et l'entretien des fleurs de l'église ou des tombes familiales occupaient les loisirs que lui laissaient ses villas, comme elle disait.

— J'ai mis des chrysanthèmes à tes parents, à Toussaint.

Carole, qui refusait d'aller sur la tombe de Pierre, détestait la fréquentation des cimetières en général et que l'idée des chrysanthèmes n'aurait même pas effleurée, se demanda, gênée, si elle devait proposer de rembourser les fleurs. Elle s'abstint. Elle commençait à avoir mal à la tête, la fatigue lui tomba à nouveau dessus. L'étalage de cette pauvre vie, de cette vie par procuration de vieille fille délaissée, la renvoya à sa propre solitude. Elle désira soudain violemment la présence d'Emmanuel. Finirait-elle par fleurir, elle aussi, dans vingt ans, la demeure de ses morts ? Elle apprit que Suzanne avait perdu sa mère à dix ans, et avait soigné pendant des années, dans cette maison, son père infirme. Il avait eu, longtemps auparavant, une attaque qui l'avait laissé totalement paralysé.

— Il ne parlait plus, le pauvre. Je me suis occupée de lui pendant trente ans. L'année dernière, j'ai dû abandonner. Il avait besoin de soins médicaux constants. J'étais incapable d'assurer. À mon grand désespoir, je l'ai mis dans un service de gériatrie, près de Rennes. Sa petite retraite paie juste la pension. Il est bien soigné. Heureusement, il ne se rend plus bien compte. Il a quatre-vingt-cinq ans. Je vais le voir toutes les semaines. Il me reconnaît, je crois. Mais je ne suis pas sûre.

Carole se leva. Elle craquait. Non, elle ne voulait pas dormir là. Merci. Elle réclama ses clés, qui n'étaient pas accrochées dans le placard du couloir mais déposées dans le tiroir du buffet. Pour ne pas confondre. On se verrait demain matin. Rendez-vous ici à neuf heures. Plus le courage d'aborder le cas de Muriel. Et comment s'y prendre ? Sa sœur ne l'avait évoquée à aucun moment...

— Attends, tu ne vas pas partir sans visiter ma maison.

Une lueur de passion s'alluma dans ses yeux. C'était ça, la grande affaire de la vie de Suzanne, réalisa soudain Carole. Plus encore que l'église. Sa maison, à elle. Son nid, son refuge ? Même avec le vieux père dedans. Son chez-elle, un jardin, trois chambres et de gros meubles qui fleuraient l'encaustique.

136

— Je l'ai achetée en 72. On a enfin quitté la sale bicoque. Tu vois, même une fille des Cognets peut venir habiter dans les beaux quartiers !

Puis, d'un air de défi qui amusa Carole, elle expliqua les années d'économies et l'emprunt remboursé, ménage après ménage.

— Elle est à moi, maintenant. Rien qu'à moi.

La chambre du bas avait été celle du père. Elle était glaciale et sombre. Au premier, dans le domaine de Suzanne, le rose encore dominait. Elle ouvrit la dernière porte :

— J'ai même une chambre d'amis. Tu aurais pu rester.

Elle alluma la lumière. Cette pièce-là était bleue, mais Carole ne prêta aucune attention au lit minuscule, presque un lit d'enfant, recouvert d'un dessus-de-lit blanc, ni à la commode, blanche elle aussi. La photo sur le mur, entourée d'images pieuses, lui sauta aux yeux. Une grande photo, en noir et blanc, dans un cadre doré. Muriel. Cernée par les bondieuseries. Un temple à Muriel. Ou à la femme assassinée ? Elle n'avait pas rêvé la ressemblance. Cette fois, elle pouvait poser sa question.

— C'est ta sœur ? C'est Muriel ?

Suzanne murmura :

— C'est ma petite chérie. Tu te la rappelles ?

— Oui, dit Carole. Oui, je me la rappelle. Suzanne, comment est-elle morte ?

— Je ne veux pas parler de ça. Un monstre nous l'a prise.

Suzanne avait les yeux pleins de larmes. Carole, tout en se reprochant sa cruauté, insista et finit par extirper la vérité. Muriel avait été assassinée. Non, pas à Paris, ici. Sur la promenade, près de Saint-Énogat. On l'avait jetée dans les rochers après l'avoir frappée sur la tête. Elle avait dix-neuf ans.

Ce n'était donc pas un avortement qui l'avait tuée. Un meurtre ! Il fallut un moment à Carole pour digérer l'information.

— Et je ne savais même pas qu'elle était à Dinard, ajouta Suzanne. Je la croyais à Paris, elle y faisait ses études. Elle ne donnait même plus de nouvelles.

— Qui a fait une chose pareille ? demanda Carole.

— On n'a jamais su, jamais. Un fou, forcément. Pourquoi quelqu'un de normal aurait-il fait du mal à Muriel ? Elle était si gentille. Il court toujours. Je t'en prie, ne m'oblige pas à me souvenir de ces horreurs.

Elles redescendirent. Suzanne ne pleurait plus. Elle se moucha dans un grand mouchoir à carreaux. Carole enfila son manteau, remercia sa cousine et se prépara à sortir. Au dernier moment, elle se retourna.

— Dis-moi, tu as vu la photo de la jeune femme qui a été étranglée chez tes patrons ?

— Oui, dans *Ouest-France*, pourquoi ?

— Tu ne trouves pas qu'elle ressemble à Muriel ?

Suzanne sembla frappée de stupeur. Elle écarquilla les yeux, rougit, eut du mal à récupérer sa voix.

— Tu es folle ! Pourquoi elle ressemblerait à Muriel ? Elle ne peut pas ressembler à Muriel ! Tu dis n'importe quoi !

Carole eut l'impression que sa phrase avait fait à sa cousine l'effet d'un horrible blasphème. Elle l'embrassa.

— Je suis désolée. Admettons que je n'aie rien dit. À demain.

À peine installée au volant, elle alluma une cigarette et tira quelques bouffées avec avidité. Lorsque sa voiture démarra, elle prit conscience que le fait que Muriel avait été assassinée n'expliquait pas le mur de silence construit autour de sa disparition. Ce n'était quand même pas sa faute ! Pourquoi l'avoir rayée de la mémoire familiale ? Pourquoi son prénom même était-il devenu tabou ? Suzanne ne semblait pas prête à en dire plus. Le désir de connaître la vérité se fit de plus en plus intense. S'il n'y avait pas d'autre solution, elle pourrait toujours aller consulter des archives de presse. Elle reprit la route en sens inverse, soulagée d'avoir quitté la maison-catalogue qui la mettait mal à l'aise. L'idée du nid n'était pas tout à fait juste, se dit-elle. C'était plutôt une tanière. Un endroit hors du temps, aseptisé, où Suzanne magnifiait sa pauvre existence. Une bouffée de tendresse mêlée de pitié submergea Carole, réunissant les deux sœurs, la jeune qui avait trouvé une mort horrible et que tous avaient oubliée sauf Suzanne avec son culte un peu ridicule sur le mur d'une chambre inoccupée, et la plus âgée qui vivotait, solitaire et dévote. À la sortie de Dinard, elle s'engagea sur la quatre voies qui menait au barrage de la Rance. Soudain, l'idée du froid qui devait régner dans la maison de La Richardais la fit frissonner d'appréhension. Une sorte de peur panique s'empara d'elle. Elle vit sur sa droite une flèche indiquant un Etap-Hôtel. Elle mit son clignotant. Sans avoir rencontré personne, en utilisant sa carte bleue comme sésame, elle prit rapidement possession d'une petite chambre blanche, anonyme, chaude. En s'endormant, elle pensa qu'elle n'avait pas téléphoné à Marville.

Après le départ de sa jeune cousine, Suzanne Letellier était remontée dans la chambre bleue. Elle tenait à la main un numéro de *Ouest-France*. Elle alluma le plafonnier et se posta devant la photo de sa sœur. Muriel n'avait pas vieilli, elle. Elle était restée fraîche et jolie, avec ses grands yeux innocents. Personne n'aurait pu imaginer... Suzanne se signa et regarda tour à tour la photo du journal et le portrait sur le mur. Carole trouvait-elle vraiment une ressemblance entre les deux ? Quelle drôle d'idée d'être policier. Ce n'était pas un métier pour une femme. D'ailleurs, elle était devenue un peu pimbêche, non ? Et puis elle ne devait pas être très religieuse. Mais elle faisait partie de la famille.

Carole ne semblait pas se souvenir de la cabane des Cognets. Suzanne, elle, y pensait tous les jours. Elle sentait encore l'odeur de crasse et de vinasse qui ne partait jamais malgré les nettoyages quotidiens. Elle sentait sur sa peau l'humidité, la moisissure qui recouvraient tout, imprégnaient les vêtements. Elle entendait les hurlements des mâles quand ils étaient saouls. Elle revoyait le nez de ses premières patronnes qui se fronçait de dégoût à son approche. Elle redescendit dans la salle de séjour. Ça sentait bon le parfum d'ambiance et l'encaustique. Elle sourit. Sa maison, elle l'avait bien méritée. Personne ne la lui enlèverait. Demain encore elle mettrait un cierge à l'église pour remercier le bon Dieu.

CHAPITRE VIII

Vendredi 22 décembre.

Bernard Marchand n'avait pas très bien compris pourquoi Lebris lui avait dit de prendre une des voitures banalisées de la PJ. Les autres matins, il avait insisté pour l'emmener dans son Audi personnelle, arguant qu'il adorait la conduire et que ça ne le gênait pas de passer prendre son adjoint. S'il avait envie de faire cavalier seul, c'était son problème. Au moins, Marchand n'aurait pas, comme la veille au soir, à subir son humeur de dogue, et il en profitait pour fumer clope sur clope en roulant ! Il arriva à neuf heures au commissariat de Dinard. Le capitaine était déjà là. Une légère odeur de parfum flottait dans le bureau. Tout s'expliquait... Une nana, sûrement, à raccompagner chez elle après une folle nuit de débauche ! Sacré veinard ! Mais le veinard tirait la gueule. Il dit :

— Vous avez entendu les infos ? La SNCF est encore en grève. Il va venir comment, l'Anglais ?

Marchand n'avait pas la réponse à cette question. Il souhaitait lui aussi que la reconnaissance du corps pût avoir lieu ce jour-là. Lebris reprit :

— Pour le fils Valençay, j'ai prévenu le directeur

de la PJ à Rennes. Il a téléphoné lui-même à Paris. Il vient de me rappeler. Grosse sensation... Alexandre Valençay habite dans le huitième, mais ils ne vont pas le faire amener au commissariat d'arrondissement. Direct au Quai des Orfèvres ! Il sera entendu comme simple témoin, au moins dans un premier temps. Le patron m'a laissé entendre que je n'avais aucune chance que le juge m'envoie là-bas. Trop gros pour un flic de province ! Mais c'est bien à nous de prévenir le père. Pour le sale boulot, on fait l'affaire ! Putain, il est majeur, ce petit con ! J'ai l'impression que c'est à moi qu'on en veut. Sûr que j'aurais pourtant préféré leur dégoter des loubards du coin !

« Bel aveu », ricana intérieurement le lieutenant. Lebris le regarda de travers, et tenta sa chance :

— Vous ne voulez pas l'appeler, vous, Valençay ?

Marchand explosa :

— Ah non, chef ! Vous êtes le chef, chef !

— C'était une plaisanterie, mon cher, j'espère que vous n'en avez pas douté. Je suis capable de prendre mes responsabilités.

Il décrocha le téléphone en soupirant, appuya sur la touche du haut-parleur. L'entretien, au début, fut moins houleux qu'il ne le craignait. Visiblement, quelqu'un – Lebris ne saurait jamais qui –, à titre tout à fait officieux bien entendu, avait déjà averti Jean-François Valençay qu'on avait la preuve de la présence de son fils dans la villa. L'homme d'affaires afficha une parfaite courtoisie. Il comprenait très bien qu'Alexandre devait être interrogé. Il regrettait d'avoir induit la police en erreur, mais il était de bonne foi. Juste un malentendu, n'est-ce pas ? Alexandre lui avait tout avoué la veille au soir. Ils avaient décidé, ses amis et lui, sur un coup de tête, d'aller faire un tour au bord de la mer, et comme il avait les clés de l'appartement familial et que ses parents étaient à Megève, il était venu, naturellement, chercher le trousseau de La Chênaie. Le dimanche suivant, il allait les rendre à son père quand le procureur avait appelé pour annoncer la découverte du cadavre. Alors, le garçon avait stupidement paniqué.

— Mettez-vous à sa place ! On se serait affolé à moins ! Au lieu de me dire la vérité, il a remis les clés en place en profitant d'un instant où j'avais quitté la pièce. Une simple erreur de jeunesse. Je les ai donc trouvées le mercredi matin, je ne pouvais pas me douter qu'elles avaient bougé !

— Pourtant, hasarda Lebris, vous avez affirmé que vous aviez eu votre fils au téléphone, à Paris, alors que vous étiez à la montagne.

Il avait marqué un point. Il eut la certitude que l'homme ignorait où était son rejeton au moment du crime, et avait inventé ce coup de fil, au cas où, pour le mettre à l'abri. Valençay fut prompt à la parade :

— En réalité, je l'avais peut-être appelé sur son portable. Et croire qu'il me répondait de Paris. C'est sûrement ce qui s'est passé.

De toute manière, Alexandre et ses amis n'avaient jamais vu la fille. Ils étaient arrivés à la villa le samedi, en fin d'après-midi, et en étaient repartis le dimanche, vers quinze heures. Sans laisser d'autres cadavres derrière eux que des bouteilles vides ! Un peu de désordre, certes, mais ce n'était pas un crime. La femme de ménage pouvait témoigner que cela se produisait parfois. Ils avaient bien refermé et la porte d'entrée et le portail.

— Mon fils est formel. Il a tout verrouillé en partant. Si le meurtrier disposait de clés, ce n'étaient pas les nôtres. N'oubliez pas qu'il y en a d'autres à Dinard. Il est donc possible que quelqu'un se soit introduit chez moi après le départ d'Alexandre.

Valençay suggéra aussi que cette fille avait pu pénétrer dans la maison accompagnée de son amant. Peut-être pour cambrioler ? Ils s'étaient disputés, la querelle avait mal tourné et le type affolé s'était enfui sans rien emporter. Il ne voyait pas d'autre explication et maintenait en conséquence sa plainte pour violation de domicile. Lebris sentait que, sous son calme apparent, l'homme – ou plutôt dans les circonstances présentes, le père – n'en menait pas large. Il poussa son avantage :

— Cette fille, monsieur, comme vous dites, est sans doute celle du propriétaire d'une galerie de tableaux, rue de Seine. Nous l'attendons d'une minute à l'autre.

— Mais qu'est-ce que vous voulez que ça me fasse ? Elle est rentrée chez moi sans autorisation, non ?

— Rien ne prouve qu'elle n'est pas venue avec votre fils !

C'était sorti malgré lui parce que la moutarde lui était montée au nez ! Si puissant et riche qu'il fût, ce type ne pouvait tout se permettre. La réplique jaillit, cinglante :

— Si ! La parole d'Alexandre. Je compte sur vous, capitaine, pour que cette affaire soit réglée le plus vite possible. Je tiens à ce que mon fils soit de retour à la maison dès ce soir.

La menace était claire. Marchand entendit grincer les dents de son supérieur. Son échine refuserait-elle de ployer ? Elle refusa et le capitaine rétorqua :

— Je ne puis vous le promettre, monsieur. Au milieu du désordre laissé par votre fils et ses amis, nous avons retrouvé du cannabis. Vous n'ignorez pas que la consommation en est interdite. Et votre fils n'en est pas à son coup d'essai, n'est-ce pas ? C'est bien grâce au fichier de la police que nous avons pu identifier ses empreintes.

Cette fois, Valençay accusa le coup. Il ajouta d'une voix radoucie :

— Alexandre a bénéficié d'un non-lieu, dans cette vieille histoire. Vous n'allez quand même pas nous chercher noise pour quelques joints fumés dans une propriété privée ?

Lebris répondit évasivement que la décision ne dépendait pas de lui. Avant de clore la conversation, Valençay réclama un maximum de discrétion :

— Je compte également sur vous pour que ce malheureux malentendu ne fasse pas les gros titres des journaux, capitaine.

Restait à attendre le rapport des collègues de Paris. Et à espérer qu'ils ne subiraient pas de pressions trop fortes. Une minute plus tard, le téléphone sonna.

— Un appel pour vous, dit le brigadier Lefrileux. Je vous le passe.

Richardson était à Heathrow, prêt à embarquer. Il avait appris qu'il n'y aurait pas de train et s'était résigné à prendre un avion, ce qui paraissait le consterner. L'appareil atterrirait à Pleurtuit à onze heures. Les policiers cueilleraient l'homme à l'aéroport et iraient directement à la morgue. Encore une sacrée corvée en perspective.

Carole Riou s'était réveillée à six heures du matin. Dans l'obscurité, elle mit un moment à réaliser où elle était. Prise de panique, elle tâtonna sans trouver d'interrupteur. Elle ne reprit son calme que quand elle fut parvenue à allumer la lampe. À sept heures et demie, après s'être douchée et avoir avalé un petit déjeuner, elle remonta dans la chambre prendre sa valise. Derrière la fenêtre, rutilaient les néons d'un Intermarché. Il pleuvait encore. Il pleuvait, semblait-il, jusqu'à la fin des temps. Elle attrapa son téléphone portable qu'elle avait laissé éteint depuis son départ. Emmanuel, visiblement inquiet, avait laissé plusieurs messages.

Carole hésita un instant, partagée entre l'envie de le rassurer et de l'entendre, et la sensation qu'elle était totalement incapable de communiquer avec qui que ce soit. Finalement, elle composa le numéro, mais dut avaler sa salive plusieurs fois lorsqu'il décrocha, avant de pouvoir dire d'une petite voix :

— C'est moi, Carole. Tu vas bien ?

Elle l'avait vu triste, voire désespéré. Elle le connaissait drôle, tendre. Elle ignorait la violence de ses colères. Il était fou de rage.

— Mais où es-tu, bordel ! Tu te rends compte de ce que tu es en train de faire ? Je n'ai pas dormi de la nuit. Je t'ai cherchée partout... Tu n'as pas le droit d'agir comme ça !

Elle l'interrompit. Une boule dure, dans la poitrine, prenant toute la place, épaississant la chair, neutralisant les émotions.

— Arrête, tu m'emmerdes. Je suis à Dinard. Je ne sais pas pour combien de temps. Je suis libre, tu comprends ? Je n'ai pas de comptes à te rendre. On n'est pas mariés !

Elle savait que ses mots le cinglaient. Elle savait. Et sciemment, elle démolissait ce qu'ils avaient eu tant de mal à construire. Elle déchirait le lien fragile qu'elle avait commencé à tisser pour se raccrocher à la vie. Elle imagina l'homme qu'elle aimait, à l'autre bout des ondes, les yeux cernés de fatigue. La boule appuya douloureusement sur son estomac. Emmanuel répondit après un long silence.

— Non, on n'est pas mariés. Moi aussi, je suis libre. Je t'aime, Carole, mais il va falloir que tu te décides à choisir. On est ensemble ou tu es seule. Passe un bon Noël. Je ne te rappellerai pas.

Il raccrocha. Carole jeta le téléphone sur le lit. Elle ne pleurerait certainement pas. Elle n'avait pas eu le temps de lui demander des nouvelles d'Alain Modard. Elle put joindre un infirmier du service de réanimation de l'hôpital qui lui apprit que le blessé n'était pas sorti du coma. Pronostic réservé. Toujours la même rengaine. Vous êtes qui ? Une amie, rien d'autre. Rien du tout. Excusez du dérangement.

Le jour n'était pas levé. Quelques voitures se dirigeaient vers Saint-Malo. Avant de s'engager sur la route de l'usine marémotrice, Carole tourna à droite. La Richardais finissait sa nuit. Des guirlandes clignotaient sur la mairie. On devinait aux lueurs des fenêtres que des enfants se préparaient pour leur dernière journée de classe avant les vacances. Une petite rue pentue descendait vers la cale en bord de Rance sur laquelle ouvrait la maison d'enfance. L'air était doux, iodé, chargé d'embruns. Carole poussa la barrière et pénétra dans le jardinet envahi par des herbes folles qu'éclairait un réverbère. Deux haies de thuyas le séparaient des voisins. À leur pied, les troncs grêles et noueux des rosiers, recouverts d'une mousse verdâtre, semblaient définitivement inaptes à engendrer des promesses de fleurs. Une vieille table de jardin en fer achevait de rouiller, et cloques et gouttes d'eau y dessinaient un paysage lunaire. À la façade de pierres grises et marron s'accrochaient les tiges dénudées d'une vigne vierge, telle une filandre d'araignée. Le bleu des fenêtres et de la porte d'entrée coloriait vaguement l'obscurité. Deux goélands s'envolèrent en piaillant du toit d'ardoises. Carole reconnut le crissement familier des gravillons de l'allée sous ses pas. La clé tourna en douceur dans la serrure. L'électricité n'avait pas été coupée, puisque Suzanne venait régulièrement, et le décor familier surgit de la lumière. Le vieux fauteuil du père, ses bateaux en bouteilles, sa pipe abandonnée. Les murs blancs et les portraits. Carole à six ans, avec sa mère. Carole en mariée. Pierre. Le passé comme une claque, dans l'atmosphère froide et humide, salée. Il ne fallait pas s'apitoyer. Elle mit en route la chaudière à gaz, puis posa sa valise dans la chambre qui avait toujours été la sienne et qu'elle n'avait pratiquement plus occupée depuis vingt ans. Elle recommença à respirer normalement en fouillant dans l'armoire de ses parents. Après avoir en vain feuilleté les albums de photos, elle dénicha ce qu'elle cherchait au fond d'une boîte à chaussures. Une image de Muriel avait échappé au nettoyage par le vide, un cliché pris lors d'un repas, sans doute un an ou deux avant la mort de la jeune fille. Les bras posés de part et d'autre d'une assiette, elle regarde l'objectif en souriant, d'un sourire un peu figé, contraint. Carole mit la photo dans son sac. Il était temps de partir. Suzanne l'attendait à neuf heures.

Elle la trouva dans son corridor, prête à enfiler son manteau. Dans le tailleur bordeaux qu'elle portait la veille, Suzanne semblait seulement grande et sèche. Son pull de laine grise, porté sur une jupe noire, tombait tout droit, comme s'il eût habillé une bûche et accentuait son manque de féminité. Il n'y avait pas de rondeurs à caresser sur ce corps asexué. Carole s'en voulut de la méchanceté de ses pensées. Que savait-elle vraiment de la vie de sa cousine ? Elle l'embrassa sur les deux joues et monta dans la Twingo. Des tonnes de questions lui venaient aux lèvres, mais une sorte de pudeur l'empêchait de les poser. Il faudrait pourtant que Suzanne finisse par lui dire la vérité sur la mort de sa sœur. La conductrice resta silencieuse un moment. Elle était renfrognée, crispée sur son volant. Elle retrouva la parole alors qu'elle attendait qu'un feu passe au vert :

— Tu as bien dormi ? Il ne faisait pas trop froid ?

— La maison s'est vite réchauffée, mentit Carole,

qui ne souhaitait pas vexer Suzanne en avouant avoir dormi à l'hôtel alors qu'elle avait refusé son hospitalité.

— J'essaie d'entretenir. Je suis passée faire un peu de nettoyage il y a une semaine ou deux.

— Tout est en ordre. Je te remercie mille fois. C'est vraiment gentil à toi de t'en occuper.

Carole ne savait pas trop si elle devait proposer de payer ces services... Non, Suzanne se vexerait sans doute. Elle lui ferait plutôt un cadeau. Mais quoi ? Elle sourit en s'imaginant en train de choisir un bénitier ou une statuette de saint. Elles s'arrêtèrent boulevard Féart, juste en face du commissariat. Suzanne coupa le moteur, mais ne bougea pas de son siège.

— Tu crois réellement qu'il faut que j'y aille, Carole ? Ils ne vont pas s'étonner de ma visite ? Qu'est-ce que je vais leur dire ?

Elle était visiblement effrayée.

— Tu dis que ta voisine t'a avertie de leur visite, et que tu te présentes spontanément pour déclarer que les clés de la villa n'ont pas bougé de ton placard ! C'est tout. Tu verras, ça va bien se passer.

Elles furent bientôt dans le hall d'accueil. Lefrileux regarda distraitement les deux personnes qui venaient d'entrer, puis s'attarda sur la plus jeune. Drôlement bien roulée, cette nana. Il se fit attentif quand elle prit la parole :

— Nous voudrions parler à l'officier de police judiciaire qui est chargé de l'affaire Valençay. Il est là ?

L'officier de police judiciaire ? Celle-là, elle était du métier...

— Je vais voir. De la part de qui ?

— Capitaine Carole Riou. Une collègue de Marville, en Seine-Maritime. Et voici ma cousine, Suzanne Letellier qui possède les clés de La Chênaie. C'est elle, la gardienne de la villa. Je crois qu'on a cherché à la voir.

Le brigadier était tout content d'avoir vu juste. Il décrocha le téléphone, et deux minutes plus tard pria les visiteuses de monter.

— Le capitaine Lebris va vous recevoir, mais il n'a pas beaucoup de temps, il doit partir à l'aéroport. Après, ils vont à la morgue...

Il s'arrêta. Il n'avait pas à en raconter plus, même à une collègue. N'empêche qu'il contempla avec intérêt le bas du dos de ladite collègue qui grimpait l'escalier... Lebris était sorti sur le pas de la porte du bureau. Derrière sa haute silhouette, Carole en devina une autre, qui se contorsionnait pour apercevoir les visiteuses. Son adjoint, sans doute. De l'homme en costume bleu marine, impeccable, qui se tenait en face d'elle, émanait un subtil relent de parfum féminin. Sur son crâne, la chevelure noire et frisée laissait à nu deux triangles de peau rose. La bouche aux lèvres minces esquissa une moue un peu dédaigneuse, et les petits yeux marron toisèrent la jeune femme sans la moindre chaleur. Carole éprouva pour son confrère une antipathie immédiate, instinctive. La main qu'il finit par lui tendre était moite. Il ignora ostensiblement Suzanne qui parut se recroqueviller sur elle-même.

— Capitaine Hervé Lebris. J'ai cru comprendre que vous venez de Normandie. Que désirez-vous ? Je suis très pressé.

Pas une collègue, non, une Normande ! Quel mufle !

— Capitaine Carole Riou, annonça-t-elle, insistant sur son grade. Je suis une parente de Suzanne Letellier. Nous avons appris que vous étiez passés chez elle hier alors qu'elle était absente. C'est pourquoi nous nous présentons ce matin.

— Nous, capitaine ?

150

La voix claqua. Il enchaîna :

— Puisque le témoin est là, je dispose de dix minutes pour l'entendre. Si nécessaire, je la convoquerai à nouveau ultérieurement. Vous pouvez attendre en bas. Madame, si vous voulez bien me suivre...

Carole n'en croyait pas ses oreilles. Il la virait ! Elle insista :

— Je pense que ma cousine souhaite ma présence. Nous sommes venues de notre plein gré, il ne s'agit en aucun cas d'un interrogatoire officiel.

Une rougeur colora les joues poupines du policier. Il ne chercha même pas à masquer son exaspération.

— Mlle Letellier est majeure, non ? Et j'espère, chère collègue, que vous comprendrez que je désire l'entendre seule.

Carole savait qu'elle devait s'incliner. En redescendant au rez-de-chaussée, pâle de dépit, elle se demandait si elle avait rêvé le clin d'œil complice que lui avait lancé l'autre flic. Un clin d'œil accompagné d'un haussement d'épaules, l'air de dire « Désolé, il est comme ça. » Elle s'assit dans le hall, espérant que Suzanne ne lui en voudrait pas de l'avoir laissée pénétrer sans son soutien dans l'antre du loup. C'était tranquille. Un homme récupérait un trousseau de clés rapporté par un honnête citoyen. Il sortit en remerciant. Carole respira un grand coup pour se calmer, reniflant une odeur familière. L'odeur des commissariats, la même à travers l'Hexagone. Odeur de chaussettes sales, de tabac froid, miasmes laissés par les suées de l'impatience, de la peur, de l'ivrognerie. Le gros brigadier lui sourit, amicalement. Il n'était plus tout jeune. Sûrement pas très loin de la retraite. Depuis quand était-il en poste à Dinard ? Mue par une impulsion subite, Carole se dirigea vers lui :

— Ça fait longtemps que vous êtes ici ?

— Bientôt vingt ans ! Pourquoi ?

Un calcul rapide. Muriel était morte en 1969. Trop loin

— Pour rien. Je suppose qu'il n'y a plus personne dans le service qui était là en 69 ? insista-t-elle, à tout hasard.

Dans l'œil de son interlocuteur passa une lueur, à la fois amusée et vigilante.

— Si, il y a moi. Qu'est-ce que vous voulez savoir au juste ?

— Vous ? Mais vous venez de dire...

— J'ai débuté ici. Je suis parti, puis revenu. Alors ?

— Une jeune fille assassinée. Muriel Letellier. Cela vous dit quelque chose ? Vous pouvez me renseigner ? J'aimerais bien avoir des détails sur sa mort.

Elle eut la certitude que le brigadier avait sursauté. Il l'observait désormais avec une évidente curiosité.

— La dame qui vous accompagnait, elle s'appelait pas Letellier ? C'est la même famille ?

— C'était sa sœur.

— Étonnant, marmonna le brigadier.

Avant que Carole, le cerveau en éveil, eût pu s'enquérir de ce qui était étonnant, la porte extérieure s'ouvrit, et un homme entra. Presque un gamin, les cheveux bouclés en couronne autour de son visage rond. Carole eut un pincement au cœur. Il lui rappelait Modard. Le brigadier l'interpella.

— Fabien, tu peux venir une minute ?

Après avoir présenté Carole au lieutenant Boitel, il reprit :

— Le capitaine cherche des renseignements sur le meurtre de Muriel Letellier.

Les deux policiers se regardèrent. Ils semblaient hésiter, se consulter avant de se décider à parler.

— Pourquoi vous intéressez-vous à cette vieille histoire ? finit par interroger Boitel.

Autant jouer franc jeu. Visiblement, ces deux-là connaissaient le dossier. Et l'avaient évoqué récemment. Était-ce en rapport avec le nouveau crime ?

— La victime était une parente. J'avais six ans quand elle a été tuée, et je n'ai jamais su exactement comment cela s'était produit. Maintenant, je voudrais en savoir plus, répondit-elle.

Cette explication ne suffirait pas. Elle en était consciente. Pourquoi se posait-elle ces questions seulement aujourd'hui ? Ce fut exactement ce que lui demanda le lieutenant.

— C'est l'inquisition, dites donc ! D'accord : j'ai vu l'avis de recherche concernant le meurtre de la semaine dernière. La photo m'a rappelé Muriel. Ça m'a troublée. Vous avez un avis ?

À cet instant, du bruit leur parvint du premier étage. Suzanne allait redescendre. Instinctivement, Carole se mit à chuchoter. Elle ne souhaitait pas que sa cousine apprît qu'elle se renseignait sur la mort de Muriel et préférait finalement avoir des informations d'une autre source. Le témoignage d'un flic qui avait vécu l'affaire en direct valait largement ce qu'elle aurait pu lire dans de vieux numéros de *Ouest-France*.

— Ne dites rien devant elle. On peut se voir plus tard ?

Boitel n'hésita qu'un quart de seconde.

— Pourquoi pas. À condition qu'on ne marche pas sur les plates-bandes des deux autres. On parle bien du meurtre de 1969 ?

Carole sourit. Elle comprenait les précautions du jeune lieutenant ayant eu, elle aussi, à composer avec les prérogatives de la PJ.

— Pas de problème.

Ils se donnèrent rendez-vous à treize heures trente, pour le café, au Cancaven, place de la République.

— Dans le fond de la salle. Notre quartier général. On ne nous dérangera pas !

Quand sa cousine parvint au pied de l'escalier, suivie par les deux officiers, Boitel avait disparu et Carole était sagement assise sur son siège. Lebris ne sembla pas remarquer sa présence et lui tourna carrément le dos quand le brigadier, le combiné du téléphone à l'oreille, le héla :

— Capitaine ! On a eu d'autres appels, pour la fille. De Paris. Le même nom qu'hier. J'ai noté...

Carole n'entendit pas la suite. Suzanne sortit du commissariat sans dire un mot, s'installa au volant de la Twingo et démarra nerveusement avant que sa passagère eût refermé sa portière. Elle était furieuse. Ses lèvres étaient décolorées mais deux taches roses fleurissaient sur les pommettes lisses. D'un doigt, elle remonta ses lunettes sur son nez. La voiture arriva au bout du boulevard Féart juste au-dessus de la plage de l'Écluse. Il ne pleuvait pas et brusquement le ciel fut lacéré par un fouet invisible. Le tissu gris et cotonneux se déchira, et à travers l'accroc jaillit une aiguille dorée qui projeta la lumière et raviva les couleurs. La mer instantanément vira au bleu profond, se souleva dans un soupir d'aise. Un spot éclaira la statue d'Hitchcock. Sur les épaules du gros homme juché sur un œuf doré, les deux oiseaux de pierre parurent sur le point de s'envoler. Les rares passants s'étaient arrêtés et levaient les yeux vers le miraculeux rayon. Seul le visage de Suzanne Letellier ne s'illumina pas. Pourtant elle ouvrit enfin la bouche :

— Je n'aurais jamais dû t'écouter. Il serait revenu chez moi. Je me serais sentie plus à l'aise que dans ce bureau. Tu m'avais promis que tu ne me quitterais pas.

— Mais, se défendit Carole, j'ai essayé de rester ! Tu as bien vu qu'il m'a virée ! Je ne pouvais pas deviner qu'un collègue aurait ce comportement. C'est un mufle. Raconte-moi comment ça s'est passé. Que voulait-il savoir ?

— Si j'avais prêté ou perdu les clés. Si quelqu'un pouvait me les emprunter sans que je m'en rende compte. Comme si je laissais des gens entrer chez moi en mon absence ou fouiner dans mes placards ! J'ai juré sur la Sainte Vierge que ce n'était pas possible. Je lui ai montré le trousseau, et la clé du placard où il était enfermé. Je ne sais pas s'il m'a crue. À vrai dire, il avait à peine l'air de m'écouter. En plus il a eu le toupet de me demander où j'étais le week-end du meurtre ! Tu te rends compte ? Qu'est-ce que je pouvais dire, moi ! Je suis presque toujours toute seule. Heureusement qu'on m'a vue à la messe !

Carole sourit. En termes d'enquête policière, la messe n'était pas un alibi valable pour tout un week-end ! Elle ne pouvait qu'espérer que Lebris, le mal embouché, fiche la paix à la pauvre vieille fille.

— Tu lui as dit qu'il était déjà arrivé que le fils Valençay vienne en week-end et parte sans fermer la maison ?

La conductrice poussa un soupir.

— Oui, je l'ai dit. J'avais trop peur qu'on m'accuse. Ça n'a servi à rien, il le savait déjà.

— Il le savait déjà ? Que le fils Valençay laissait tout ouvert en partant ?

— Non, pas ça. Mais qu'il était venu.

— Attends, qu'il était venu quand ? La dernière fois que tu as nettoyé derrière lui ou récemment ?

— Ce n'était pas très clair, car le policier ne m'a rien dit de précis. J'ai cru comprendre qu'il était là le week-end du meurtre.

Carole était pourtant sûre d'avoir lu dans la presse qu'aucun membre de la famille Valençay n'avait mis les pieds à la villa depuis l'été. Y avait-il du nouveau dans l'enquête ?

— Mon Dieu, pauvre de moi ! se lamentait Suzanne. J'aurais mieux fait de me taire.

— Ne t'inquiète pas, tu as bien fait. Tu devais le dire.

Tandis que Carole s'efforçait de réconforter sa cousine, sa pensée vagabondait. Finalement, les Valençay étaient peut-être impliqués. Et les mots prononcés par le brigadier résonnaient encore à ses oreilles. Lebris partait chercher un voyageur avec qui il devait se rendre à la morgue. Cela signifiait-il que la victime allait être identifiée ? Par quelqu'un qui arrivait en avion, donc d'une lointaine destination ? Il semblait bien que la solution de l'énigme ne se trouvait pas à Dinard, mais du côté des propriétaires de la villa. Le témoignage de Suzanne devait avoir conforté les enquêteurs dans cette opinion. Qu'est-ce qu'elle fichait là ? À quoi bon cette curiosité déplacée qui l'avait poussée à s'imposer comme aide ménagère ! Elle n'avait pas à s'immiscer dans le travail de la police locale, et en plus elle avait une horreur viscérale des balais et de la poussière. Il était un peu tard pour se plaindre. Elles étaient arrivées. La rue était déserte. Les curieux avaient renoncé à leur faction. En descendant de la voiture, Carole observa les lieux, éprouvant un sentiment de grande familiarité. Elle s'était souvent promenée par là dans son enfance, puis lors de ses séjours bretons, hiver comme été. Elle fut replongée dans le passé par la pérennité des lieux. Elle se demanda si, lors d'une balade familiale, elle avait parcouru ce quartier en donnant la main à une adolescente blonde aux longs cheveux. Mais avait-elle jamais vu Muriel ailleurs que dans la salle à manger à la toile cirée ou autour des clapiers ? Elle ne parvenait pas à s'en souvenir. Pourtant il lui semblait que la jeune fille allait apparaître au bout de la rue, et lui faire signe. À sa droite, elle lut le nom de La Chênaie, gravé sur un panneau de bois accroché aux barreaux noirs de la grille. En face s'élevait une sorte de donjon moyenâgeux ceint d'un jardin qui paraissait à l'abandon. Personne ne devait y vivre. Suzanne introduisit la plus grosse de ses clés dans la serrure du portail. Sa main tremblait légèrement.

— Ça fait un drôle d'effet de revenir après ce qui s'est passé, dit-elle.

— Tu n'as pas de raison d'avoir peur. Il n'y a plus rien.

— Je sais bien. Malgré tout, le démon s'est manifesté. Et la Mort l'accompagnait. Ils laissent des traces.

Carole frissonna. Elle n'allait quand même pas se laisser perturber par les délires mystiques de sa cousine ! Elles pénétrèrent dans le jardin et le vantail métallique retomba avec un bruit de glas. Puis le silence régna à nouveau. De part et d'autre de la maison à l'architecture délirante, on voyait la mer en contrebas qui absorbait des rayons dorés, et les remparts de Saint-Malo noirs dans le lointain. Les deux femmes parcouraient sans parler l'allée de graviers où finissaient de pourrir quelques feuilles marron. Soudain, elles sursautèrent. Des coups qui se succédaient à un rythme rapide martelaient leurs oreilles. D'où provenaient-ils ? De La Chênaie ? D'une maison voisine ? Cela semblait proche. Suzanne pâlit, laissa tomber le trousseau de clés qu'elle tenait à la main et passa sa main sous le bras de Carole, qu'elle serra de toutes ses forces. Le bruit cessa. Elles continuèrent à avancer. Quand le martèlement reprit, cadençant leur marche, elles faillirent se sauver en courant. Il ne fallait pas céder à la panique. Carole leva les yeux vers la façade. Derrière les persiennes, il était difficile de deviner ce qui se passait à l'intérieur. Il était presque impossible que quelqu'un fût enfermé là. Et plus que probable qu'un ouvrier travaillait dans les environs. Sur quoi cognait-il ?

— On s'en va, dit Suzanne, j'ai trop peur.

— Arrête, ça ne vient pas forcément de la maison.

À cet instant, une voiture passa dans la rue. Carole se retourna et son attention fut attirée par un mouvement derrière la vitre d'une des fenêtres du premier étage de la forteresse grise. De soulagement, elle se mit à rire :

— Regarde, dit-elle, en tendant le bras. En face. Il y a quelqu'un.

Elles virent alors nettement une main qui se levait tenant un long bâton, une canne peut-être, qui venait frapper régulièrement le verre. Puis le bras s'abaissa, la canne disparut et le calme revint. Un visage vint s'encadrer dans l'ouverture, le nez collé à la vitre. C'était un vieillard, au crâne à moitié chauve surmonté d'un toupet de cheveux blancs, qui grimaçait un semblant de sourire en dodelinant de la tête. Il leva la main, leur fit un signe et disparut dans l'obscurité de la pièce. L'apparition était assez effrayante, moins cependant que l'idée d'un fantôme à La Chênaie.

— Je n'aurais pas pensé que cette baraque sinistre était habitée, dit Carole. C'est sûrement un très vieux monsieur. Je me demande s'il vit seul. Tu crois qu'il nous appelait, qu'il voulait nous dire quelque chose ? Peut-être devrions-nous lui rendre visite ?

— Il n'en est pas question ! s'exclama Suzanne. Il est abominable, ce vieux, il est sûrement complètement gâteux !

Réservait-elle pour son père toute sa compassion à l'égard des vieillards ?

— C'est la première fois qu'il se manifeste, depuis que tu viens travailler ici ?

158

— Je crois. Je n'ai jamais fait vraiment attention. Il me semble que j'ai vu sortir une femme, une fois, du jardin. Mais j'ai pensé qu'elle était comme moi, une gardienne. Allez, on y va.

À contrecœur, Carole céda et suivit Suzanne qui, encore très pâle, eut du mal à ouvrir la porte d'entrée. Elle retint machinalement sa respiration en pénétrant à l'intérieur de la maison. En réalité, le vestibule immense et sombre sentait seulement le renfermé.

Comme les deux gamins qui avaient découvert un cadavre à cause de leur curiosité, Carole, enfant, avait été fascinée par les villas de Dinard. Elle se rappelait un goûter d'anniversaire où on l'avait invitée, un été, quand elle avait une dizaine d'années. Elle n'avait vu que le salon et une chambre d'enfant, mais avait été impressionnée par la dimension des pièces et la hauteur des plafonds. Elle en gardait un souvenir ébloui. C'était de l'autre côté, sur le Moulinet. La petite fille dont elle avait fait la connaissance sur la plage l'avait prise en amitié et elles ne s'étaient pas quittées de l'été. À la fin des vacances, elles avaient été séparées. La Chênaie ne provoqua pas en elle la même admiration. Au contraire, elle fut déçue. La lecture du premier article que Modard lui avait signalé avait suscité son intérêt parce que le meurtre avait été commis à Dinard et que ça lui avait paru choquant. Elle réalisait à présent que son imagination lui avait joué des tours. Elle avait idéalisé le lieu du crime, et sans doute la victime. Certes, les pièces étaient grandes et la vue somptueuse. Aux plafonds, d'où pendaient des lustres en pâte de verre, les moulures de plâtre dessinaient des rosaces, mais un entrelacs de fissures et des taches d'humidité trahissaient l'avancée de la décrépitude. Il y avait là un fatras hétéroclite de meubles et de bibelots. Quelques belles pièces et des tapis fanés, des fauteuils avachis. La saleté et le désordre rendaient le laisser-aller encore plus flagrant. Suzanne aurait du travail. Quoi qu'elle fasse, elle ne rendrait pas son faste à cette demeure que les Valençay, malgré leur argent, avaient vouée à l'abandon et privée d'âme. Carole ne se doutait pas que, peu auparavant, deux officiers de la PJ s'étaient fait à peu près la même réflexion. Sa cousine avait enfilé une blouse rose et ouvert un placard d'où elle avait sorti des sacs poubelles et un aspirateur. Elles commencèrent par jeter tout ce qui traînait avant d'attaquer le nettoyage. Elles travaillaient silencieusement. Carole, en sueur, contemplait du coin de l'œil la grande femme sèche aux mains rouges et crevassées dont l'énergie semblait inépuisable et qui ne transpirait même pas. Son dos ne la faisait plus souffrir, visiblement.

— Alors, tu as satisfait ta curiosité ? interrogea Suzanne, avec un sourire narquois.

Le malaise saisit Carole à ce moment-là. Ça débuta par une sensation de brûlure dans le dos et le cou, qui se répandit peu à peu dans tout son corps. Elle transpirait abondamment. Ses mains se mirent à trembler, et son cœur à cogner de plus en plus fort. Elle se laissa glisser sur le sol. L'angoisse la broyait, jetait devant ses yeux un voile noir. Elle aurait voulu se lever, s'enfuir. Elle était paralysée. Elle reconnut les symptômes de la crise de panique. Elle en avait subi après la mort de son mari. Qu'est-ce qui lui arrivait ? Sa cousine se pencha sur elle :

— Tu ne te sens pas bien ? Je peux t'aider ?

Elle essaya de la relever. Carole se dégagea.

— Ne t'inquiète pas, ça va passer. Un peu d'hypoglycémie, je pense.

Une explication rationnelle évitait d'avoir trop à dire. Bientôt elle put à nouveau respirer normalement.

Elle souhaitait surtout quitter cette maison, être dehors. Elle ne supportait plus ces murs, le souvenir de la silhouette dessinée à la craie que Suzanne avait effacée avant de cirer le plancher. Comment s'avouer qu'elle avait cru voir se matérialiser un être vivant qui lui tendait la main, exigeait d'être secouru, à l'intérieur des contours grossièrement dessinés. L'être avait pris les visages de Pierre, de Modard puis de Muriel. La mort exécutait autour de Carole une danse sinistre. La jeune femme ressentit un désir aigu du corps d'Emmanuel, vivant.

Bientôt elles fermèrent la porte derrière elles. La rue s'était animée. Suivi par une dame âgée, un petit garçon sautillait sur le trottoir. Un couple descendit de voiture, les bras chargés de paquets enrubannés. Noël peuplait un peu la nécropole.

— Tu déjeunes avec moi ? demanda Suzanne. Tu as besoin de bien manger.

— Non, mentit Carole. Je suis invitée chez une amie d'enfance. Je vais juste récupérer la Clio et je t'abandonne.

Les nuages s'étaient refermés. Une bourrasque vaporisa quelques gouttes d'eau froide. Au premier étage de la forteresse, la silhouette du vieillard se devinait derrière la fenêtre mais il ne bougea pas. Les flics l'avaient-ils interrogé ? S'il était en permanence à son perchoir, il faisait un témoin de premier plan. Pourquoi s'était-il manifesté à elles en donnant des coups de canne sur la vitre ? Et si elle revenait tout à l'heure, seule, pour sonner à sa porte ? Certainement pas. Ce n'était pas son enquête, elle était en vacances. Elle ne devait s'intéresser qu'à ce qui était arrivé à Muriel. Elle s'installa dans la voiture de sa cousine, dont elle ne descendit que pour monter dans la sienne, refusant le « rafraîchissement » proposé.

— Cet après-midi, insista Suzanne, je dois préparer la villa Émeraude. Ses propriétaires m'ont avertie qu'ils arrivaient demain. En rentrant, je ferai des courses. Viens dîner ce soir.

Il était difficile de refuser. Carole, à contrecœur, accepta l'offre de Suzanne. Elle avait juste le temps de rentrer à La Richardais avant son rendez-vous avec les collègues. Elle défit sa valise, prit une douche et se changea. Puis elle sortit d'une armoire des draps en gros coton blanc et fit son lit. La chambre était tiède à présent. Carole se sentit rassurée d'avoir un refuge prêt à l'accueillir.

CHAPITRE IX

Il régnait à l'aéroport de Pleurtuit l'agitation des veilles de fêtes. Le parking était plein. L'avion qui reliait quotidiennement la capitale anglaise à la Côte d'Émeraude venait d'atterrir et les chauffeurs de taxis ouvraient déjà leurs portières. Lebris chargea Roxane Fiquet qui les avait conduits jusque-là d'aller garer la voiture et se précipita vers l'entrée, suivi de Marchand. Dans le hall, des familles entières attendaient des voyageurs.

— Comment on va le reconnaître ? demanda le lieutenant.

— Ne vous inquiétez pas, c'est lui qui nous reconnaîtra. On est les seuls à faire une tête d'enterrement.

L'humour macabre de son supérieur laissa Marchand de glace. Ce type avait-il parfois des sentiments humains ? Lui-même, après plus de quinze ans de métier, appréhendait toujours autant d'avoir à rencontrer les proches des victimes. Les morts, on finissait par s'habituer à les côtoyer. Mais il ne supporterait jamais la souffrance des vivants. Il détestait être là, debout au milieu de cette foule joyeuse s'apprêtant à festoyer, pour accueillir un père à qui il n'avait sans doute rien d'autre à montrer que le cadavre à moitié décomposé de sa fille unique. Sur les premiers passagers ayant récupéré leurs bagages, des groupes se refermèrent. On s'embrassait avant de quitter les lieux. Marchand repéra alors un gros homme immobile, un sac de voyage au bout du bras, qui regardait autour de lui. Il le montra au capitaine :

— Ça ne serait pas lui, là-bas ?

Ils s'approchèrent de leur cible. Le voyageur ébaucha un geste de la main.

— Monsieur Richardson ?

C'était bien lui. Il était un peu hagard.

— Excusez-moi. Je supporte mal l'avion. Je ne le prends plus depuis des années.

Lebris fit les présentations, puis entraîna le marchand de tableaux vers la sortie. Tous les trois se taisaient. Marchand éprouvait un drôle de sentiment, l'impression d'un décalage inexplicable entre l'image qu'il s'était faite du possible père de la jeune morte et l'homme réel. D'après sa voix au téléphone et celle, sophistiquée, de son assistante parisienne, il s'était imaginé un être mince et élégant, plein de distinction. Il avait devant lui un pachyderme à la démarche lourde dont le pardessus froissé, même s'il avait été fait sur mesure, avait connu des jours meilleurs. Les yeux vaguement rougis, les bajoues salies de barbe naissante et le nez proéminent évoquaient plutôt un truand sur le retour qu'un riche négociant d'art. Mais après tout, si Richardson avait l'air d'avoir peu dormi et beaucoup bu, il y avait à cela au moins deux bonnes raisons. L'avion et un cadavre... Ils franchirent la porte vitrée. L'agent Fiquet les attendait, debout à côté de la voiture garée à quelques mètres. Au moment où ils sortirent, des photographes les cernèrent. Comment les journalistes avaient-ils été prévenus ? Richardson se cacha le visage. Il était furieux. Au même moment, un chauffeur de taxi espérant encore obtenir une course le héla :

— Hello, sir ! Dinard ?

Richardson tourna la tête sans répondre et prit place à l'arrière du véhicule de police, tandis que son sac était déposé dans le coffre. Lebris s'installa à ses côtés.

— Si vous n'y voyez pas d'inconvénient, nous allons nous rendre directement à l'hôpital. Je pense que vous préférerez savoir le plus vite possible à quoi vous en tenir, monsieur, dit Lebris.

La grosse silhouette s'avachit sur la banquette. Sa main chassa dans l'air une mouche imaginaire.

— Je suis sûr que vous vous trompez. Il s'agit d'une erreur, d'une grossière erreur.

La voix d'ordinaire grave montait dans les aigus. Essayait-il simplement de se convaincre que l'horreur qu'on voulait lui faire affronter n'existait pas ?

— Je suppose que vous avez tenté de joindre votre fille. Si vous êtes là, c'est que vous n'y êtes pas parvenu, non ?

— J'ai téléphoné chez elle, et sur son portable, c'est vrai. Elle n'a pas répondu. Mais ma fille est adulte, elle ne me dit pas toujours où elle est. Il lui arrive de partir en voyage. Elle est peut-être à l'étranger.

Il ne servait à rien de continuer à discuter. Ils étaient de retour en ville et s'arrêtèrent bientôt dans la cour de l'hôpital. Ils descendirent des escaliers, s'enfoncèrent dans des couloirs souterrains, ouvrirent une porte métallique. Un homme en blouse verte les accueillit. L'éclairage au néon éclaboussait le blanc des murs. Il y avait là une table d'acier, des brancards vides et des sortes de tiroirs tout le long des murs. L'homme en ouvrit un et en sortit le macabre contenu posé sur un lit à roulettes. On ne vit d'abord qu'une forme étendue sous un drap. Un pied en dépassait, et autour d'un orteil était attachée une étiquette. Richardson amorça un mouvement de recul. Marchand lui saisit le bras et l'aida fermement à faire les trois pas qui l'amenèrent près du corps. Le drap fut soulevé et révéla le visage bleuâtre, la chevelure blonde paraissant avoir gardé son soyeux et absorber la lumière. Le lieutenant sentit un tressaillement secouer le bras qu'il pressait. Il eut immédiatement la certitude que c'était bien Lola Richardson qui gisait là depuis près de deux semaines. D'ailleurs, le père se dégagea de l'étreinte du policier d'un geste violent. Sa main droite saisit le drap, et le repoussa jusqu'à la taille de la jeune femme. Elle était toujours nue, la chair avait l'aspect d'une pâte à modeler. Un grain de beauté dérisoire ornait le sein gauche. Très doucement, Richardson fit glisser le tissu, ébaucha une caresse sur les cheveux, le front, puis voila le visage. Il se retourna alors et s'enfuit en courant sans dire un mot, ses pas lourds faisant vibrer le sol.

Sur un signe de Lebris, l'employé de la morgue fit disparaître le cadavre. Une roulette grinçait. Les deux policiers rejoignirent Richardson assis sur un banc dans le jardin de l'hôpital. Il était très pâle, des gouttes de sueur coulaient sur ses joues mais ses yeux restaient secs. Sans doute ne réalisait-il pas encore ce qui lui arrivait.

— C'est bien elle ? C'est votre fille ? interrogea Lebris.

L'homme le dévisagea sans paraître le reconnaître. Il était hagard, et déglutit plusieurs fois avant de répondre.

— Oui, c'est Lola. Je ne comprends pas. Où sont ses vêtements ? Pourquoi la laissez-vous toute nue ?

La question surprit les enquêteurs.

— Elle a été découverte nue. Aucune de ses affaires n'a été retrouvée.

— Sa chaîne en or ? La bague de sa mère ?

Lebris secoua la tête.

— On l'a tuée pour la dépouiller ? Quelle abomination ! Qui a pu faire ça ?

— Je vous présente toutes mes condoléances, monsieur Richardson, dit Marchand qui sentait l'émotion le gagner.

Son chef lui jeta un regard noir visiblement vexé d'avoir été devancé.

— Moi aussi, évidemment, grommela-t-il. Il faut à présent que vous nous suiviez au commissariat. Pour le procès-verbal.

Si Lebris avait cru que son témoin continuerait à lui obéir docilement, il fut immédiatement détrompé. Richardson se leva avec une promptitude étonnante et sembla prêt à écraser le capitaine de toute sa masse. Le père effondré laissa place soudain à un personnage autoritaire et sûr de ses droits.

— Il n'en est pas question. J'ai besoin d'être seul quelque temps. Vous allez me déposer au Grand Hôtel, où j'ai retenu une chambre. Fixons-nous un rendez-vous cet après-midi. Vers quinze heures, ça vous va ?

Ils ne purent qu'obtempérer. Quelqu'un qui pouvait s'offrir le Grand Hôtel méritait bien des égards.

À treize heures trente, Carole, après avoir garé sa voiture près de la poste, pénétrait au Cancaven. Une véranda, presque déserte à cette époque, mordait sur le parvis de la place. À l'intérieur du café des consommateurs bavardaient, et les miettes de leurs sandwiches jonchaient le dessus des tables. Des néons étaient allumés en ce milieu de journée et diffusaient des lueurs blanches. Une télévision diffusait le résultat des courses de chevaux. Les flics dinardais avaient tenu leur promesse. Ils étaient installés au fond de la salle devant deux tasses déjà à moitié vides, et plongés dans une conversation qui les absorbait tant qu'ils ne virent pas Carole arriver, ce qui lui laissa tout loisir pour les examiner. Décidément, le jeune ressemblait à Modard. Modard moins quelques années et pas mal de kilos. L'autre, le brigadier ventripotent et débonnaire, n'avait sans doute pas inventé la poudre et était peut-être un peu alcoolo. Son teint rougeaud et le petit verre posé à côté de sa tasse à café semblaient le démontrer... Mais il avait l'air d'un brave type. Bien sûr, il ne fallait pas se fier aux apparences. Carole en avait vu, des brutes épaisses, qui avaient une bonne tête. On verrait bien. Elle se manifesta en toussotant et ses collègues levèrent enfin les yeux vers elle.

— Bonjour ! Asseyez-vous. Vous voulez un café ?

L'éclair de concupiscence qui s'alluma dans l'œil du brigadier amusa Carole qui évita de le frôler en se glissant sur la banquette.

— D'accord pour le café. Je suppose que vous n'avez pas beaucoup de temps pour déjeuner à midi, alors c'est sympa de m'en consacrer un peu. Qu'est-ce que vous pouvez m'apprendre sur cette vieille affaire ?

« Celle-là, pensa Boitel, elle sait ce qu'elle veut et elle ne s'encombre pas de préliminaires ! », mais comme il était lui-même d'un naturel plutôt impatient il n'en fut pas offusqué. Sans dire un mot, il fit glisser vers la jeune femme un épais paquet de documents, enveloppé dans une chemise en carton bleu clair, vierge de toute inscription. Carole l'entrouvrit et sursauta.

— Vous avez sorti le dossier ? Vous êtes gonflé !

— Chut... on l'a bien planqué dans du neuf ! fit son vis-à-vis avec la mimique d'un gamin heureux d'avoir réussi une bonne blague.

Carole s'offrit un répit pour boire une gorgée du café qu'une serveuse lui avait apporté et allumer une cigarette. Sa main tremblait légèrement. Quels secrets dormaient là-dedans ? Au moment où elle allait peut-être obtenir les réponses aux questions qu'elle se posait depuis quelques jours, lever le voile sur le scandaleux secret qu'on s'était donné tant de mal à lui cacher, elle hésitait. Elle venait de ressusciter le souvenir du visage de Muriel, l'un des soleils de son enfance, et craignait de le ternir, de devoir le renvoyer dans les ténèbres de l'amnésie. Il lui paraissait vital que le sourire de la jeune fille ne fût pas une mystification de sa mémoire. Comme s'il était une parcelle de sa vie, une étincelle à ranimer. Dans une mise en abyme étrange, le visage de la morte de La Chênaie l'avait renvoyée à Muriel qui la renvoyait à elle-même sans qu'elle pût s'expliquer pourquoi. Transplantée dans cette ville presque oubliée, coupée de son univers familier, elle ne savait plus très bien qui elle était. Une enfant étouffée, mal-aimée ? Une jeune veuve condamnée à la survie ou une femme amoureuse ? Elle se rendit compte que ses compagnons la dévisageaient avec étonnement.

— Excusez-moi, dit-elle, j'étais ailleurs. À vrai dire, j'appréhende un peu ce que je vais découvrir.

Le visage du jeune lieutenant était grave, tout à coup.

— Votre famille ne vous a jamais rien dit ?

Carole sourit. Boitel lui plaisait bien.

— Non, sujet tabou. Jusqu'à hier soir, j'ignorais même qu'elle avait été assassinée. Je l'aimais bien, Muriel.

— Vous êtes sûre que vous voulez savoir ? Vous risquez d'avoir un choc. On n'a pas tout sorti, mais l'essentiel y est.

Les pires craintes de Carole se confirmaient, mais il ne servait à rien de tergiverser. Sous le regard un peu peiné des deux autres, elle ouvrit d'un geste vif la chemise cartonnée. Il y avait là le rapport des premières constatations daté du 19 mars 1969 et accompagné de photos du corps étendu sur les rochers, vêtu d'un jean et d'un blouson foncé, la tête renversée en arrière et les cheveux blonds trempant dans une mare et se mélangeant aux mèches du goémon. Sur le front s'ébauchait la plaie largement ouverte qui fendait le crâne. Une grosse pierre détachée de la digue et maculée de sang était posée à côté du corps. L'instrument du crime. Carole sentit une boule de chagrin qui lui serrait la gorge. Elle continua à feuilleter le dossier, parcourant les nombreux comptes rendus d'interrogatoires. Suzanne avait témoigné et affirmé son incompréhension. Comme elle l'avait dit la veille au soir, elle croyait sa sœur à Paris. Carole, parmi des noms inconnus, cherchait celui de ses parents, mais le brigadier Lefrileux interrompit sa lecture.

— Ne vous fatiguez pas avec ça. J'ai tout épluché. Personne ne savait rien, aucun de ses proches ne l'avait vue depuis des mois. Apparemment, elle n'avait pas mis les pieds à Dinard depuis plus d'un an. Lisez plutôt le rapport du médecin légiste. Elle est là, la surprise.

Boitel sembla gêné et jeta à son collègue un regard de reproche comme s'il avait proféré une obscénité puis, arrachant presque la liasse de papiers à Carole, chercha un document qu'il lui tendit sans mot dire avec l'air de s'excuser. Le légiste décrivait la blessure qui avait provoqué une mort quasi instantanée, intervenue durant la nuit qui précédait la découverte du corps. La bombe explosait dans les dernières lignes. Carole sentit les murs du café perdre leur stabilité et les visages qui l'entouraient devenir flous, indistincts. En termes froids et scientifiques, elle lisait que Muriel avait accouché quelques jours avant son décès. « Vu l'état de l'utérus, concluait le praticien, on peut affirmer que cette femme a mis au monde un enfant à terme au maximum une semaine avant son décès. »

Carole était flic. Elle se ressaisit rapidement. Les rayons de lumière émis par les lampes enjuponnées de rose et la tapisserie beige recouvrant les murs cessèrent de tanguer et les visages récupérèrent des traits nets. Elle reprit pied dans la réalité, commença à concevoir tout ce qu'expliquait l'existence de cette grossesse. Le scandale, le silence de la famille et le comportement de sa mère. Que Muriel eût été assassinée, c'était consternant mais acceptable. Mais qu'elle fût enceinte... Qu'était devenu ce bébé ? Tout à coup un doute encore plus épouvantable germa dans l'esprit de la jeune femme. Boitel s'effraya de sa pâleur.

— Oh ! Ça va ? Vous n'allez pas tourner de l'œil ? Vous voulez boire quelque chose, un truc fort ?

Il semblait affolé. Carole le rassura d'un signe avant de pouvoir articuler :

— Ne vous inquiétez pas. J'ai eu un choc, c'est vrai, je ne m'attendais pas à cette histoire d'enfant. On a retrouvé le cadavre ?

Elle était en train de réaliser que si sa cousine n'était pas morte d'un avortement clandestin, comme elle l'avait cru, elle s'était peut-être rendue coupable d'un infanticide. Le joli sourire de Muriel commençait à s'estomper, faisant place à un rictus qui se gravait dans le cerveau de Carole. Lefrileux ouvrit de grands yeux.

— Évidemment qu'on l'a retrouvé ! Vous avez vu les photos !

De quelles photos parlait-il ? Boitel mit fin au malentendu :

— Quel cadavre ?

— Le cadavre de l'enfant. L'enfant qui venait de naître.

Le brigadier comprit enfin. Il se souvenait à présent des recherches qui avaient été menées, sans le moindre succès. La lecture du rapport lui avait rafraîchi la mémoire.

— Lui, on ne l'a jamais retrouvé. Personne ne sait ce qu'il est devenu. Les officiers de la PJ ont contacté les maternités de France et de Navarre. Aucune Muriel Letellier n'y avait accouché. Ils ont fini par conclure qu'elle avait dû faire ça dans un coin, toute seule.

— Et qu'elle s'était débarrassée du gosse ?

— Comment savoir ? Aucun corps de nourrisson n'est remonté à la surface... C'est petit, un nouveau-né, mais ce n'est pas forcément facile à cacher... Rien ne dit qu'il n'a pas vécu...

Carole frissonna. Quelles abominations avaient pu être envisagées ? Pourtant un sentiment différent était en train de naître en elle après le choc des premiers instants. Une sorte de confiance instinctive, inexplicable. Muriel n'était peut-être pas coupable. Victime, seulement victime.

— J'ai tout lu attentivement, reprit Lefrileux. Le dossier a fini par être classé contre le gré de l'inspecteur divisionnaire chargé de l'affaire. Il ne voulait pas lâcher. Je me souviens qu'il est resté longtemps dans nos murs. Il a enquêté à Paris, interrogé tous les gens qui connaissaient la gamine, ses camarades de fac, sa logeuse. Elle avait rendu son studio du Quartier Latin en août 68. Après on perd sa trace. Il semblerait qu'elle ait complètement disparu de la circulation, jusqu'à ce qu'on la retrouve morte sur ce rocher. Ce gosse avait obligatoirement un père, mais il ne s'est jamais manifesté.

— Et s'il les avait supprimés tous les deux ? suggéra Boitel.

— Possible. Ce qui est sûr, c'est qu'il n'a pas laissé trace de son passage à Dinard.

Carole réfléchissait. Une idée folle s'imposait à son esprit. Une idée qui, en fait, y traînait depuis plusieurs jours sans qu'elle eût les éléments qui lui auraient permis de la concrétiser. Elle les avait maintenant. Et elle n'était pas forcément la seule à qui l'idée fût venue. Elle prit un biais pour s'en assurer :

— Dites-moi, tous les deux, vous n'avez pas eu l'air vraiment surpris que je vienne vous poser des questions sur une affaire vieille de trente ans. Vous, brigadier, vous avez même parlé de coïncidence. Je peux savoir pourquoi vous venez justement de ressortir ce dossier et de le relire aussi attentivement ?

Les deux policiers dinardais se mirent à rire. Avec celle-là, inutile de tourner autour du pot !

— Si vous avez des yeux pour voir, mon camarade ici présent, dit Boitel, en est également pourvu. Vous nous avez bien dit que vous aviez été frappée par la ressemblance entre Muriel Letellier et l'inconnue qui vient d'être assassinée ? Mêmes causes, mêmes effets. Nous avons pensé au bébé disparu. Moi, évidemment, je n'étais même pas né quand le premier crime s'est produit, mais le brigadier m'a mis au parfum après avoir déniché le rapport et constaté grâce aux photos que la ressemblance n'était pas le fruit de son imagination.

— Et vous n'avez rien dit aux mecs de la PJ ?

— J'ai essayé, se justifia Lefrileux. Lebris m'a envoyé balader avant que j'aie pu prononcer un mot. J'allais pas le supplier de m'écouter !

Le comportement de l'arrogant capitaine correspondait à ce que Carole pensait de l'individu. Les autres avaient eu raison. Qu'il se débrouille !

— Et donc, avança-t-elle prudemment, vous avez envisagé que...

Elle n'osa pas aller plus loin. Boitel acheva sa phrase :

— Que l'enfant n'était pas mort en 1969, mais était venu se faire assassiner presque au même endroit que sa mère, trente et un ans après, c'est bien ce que vous suggérez ? Oui, nous l'avons envisagé. Ça paraissait dingue, mais possible. Finalement, nous étions décidés à parler au capitaine Lebris quand il s'est avéré que nous nous étions trompés. Ne vous mettez plus martel en tête. La ressemblance n'est sûrement qu'un coup du hasard.

Il s'arrêta, comme pour ménager son effet. Carole piaffait. Qu'avait-il encore à lui apprendre ?

— La fille est identifiée. Rien à voir avec votre cousine. Son père est un marchand de tableaux parisien, un certain Richardson. Il a reconnu le corps ce matin. Et elle avait une mère, morte l'année dernière d'après les bribes d'information que la PJ a laissées filtrer.

— Elle a pu être adoptée...

— Possible, dans ce cas on le saura.

— Est-ce que l'enquête avance ? ajouta Carole, s'efforçant d'afficher un air indifférent.

Boitel ne fut pas dupe de sa petite ruse. Il aurait eu, à la place de sa collègue, la même curiosité, et il répondit sans trop se faire prier :

— Ils ne nous disent pas grand-chose. Mais on a vu arriver des fax de Paris. Ils interrogent le fils de Jean-François Valençay, le propriétaire de la villa du crime. Vous savez qui c'est ?

Carole acquiesça. Tout le monde savait qui était Valençay !

— Au départ, il a prétendu que personne de sa famille n'était venu depuis l'été. En fait, son fils a amené tout un groupe de copains. Le week-end du meurtre. À mon avis, faut pas chercher plus loin.

Carole ne s'était donc pas trompée en supposant que les hommes de la PJ suivaient une piste parisienne. Ils se turent tous les trois un moment. Lefrileux semblait perdu dans une méditation qui donnait à sa face rougeaude un air un peu bovin.

— Je viens de penser à un truc qui pourrait vous intéresser, finit-il par articuler. Le divisionnaire, celui qui ne voulait pas lâcher, il travaillait sur Rennes, mais il vivait ici. Chapuis, il s'appelle. Je crois me rappeler qu'il avait une fille à peu près du même âge que votre cousine. Je me demande si elles ne se connaissaient pas. Il a pris cette affaire très à cœur, je suis sûr qu'il y pense encore. Il est en retraite, évidemment. Il doit avoir dans les soixante-quinze ans. Sa femme est morte il y a quelques années. Il habite avenue George-V. Vous devriez aller le voir si ça vous intéresse encore. Il vous en dira beaucoup plus que moi. Je n'étais pas vraiment dans le coup.

Carole nota le nom et l'adresse sur un bout de papier. Le brigadier avala les dernières gouttes qui restaient au fond du verre qu'il contempla ensuite avec un air de regret puis il regarda sa montre.

— Il est temps qu'on y retourne.

Il commençait à extraire son imposante bedaine de derrière la table quand Carole l'arrêta.

— Soyez sympa ! Tenez-moi au courant. Surtout si vous apprenez qu'elle a été adoptée. Je vous laisse mon numéro de portable.

Lefrileux hésita. D'accord, elle était mignonne, cette collègue, et évoquer une affaire ancienne ne portait pas à conséquence. Mais donner des renseignements sur celle qui était en cours, c'était une autre paire de manches. Pourtant Boitel accepta aussitôt la page de carnet sur laquelle Carole avait écrit des chiffres.

Richardson, torse nu, se regarda une dernière fois dans la glace de la salle de bains. L'éclairage au néon soulignait ses cernes et les marbrures roses laissées sur ses joues par le rasoir. Il prit son peigne et lissa vers l'arrière sa chevelure grise et raide. Ce n'était pas encore brillant, mais il se sentait un peu mieux. Personne ne devait se douter qu'il avait peur. Il s'était fait monter un plateau pour le déjeuner, et n'avait bu que deux verres de vin. Il passa dans la chambre et observa par la fenêtre, sans vraiment la voir, la Tour Solidor qui veillait sur la baie du Prieuré. Un vent léger balançait les mâts des voiliers alignés pour l'hiver en rangées régulières, comme des soldats à la parade. Aucune voile blanche n'égayait les antennes noires des bateaux condamnés à tirer sur leurs chaînes jusqu'au retour des beaux jours et de leurs propriétaires. Sur l'avenue, quelques parapluies déambulaient et une voiture passa au ralenti, chuintant sur l'asphalte imbibé d'eau. Le visage verdâtre de Lola brutalement libéré du drap blanc ne cessait de le hanter, s'imposait entre lui et le monde ainsi qu'une décalcomanie collée sur sa rétine. Quelle horreur ! Elle avait été belle, pourtant, et satisfaisait pleinement les goûts d'esthète de Richardson. Une superbe créature, certes. Si seulement elle n'avait pas eu ce caractère. Si seulement ils avaient pu s'entendre. Il était trop tard, de toute façon. Il lui restait une heure et demie avant son rendez-vous au commissariat, il ne devait pas traîner. Il enfila une chemise propre, noua sa cravate, défroissa rapidement son pardessus du plat de la main.

Le grand hall de l'hôtel était désert et ses pieds foulèrent en silence les épais tapis. L'acajou des tables de bar et du comptoir de la réception luisait sous l'éclairage tamisé. Deux employés en costume noir se tenaient à la disposition de la clientèle, droits et immobiles comme des sentinelles. L'un d'eux interpella l'arrivant :

— La voiture que vous nous avez demandé de louer vient d'arriver, monsieur Richardson. Une Safrane bleu marine. Elle est garée juste devant l'entrée de l'hôtel.

Il lui tendit un trousseau de clés. Richardson les prit, hésita une seconde. Avait-il le temps ? Il le prendrait.

— Merci, dit-il. Servez-moi un whisky. Je vais m'asseoir là-bas, à côté du piano.

Il se mit au volant dix minutes plus tard et vérifia que la liasse de billets était bien dans la poche de sa veste.

Mathilde avait redescendu le plateau de M. Édouard après lui avoir fait avaler son déjeuner. Ça n'avait pas été une partie de plaisir. Il était très énervé et recrachait ce qu'elle lui mettait de force dans la bouche. Pourtant la soupe de légumes était bonne, elle s'en était régalée. Ce vieux devenait de plus en plus impossible. Et cette mâchoire édentée toujours béante ! Si elle n'avait pas été sûre qu'il était complètement sénile, elle aurait parié qu'il se fichait d'elle. Heureusement qu'elle allait avoir une semaine de repos. Tous les ans, pour Noël, le fils de son patron venait visiter son père et elle pouvait partir. Elle en profitait pour prendre le train jusqu'à Laval pour passer les fêtes en compagnie de sa sœur et de ses neveux. Une joie pour elle qui s'ennuyait dans son petit appartement de Dinan quand elle n'avait que deux jours de congé. Elle partirait le lendemain matin, mais comme les autres arrivaient ce soir, il lui fallait aller faire des courses pour cinq personnes et préparer un repas digne de ce nom. Après tout, c'était le fils qui l'avait embauchée et qui envoyait les chèques à la fin du mois. Elle essuya les assiettes, les verres, et les rangea dans le buffet de la salle à manger, puis elle se rendit dans sa chambre, sortit sa valise d'un placard et commença à y ranger des vêtements. Le silence lui pesait, tout à coup. Le vieux ne donnait même pas de coups de canne. Mathilde soupira. Elle avait vraiment besoin de changer d'air, à cause de toutes ces histoires. Et la route serait longue et les paniers bien lourds au bout des bras pour revenir de Saint-Énogat. Si elle y allait maintenant ? Les magasins étaient ouverts et elle aurait tout son temps ensuite pour préparer le dîner. La pluie semblait s'être arrêtée. Mathilde laissa la valise ouverte sur son lit, et monta au premier.

— Je pars aux commissions monsieur Édouard, hurla-t-elle.

Toujours à regarder par la fenêtre. Il avait dû sentir sa présence, car il leva la main. Elle enfila son manteau dans le hall et sortit. Finalement il crachinait mais si elle prenait le parapluie, elle aurait des problèmes pour porter les deux cabas. Elle ferma la porte d'entrée d'un coup sec. Elle aurait préféré donner un tour de clé en partant, surtout ces jours derniers. Mais le fils de M. Édouard ne voulait pas. « Dans la journée, prétendait-il, il faut que des secours puissent entrer si vous vous absentez. Imaginez que mon père mette le feu ! » Mathilde ne voyait pas comment il s'y prendrait, puisqu'elle n'était pas idiote au point de lui laisser des allumettes à portée de main, mais elle devait obéir. Elle scruta la rue, des deux côtés. Il y avait deux ou trois voitures en stationnement, mais pas un piéton en vue. Elle fonça, baissant la tête pour éviter que les gouttes n'embuent ses lunettes, et n'aperçut pas la silhouette qui s'était reculée derrière la courbe d'un mur quand elle était apparue sur le perron.

CHAPITRE X

Après avoir déposé Richardson à son hôtel, les deux officiers de la PJ avaient finalement et sans se concerter repris pour le déjeuner le chemin de leur petit restaurant des premiers jours. Une crêperie, ça allait une fois, mais ils préféraient avoir l'estomac un peu mieux calé. Le filet de cabillaud au menu du vendredi était particulièrement savoureux et les frites croustillantes. Le patron était de plus mauvaise humeur encore qu'à l'ordinaire et avait houspillé sa serveuse, lui recommandant de remuer son gros cul et éructant des grossièretés qui avaient choqué Marchand. Les habitués de l'apéro étaient moins nombreux que les autres jours et paraissaient saisis de léthargie, piquant du nez sur leurs verres sans dire un mot. Les journaux du jour traînaient, abandonnés, et les titres sur les démêlés d'un fils de président avec la justice n'intéressaient personne. Tout au plus marmonnait-on que c'était une honte de traiter ainsi une femme. Les policiers se rendirent rapidement compte qu'il ne s'agissait pas de Lola Richardson mais d'une certaine Renée que son ancienne patronne avait laissée moisir dans une cabane sans eau ni électricité, au fond de son jardin, pendant trente ans. Un fait-divers lointain dont la presse s'était emparée et qu'il ne portait pas à conséquence de commenter jusqu'à plus soif. Ces choses n'arriveraient pas ici, évidemment. Sur le chemin du retour ils subirent une courte ondée. Dans les boutiques qui rouvraient pour l'après-midi, toutes les lampes étaient allumées. Les décorations de Noël faisaient de l'œil dans les devantures et une femme en uniforme de l'Armée du Salut agitait une clochette sur le trottoir, devant la pharmacie. Malgré la douceur relative de l'air, on se serait cru enveloppé par la nuit polaire. Lebris avait mangé rapidement, répondant par monosyllabes aux tentatives de conversation de son adjoint, et Marchand se sentait envahi par un gros cafard. Il en avait ras le bol de travailler avec ce type inamical, ras le bol de lui servir de souffre-douleur, ras le bol de cette ville sinistre et de la flotte qui tombait comme au temps du déluge. Il comprenait la rage du capitaine à l'idée que l'enquête lui échappait, puisque tout allait se passer à Paris désormais. Lebris avait débarqué à Dinard, tout feu tout flammes, ravi qu'on lui confie la responsabilité d'une affaire criminelle touchant, même indirectement, un gros bonnet comme Valençay, parce que le commandant qui aurait dû s'en charger avait la grippe. Il allait montrer de quoi il était capable ! Au lieu de ça, ils avaient plutôt galéré, avaient perdu un temps fou à identifier la victime et été obligés de mettre en cause le propre fils de Valençay, ce qui était la pire des conclusions possibles ! Le procureur et le juge Marquet préféreraient laisser le Quai des Orfèvres assurer la suite des opérations et se garderaient bien d'envoyer les flics bretons terminer le travail dans la capitale.

« Après tout, se dit le lieutenant, qu'il fasse la gueule si ça lui chante ! » Ils allaient boucler la déposition du père Richardson dans l'après-midi, l'autoriser à disposer du corps de sa fille et ce serait terminé pour eux.

Demain samedi, repos. Et jusqu'au 26. Marchand finalement pourrait aller choisir avec sa femme le lecteur de DVD et les consoles de jeux des gosses, maintenant qu'il avait accepté le principe de l'achat. Le coupable, à l'évidence, était Alexandre Valençay ou l'un de ses copains. Il n'y avait pas d'autre explication logique. Ils étaient ivres, shootés, ils avaient fait une connerie et s'étaient enfuis en laissant derrière eux dans leur panique un cadavre et des portes ouvertes. On leur concéderait peut-être des circonstances atténuantes quand ils auraient avoué. C'était l'affaire de la justice. Alors qu'il montait à la suite de Lebris les marches du perron du commissariat, une petite voix lui susurrait à l'oreille que la morte de La Chênaie était un peu vieille pour être copine avec les autres, et surtout qu'il demeurait inexplicable qu'elle eût l'estomac vide. Si elle faisait partie de la bande, pourquoi n'avait-elle ni bu ni mangé ? Pourquoi n'avait-elle laissé aucune empreinte ? Dans le cas contraire, qu'est-ce qu'elle foutait là ? Comment était-elle venue ? Sa voiture n'était nulle part, elle n'avait pris ni le train, ni l'avion... Et même s'il était complètement bourré, il fallait vraiment qu'Alexandre Valençay soit débile pour s'enfuir ainsi en laissant un macchabée et les marques de ses doigts partout sur des verres sales dans une maison appartenant à son père. Et, bon Dieu, pourquoi le macchabée était-il à poil ? Si les gamins avaient paniqué, il était peu probable qu'ils aient pris le temps de déshabiller entièrement leur victime avant de déguerpir ! Et si ladite victime avait fait un strip-tease volontaire, elle n'aurait pas ôté ses bijoux ! Marchand fit taire la petite voix et salua Lefrileux qui bavardait avec l'agent Fiquet. Une fois de plus, il trouva au brigadier des airs de conspirateur. Il avait toujours l'impression que cet homme-là cachait quelque chose. Ce devait être un tic, ou alors sa bonne bouille qui lui donnait l'air de sourire en coin. Lebris avait commencé à monter l'escalier. Il revint sur ses pas et apostropha le sous-officier :

— Au fait, brigadier, accompagnez Richardson quand il arrivera, tout à l'heure. J'ai besoin de vous pour taper sa déposition. Mon lieutenant est nul avec un clavier. Et ça vous occupera.

« Et vlan dans les gencives », se dit Marchand, soulagé au fond d'être dispensé de la corvée de secrétariat. Mais pourquoi Lefrileux, d'ordinaire plutôt tire-au-flanc, avait-il l'air si satisfait d'être ainsi réquisitionné ? Roxane Fiquet le regardait de ses yeux de merlan frit et il lui avait fait un signe discret comme pour lui demander de patienter. Qu'est-ce que ces deux-là mijotaient ? Il n'eut pas le loisir de réfléchir longtemps à la question, car le fax se mit à cracher des documents au moment où ils pénétraient dans leur bureau. Lebris se précipita sur les feuillets.

— C'est Paris. Ils nous envoient copie des premiers interrogatoires.

Il ajouta en grinçant des dents :

— Sympa de nous tenir au courant !

En déchiffrant le jeu des questions-réponses qui s'était déroulé toute la matinée, ils découvrirent qu'Alexandre Valençay niait farouchement toute implication dans le crime. Il reconnaissait que le départ pour Dinard résultait d'un coup de tête, avouait aussi que ce n'était pas la première fois : « Nous étions réunis chez moi, à Paris, le samedi matin, très tôt, quand une des filles a décrété qu'elle avait envie de voir la mer. Tout le monde avait pas mal bu. Nous revenions d'une tournée des boîtes de nuit. Un copain qui avait déjà fait une virée à La Chênaie a dit que j'avais une villa sur la Côte d'Émeraude. On a décidé d'y aller. Je suis passé chez mon père pour récupérer les clés. Les autres

182

sont partis se changer, préparer leurs affaires et acheter des provisions. » Le jeune homme avait admis que la majeure partie de ces provisions était liquide et alcoolisée. Toute la bande avait pris la route en début d'après-midi. Ils étaient neuf dans deux voitures, celle d'Alexandre et l'Alfa conduite par Thibault Brévin, son meilleur ami.

— Et ils n'ont pas eu d'accident, murmura Marchand, alors qu'ils avaient picolé et fait la fête toute la nuit !

— Non, répondit Lebris. Et au retour non plus... malgré quelques litres de plus dans leur estomac...

— Et sans doute un macchabée sur la conscience !

Le capitaine ne commenta pas. Il poursuivit sa lecture. Alexandre avait donné le nom de tous ceux qui l'accompagnaient, sauf celui d'une fille qu'il n'avait jamais rencontrée auparavant. « Je ne la connais pas, je vous dis ! On a dû la cueillir quelque part, vous n'aurez qu'à interroger les autres. Je n'ai pas l'habitude de demander leurs papiers aux gens qui font la fête avec moi ! Tout ce que je peux vous dire, c'est qu'elle se faisait appeler Bébé. »

— Bébé ? dit Marchand. Ce peut être Béatrice, ou Bénédicte, ou Bérénice...

— Ou Lola. Allez savoir. Ce n'est pas forcément le diminutif d'un prénom.

— Si on le croit, elle était beaucoup plus jeune que la morte de la villa. Et n'était pas blonde.

Selon le fils Valençay, la dénommée Bébé était une adolescente brune aux cheveux courts, presque ras... Ils étaient arrivés à destination vers six heures du soir. Ils avaient rentré les voitures dans le parc de la propriété et n'étaient pas ressortis jusqu'au lendemain. Ils avaient dîné, un peu picolé, il le reconnaissait, et s'étaient couchés. Ils avaient quitté Dinard en fin de matinée et il s'était chargé lui-même de refermer toutes les portes. Il n'y avait aucun cadavre dans la villa à leur départ. Seulement un peu de désordre. Il avait eu l'intention de prévenir la femme de ménage, puis avait complètement oublié. Ensuite, quand il avait appris ce qu'on avait trouvé, il avait préféré ne pas se manifester. C'était normal, non ? Il n'avait rien à ajouter. On lui avait montré la photo de la victime. Il prétendait n'avoir jamais vu cette femme. Ni jamais entendu le nom de Richardson. La peinture ne l'intéressait pas du tout, et il ne fréquentait pas les galeries d'art. On pouvait demander à son père... Il n'avait pas d'écharpe de soie vert bouteille et n'en avait pas vu au cou de ses amis. D'après ses réponses, ce gars faisait preuve d'une assurance exaspérante. Une seule question semblait l'avoir déstabilisé. Il n'avait pas d'explication convaincante au fait qu'ils avaient repris la route de Paris dès le dimanche midi, alors qu'ils avaient l'intention de passer le week-end en Bretagne. « On s'est dit que ça suffisait. Il n'arrêtait pas de flotter. Il n'y a rien à faire dans ce bled. On était venus sur un coup de tête. On est repartis pareil. » Il jurait ses grands dieux qu'aucune dispute n'avait éclaté. Tout s'était bien passé.

— Et le cannabis ? Ils ne l'ont pas cuisiné sur le cannabis ?

— Si, ne vous énervez pas, lieutenant ! Lisez la fin. Il affirme qu'il n'était pas au courant. Il n'a jamais touché à la drogue, ce petit. Il a le culot de dire que dans l'histoire de Cabourg, déjà, il avait pu prouver qu'on l'avait accusé à tort. Bref, ce n'est pas lui. Et si un de ses copains a fumé du shit, il n'a rien vu, rien reniflé et ne sait pas qui c'est. Au fond, il ne doit même pas savoir ce que c'est !

De nouveaux feuillets furent vomis par la machine. Sur les huit invités d'Alexandre Valençay, cinq avaient déjà été retrouvés, trois filles et deux garçons, et interrogés. Deux autres étaient partis pour les fêtes on ne savait où. L'identité de la jeune Bébé restait un mystère. Une fille brune ramassée dans une boîte de nuit puis ramenée et déposée à Montparnasse, saine et sauve. La petite amie d'Alexandre, dont le père était un animateur célèbre de la première chaîne de télévision, confirma point par point tout son témoignage. Elle ne l'avait pas quitté, ils avaient dormi ensemble. Elle ignorait la présence du cannabis. Elle n'avait jamais vu la victime. Elle était certaine qu'Alexandre avait refermé les portes.

— Pourquoi elle n'ose pas dire « couché ensemble » ? grommela Marchand. Ils ont eu presque deux semaines pour se concerter, ça va être coton pour les coincer.

— Qu'ils se démerdent, à Paris ! Il y en a bien un qui finira par craquer, non ? Si on essaie vraiment de les faire craquer... Pour l'instant, on n'a que des présomptions. Et ils se couvrent mutuellement. Je vois mal comment on évitera le classement sans suite. Alexandre Valençay n'est même pas en garde à vue. Mais après tout, ce n'est plus notre problème.

— Vous êtes sûr que c'est eux ? hasarda Marchand.

Lebris n'eut pas le temps de répondre. Le brigadier Lefrileux, après avoir frappé, passa le nez dans l'entrebâillement de la porte et annonça l'arrivée de Richardson. Dès qu'ils auraient enregistré sa déposition, les hommes de la PJ n'auraient plus qu'à téléphoner au juge d'instruction pour s'entendre dire qu'ils pouvaient profiter tranquillement de leur congé de Noël.

Après le départ du brigadier et du jeune lieutenant, Carole s'était sentie abandonnée. Elle comprit alors le regard que lui avait lancé Suzanne quand, à leur arrivée devant la petite maison, elle était remontée dans sa propre voiture sans même accepter d'entrer. Sa cousine aussi avait dû ressentir cette sorte de panique qui saisit les solitaires lorsque ceux dont ils espéraient prolonger la compagnie se défilent brutalement. Avait-elle cru au prétexte qu'elle lui avait donné ? Une ancienne camarade de classe avec qui elle avait promis de déjeuner... c'était plausible, Suzanne ne savait pas grand-chose de la vie de Carole. En réalité, la jeune femme n'avait gardé aucun lien amical avec qui que ce soit, ici. De ses années d'école primaire émergeaient bien quelques visages de filles dont elle aurait aimé se faire des copines. Mais ce n'était pas possible. Elle était scolarisée à Dinard parce que sa mère y était elle-même institutrice et qu'ainsi elle la récupérait à quatre heures et demie pour la ramener à la maison. Les gamines de La Richardais snobaient Carole qui n'était pas dans leur classe, et celles de Dinard étaient trop éloignées pour qu'elle les rencontre en dehors de l'école. Elle se revit, petite fille solitaire lisant beaucoup ou faisant de longues promenades sur la grève. La voix de sa mère surgit dans sa mémoire. Pourquoi disait-elle sans cesse « non » ! Non, tu n'iras pas à Dinard à vélo. Non, tu ne peux pas inviter tes amies pour ton anniversaire, je suis trop fatiguée. Non, Carole, ton père ne rentre pas demain, ton père n'est jamais là, tu le sais. Avait-elle aimé ou détesté cette femme qui avait eu trop tard son unique enfant et s'en était débarrassée dès son entrée en sixième ? Carole ne s'était pas vraiment posé la question, surtout après que cette éternelle dolente qui avalait des cachets tous les soirs et ne savait ni sourire ni câliner eut tiré sa révérence deux jours avant les dix-huit ans de sa fille, alors que son mari était à la retraite depuis six mois. Elle éprouva une brusque bouffée de tendresse en pensant à lui. Elle avait rejeté en bloc les souvenirs de son enfance et un peu oublié la complicité qui les unissait quand il revenait de ses lointaines navigations. Son sac était toujours plein de cadeaux merveilleux qu'il sortait un par un, faisant durer le plaisir. Des poupées exotiques, des colliers de coquillages, des robes aux couleurs vives surgissaient de leur emballage de papier de soie. Carole aimait, presque autant que les objets qu'il protégeait, le papier d'un blanc un peu gris qu'elle conservait pour le plaisir de le défroisser du plat de la main sur la table de sa chambre et d'entendre encore son bruissement prometteur de surprises. Quand tout était déballé et que sa mère leur avait dit qu'ils la fatiguaient à crier comme ça, Carole et son père allaient se promener. Le marin racontait sa vie à bord des cargos, il décrivait des villes du bout du monde, entraînait sa fille dans des rêves asiatiques ou africains en lui offrant des noms de ports, des quais grouillant de marchandises et de porteurs à la peau foncée, des senteurs puissantes. Mais ces souvenirs étaient obscurcis par celui de l'atmosphère lourde qui régnait pendant les séjours du père de famille. Jamais Carole n'avait vu ses parents s'embrasser, et sa mère était constamment de mauvaise humeur quand son époux était là. Pourtant, dès qu'il était parti, elle ne cessait de se plaindre de son absence. Alors, plus que ses récits et le son de sa voix, Carole avait conservé de son père une image muette, celle d'un homme silencieux sous les reproches et les jérémiades. Et quand il s'était retrouvé seul dans la maison des bords de Rance, elle l'avait abandonné. Elle faisait ses études, puis elle avait épousé Pierre. Bien sûr, elle rendait des visites, de brèves visites qui ne duraient pas plus de deux ou trois jours, et elle téléphonait régulièrement. Que s'étaient-ils dit ces dernières années ?

Rien, des banalités. Le vieil homme fabriquait des bateaux en bouteille pour les enfants du coin qui adoraient le regarder travailler et grognait contre les curés, les flics et les patrons. Lorsque Carole lui avait annoncé qu'elle renonçait à la magistrature et qu'elle entrait dans la police, il n'avait pas protesté, mais le fossé s'était encore creusé entre eux. Au fond, elle lui en voulait aussi de son manque de présence. Même quand il était là. Surtout quand il était là.

Sans s'en apercevoir, elle avait marché jusqu'à l'entrée de la grande plage. Les bancs à l'entrée de la digue sur lesquels au moindre rayon de soleil venaient s'asseoir des brochettes de vieillards étaient vides et trempés. Des volets de bois obstruaient les vitres du bar qui dégorgeait l'été tables blanches et parasols rayés. Carole fit quelques pas sur le sable vierge de traces de pas humains. Seules étaient imprimées les empreintes légères des goélands. Elle contempla le paysage étendu devant elle. La mer était basse. Des nuages presque noirs couraient, poussés par les rafales. Leurs reflets que le vent faisait courir sur la grève semblaient pourchasser les tas de goémon, comme s'ils souhaitaient atteindre enfin l'étendue liquide, pour l'instant inaccessible, repliée au pied des remparts de Saint-Malo dont la silhouette se dessinait sous le ciel plombé. Elle releva le col de sa veste. Une sensation de froid l'envahit. La solitude était froide. Il était trop tard pour se lamenter. Son père et Pierre à leur tour l'avaient quittée. Elle pensa à Emmanuel. Il existait, il l'attendait. Qu'est-ce qu'elle foutait là ? Rien ne la retenait dans cette ville où elle ne trouvait plus sa place. Sur Muriel, elle avait appris tout ce qu'elle pouvait apprendre, et c'était encore un pan du passé qui s'était peint en gris. Suzanne continuerait sans problème à se passer de Carole et celle-ci n'avait plus vraiment envie de jouer à l'enquêtrice. Le meurtre n'était pas un jeu, à d'autres de faire le travail. L'espèce d'excitation qu'elle avait éprouvée en imaginant un lien entre les deux mortes retombait comme un soufflé. À quoi bon ? Elle allait avertir Emmanuel qu'elle revenait. Elle sortit son téléphone de son sac. Le bout de papier sur lequel elle avait noté les coordonnées du flic en retraite faillit tomber. Elle le garda à la main. Ses doigts hésitaient sur les touches. Non, elle ne rentrerait pas maintenant. À Marville, il y avait Modard et l'attente. Ici, ce qu'elle avait entrepris n'était pas encore terminé. Elle démêlait assez mal si c'était le flic en elle, flairant une piste, ou la femme paumée en train de recoller les morceaux de sa vie qui souhaitait irrésistiblement poursuivre la traque. Quelle importance ? Elle composa le numéro inscrit sur le papier, déclina son identité et exposa sa requête en précisant qu'elle était capitaine de police judiciaire, mais agissait à titre privé. Au bout du fil, son interlocuteur ne parut pas surpris, mais plutôt intéressé. Il pouvait la recevoir un peu plus tard. Vers quinze heures trente. Elle se souvint qu'elle n'avait rien mangé depuis le petit déjeuner et revint vers le centre-ville pour s'offrir un sandwich.

Marchand, désœuvré, s'assit dans un coin pendant que Lefrileux, l'as du clavier, s'installait devant l'ordinateur. Le capitaine Lebris se leva pour serrer la main de l'homme à la silhouette éléphantesque qui était nettement plus frais que le matin à sa descente d'avion. Richardson s'était rasé de près, ses joues rebondies fleuraient bon l'after-shave et les yeux avaient retrouvé leur vivacité. Une légère odeur d'alcool flottait pourtant dans son sillage, mêlée au parfum. Avant de se poser sur le siège avancé pour lui, il avait examiné tout ce qui l'entourait, décor et êtres vivants. Il poussa un soupir, dont on ne pouvait dire s'il était une marque de désapprobation ou simplement de chagrin, puis sortit un cigare d'un étui en argent et l'alluma, ignorant superbement la grimace de Lebris.

— Je vous écoute, dit-il. Vous avez un cendrier ?

Marchand sortit en chercher un dans un bureau voisin et le lui donna. Il fallut d'abord établir avec certitude l'identité de la victime. Son père déclina sans émotion apparente, dans un français à peine teinté d'accent, les éléments purement objectifs permettant de doter enfin d'une existence légale celle qui n'était depuis le samedi précédent qu'un corps non identifié. Nom, prénom, date et lieu de naissance, nationalité, adresse... Des mots avec des majuscules, des chiffres. Un état civil. Richardson avait même apporté son livret de famille qu'il confia aux enquêteurs. Lola habitait dans le treizième, à la Butte-aux-Cailles. Dans la fumée âcre empoissant le bureau, paradoxalement, la morte reprenait vie, redevenait une femme réelle, mais d'une réalité froide, administrative. En perdant son mystère, Lola n'était plus qu'un objet d'enquête. Questions et réponses se succédaient, monocordes. Richardson tirait sur son cigare. Lebris bougeait à peine et Marchand se sentait oublié. Personne ne remarqua que le brigadier s'était troublé, avait sursauté en continuant pourtant à taper la déposition sans dire un mot. On en arriva quand même à des considérations moins abstraites. Lola avait une voiture, un cabriolet Mercedes immatriculé à Paris, qu'elle utilisait dès qu'elle quittait la capitale. Elle n'avait pas d'activité salariée, disposant de revenus suffisants hérités de sa mère. Elle était inscrite à la Sorbonne où elle suivait plus ou moins des cours d'histoire médiévale, pour son plaisir. Un fiancé, un ami ? Rien de sérieux à la connaissance de son père.

Richardson restait dans le vague, semblant peu sûr de ce qu'il avançait. Lebris s'adossa à sa chaise, croisa les bras et demanda :

— Depuis quand n'aviez-vous pas vu votre fille ?

Le marchand de tableaux répondit sans hésiter :

— Depuis un mois, environ. Oui. Une semaine avant mon départ pour Londres. Elle est passée à l'appartement, un soir. Elle venait chercher des affaires qui appartenaient à sa mère et qu'elle n'avait pas encore récupérées.

— Et tout s'est bien passé entre vous ?

— Tout s'est parfaitement passé. Pourquoi ?

Une lueur amusée avait traversé le regard pénétrant. Richardson, très calme et paraissant plein de bonne volonté, manifestait également sa détermination à ne pas faciliter la tâche des policiers. Marchand sentit chez son supérieur les premiers signes de l'agacement. Lebris admettait difficilement qu'on pût ne pas être impressionné par son autorité. Il reprit, plus sèchement :

— Vous ne paraissez pas très au courant de la vie que menait votre fille. Je peux donc imaginer que vous étiez brouillés ?

Cette fois la bouche du gros homme se tordit dans ce qui pouvait passer pour un sourire. Il contempla un moment le bout de cigare qui rougeoyait, en secoua la cendre et finalement l'écrasa dans le cendrier.

— Vous avez trop d'imagination, inspecteur. Inspecteur ? C'est bien votre grade ?

— Capitaine, marmonna Lebris.

— Capitaine, donc. Ma fille avait trente et un ans. Sa vie lui appartenait et je n'avais aucune raison de la surveiller.

— Il n'empêche que vous ne semblez pas avoir été très proches, insista le capitaine.

— Vous, les Français, vous avez une conception très contraignante des liens familiaux. Les Anglais ne sont pas comme ça... Pardon ! J'oublie parfois que je suis français, moi aussi et depuis longtemps... Je vais vous expliquer.

Il posa ses mains sur son ventre, tripota sa cravate, donnant l'impression de choisir soigneusement ses mots avant de commencer à parler.

— Croyez ce que vous voulez, mais j'aimais beaucoup Lola. Seulement, après la mort de sa mère, l'année dernière, nous avions pris nos distances. C'était une bonne chose. Mon épouse était une maman très possessive. Elle était un peu plus âgée que moi et nous sommes restés dix ans sans avoir d'enfant. La naissance de Lola a été pour elle un grand bonheur et elle l'a énormément gâtée. Trop sans doute. J'ai peut-être eu tort de laisser faire car notre fille n'avait pas un caractère facile. Lola a eu besoin de s'éloigner un peu pour faire son deuil. Elle a pris son indépendance. C'était normal, non ? Il fallait bien qu'elle finisse par s'assumer. Et puis mon métier m'occupe beaucoup, je voyage fréquemment à l'étranger. En train ou en voiture.

Il ébaucha un sourire, comme s'il se moquait de sa phobie des airs.

— J'avais ma vie, elle la sienne. Cela ne signifie pas que nous étions en froid.

Lebris n'insista pas. Tout cela était plausible. Le type avait l'air sincère. Son apparente indifférence n'était peut-être que le fameux flegme britannique... Il changea de sujet :

— Vous nous avez dit que votre fille avait hérité de sa mère. Pouvez-vous préciser ?

Son interlocuteur se cala au fond de la chaise. La question ne sembla pas l'embarrasser.

— Ma femme et moi étions mariés sous le régime de la séparation de biens. Ma femme disposait, quand je l'ai connue, d'une grosse fortune personnelle. Il était légitime qu'elle reste à son nom. Sa fille était donc naturellement sa seule héritière.

— Et vous, monsieur Richardson, quelle était votre situation ?

— Pensez-vous que le déballage de ma vie privée vous aidera à trouver l'assassin de Lola ?

Les policiers perçurent pour la première fois une note d'exaspération dans la voix de leur témoin. Ils avaient mis le pied sur la frontière que l'homme ne voulait pas les laisser franchir.

— Laissez-nous le soin d'en juger.

— Tout cela est très désagréable. Je suis un père qui vient de découvrir la mort de son enfant et le premier à souhaiter que son assassin soit puni. Cela ne vous donne pas le droit de m'interroger sur ce ton ! Puisque vous y tenez, je peux néanmoins vous dire que je n'avais pas d'argent quand j'ai rencontré Maud, ma future épouse. Elle m'a aidé, au début, incontestablement. Aujourd'hui, ma fortune personnelle est au moins aussi importante que celle qui a été léguée à Lola. Je possède la galerie de Paris, une deuxième à Nice, et je viens d'en ouvrir une à Londres. Notre appartement, rue de Seine, était au nom de ma femme, et je l'ai racheté à Lola. J'ai aussi une propriété dans l'Eure, depuis très longtemps. Je n'y vais plus, elle est en vente. Maud adorait la campagne, moi pas vraiment.

— Et qui héritera de votre fille ? demanda Lebris avec une certaine agressivité.

Marchand s'amusa de constater que le capitaine avait retrouvé tout le mordant que Valençay lui avait fait perdre. Richardson était un bloc que le flic finirait bien par faire craquer. C'était son boulot, non ? De fait, la colère se lut immédiatement dans les yeux du témoin et ses joues se colorèrent d'une teinte rouge brique.

— Je n'en sais rien ! Je n'ai vraiment pas pensé à ça ! Si elle n'a pas fait de testament étant donné qu'elle n'avait pas de descendant, je suppose que j'hériterai. Figurez-vous que c'est le cadet de mes soucis et que je préférerais avoir encore mon enfant...

Le capitaine ne fit aucun commentaire. Il enchaîna :

— Vous étiez à Londres, d'accord, et votre assistante prétend ne pas lire la presse. Mais comment expliquez-vous que personne d'autre ne semble s'être inquiété de la disparition de Lola ? Les gens qui nous ont appelés étaient des étrangers qui ne la connaissaient que de vue. Elle ne vivait pas en recluse, elle devait bien avoir des amis ?

Marchand sentit que l'homme se raidissait sur sa chaise.

— Probable. Elle revendiquait son indépendance. On lui fichait la paix.

Il n'était pas très convaincant. Le caractère difficile de sa fille l'avait-il coupée du monde ? D'ailleurs la pensée de Lebris suivit ce chemin.

— Avait-elle des ennemis ? Voyez-vous qui aurait pu lui en vouloir au point de la supprimer ?

— Aucune idée. Elle avait coupé les ponts avec ses camarades d'enfance. Pour des brouilles. J'ignore qui elle fréquentait depuis un an. Elle n'était pas commode, c'est vrai. Égocentrique, soupe au lait. De là à mériter la mort... Au fait, vous avez quel âge, capitaine ?

Pris à froid par la question, Lebris répondit machinalement :

— Trente-huit ans, pourquoi ?

— Un peu plus que Lola, mais pas énormément. Vos parents connaissent tous vos amis ?

Embarrassé, Lebris ne commenta pas. Il revint sur la

présence de la jeune femme à Dinard. Richardson n'avait aucune idée de ce que sa fille pouvait y faire. Il n'y avait lui-même aucune relation et n'avait jamais entendu parler des Valençay autrement que comme tout le monde, par la télé ou les journaux.

— Vous nous avez affirmé pourtant que vous étiez déjà venu à Dinard.

— C'était il y a plus de trente ans ! Je ne me souviens plus de l'année exacte. Nous avons séjourné chez des gens qui cherchaient à vendre deux croquis de Picasso exécutés lorsque le peintre était en vacances ici. Nous sommes restés environ une semaine.

— Et l'affaire s'est faite ?

— L'affaire s'est faite. Je n'ai rien à ajouter.

— Vous rappelez-vous le nom et l'adresse de ces amis qui vous ont hébergés ?

— Ce n'étaient pas des amis, rectifia Richardson.

Pour autant qu'il le sût, ils étaient morts depuis et leur villa avait été vendue. Il n'était pas sûr de pouvoir reconnaître les lieux. C'était une grande propriété, il ne pouvait en dire plus. Avec quelque réticence il accepta néanmoins la proposition de Lebris de se rendre à La Chênaie, à tout hasard. La tension était retombée. Peu à peu, la fumée se dissipait dans la pièce. Le brigadier Lefrileux tapait sans lever le nez, comme si rien de tout cela ne le concernait alors que Marchand statufié dans son coin pestait de ne pas avoir eu la parole mais ne perdait pas une miette de la joute verbale qui opposait insidieusement son chef à Richardson. Il estimait que le capitaine avait manqué une fois de plus d'humanité face à ce père dont le chagrin, même s'il n'était pas affiché, était sûrement réel. Le gros homme lui plaisait bien. Il avait tenu tête dignement. Il avait du caractère et ne devait pas tolérer qu'on lui marche sur les pieds. Néanmoins, il n'avait pas l'arrogance d'un Valençay.

Sans savoir sur quoi se fondait son intuition il trouvait que le marchand de tableaux paraissait plus vulnérable. Évidemment, son pouvoir était moindre... Les derniers détails furent réglés. Richardson pouvait récupérer le corps et s'occuper des obsèques de sa fille. Il avait décidé de la faire incinérer au crématorium le plus proche et d'emporter les cendres à Paris où aurait lieu une cérémonie religieuse. Il avait rendez-vous avec les pompes funèbres en fin d'après-midi. Il espérait que la crémation pourrait avoir lieu le lendemain pour ne pas avoir à rester jusqu'au mardi 26. Marchand imagina ce que serait un Noël au Grand Hôtel pour un homme seul attendant l'urne contenant les cendres de son enfant... Une horreur ! Dans son oreille retentit la voix suave de la femme qui leur avait répondu de la galerie de Paris — comment s'appelait-elle, déjà ? Aline quelque chose —, la femme qu'il rêvait brune, sophistiquée, belle... Était-elle la maîtresse de son patron ? Avaient-ils prévu de passer les fêtes ensemble ? Lebris se souvenait-il qu'elle avait suggéré que l'entente entre le père et sa fille n'était pas parfaitement cordiale ? Le capitaine en se levant coupa court aux songeries de son adjoint. Lefrileux avait mis l'imprimante en marche et posa le texte de la déposition sur le bureau avant de quitter la pièce. Richardson signa puis remit son immense pardessus. Les bras tendus pour enfiler les manches il semblait occuper tout l'espace.

— Nous vous emmenons en voiture, et nous vous déposons ensuite où vous voudrez, proposa Lebris.

Richardson refusa. Il avait loué une voiture. Il les suivrait et se rendrait ensuite directement aux pompes funèbres. Quand ils arrivèrent dans le hall du commissariat, Lefrileux avait repris son poste près du téléphone, Roxane Fiquet debout à ses côtés. La jeune femme ouvrit la bouche, la referma, puis finit par articuler :

— Capitaine Lebris, je peux vous parler ?

L'officier lui jeta un coup d'œil étonné. Cette fille avait vraiment l'air d'une idiote.

— Allez-y, répondit-il d'un ton sec, mais vite, nous sortons.

La pauvre Roxane rougit de confusion.

— En privé, capitaine. Je crois que c'est important.

— Et ça ne peut pas attendre notre retour ?

Comme sa jeune collègue secouait la tête en signe de dénégation, il soupira et se dirigea vers la machine à café après avoir prié Marchand et Richardson de l'excuser cinq minutes.

— Je vous écoute.

— Je peux me tromper, mais j'ai expliqué au brigadier ce que j'avais vu et il m'a dit que je devais vous en parler. Ce matin, quand vous êtes sorti de l'aéroport avec le gros monsieur, enfin le père, celui qui vient de sortir...

Elle se troublait et l'énervement manifeste de l'officier n'arrangeait pas les choses.

— C'est le chauffeur de taxi...

— Quel chauffeur de taxi ? Expliquez-vous, bon sang !

— Il restait des chauffeurs qui guettaient les derniers voyageurs. L'un d'entre eux a appelé votre voyageur. Il lui a dit : « Hello, sir ! Dinard ? »

— Et alors ?

— Il lui a parlé anglais, comme s'il le connaissait...

Décidément, l'agent Fiquet était d'une stupidité sans pareille.

— Ne soyez pas ridicule ! D'abord Richardson a la nationalité française et parle français, ensuite il est normal que les chauffeurs de taxis s'adressent en anglais aux gens qui descendent de l'avion de Londres !

— Mais pourquoi lui a-t-il proposé de l'emmener à

197

Dinard ? Pourquoi pas à Saint-Malo ou je ne sais où ? J'ai eu réellement l'impression qu'il le reconnaissait, que c'était un client qu'il avait déjà pris en charge jusqu'à Dinard. D'ailleurs votre homme a tourné la tête, comme s'il voulait se cacher du chauffeur.

Elle plaidait à présent sa cause avec assurance. Lebris la regarda soudain attentivement. Et si elle avait raison ? Si Richardson était venu récemment dans la région ? Il prétendait ne pas avoir quitté Londres depuis trois semaines, mais on n'avait que sa seule parole. Il fallait vérifier ça. Il prétendait ne jamais prendre l'avion. Était-ce pour empêcher quiconque de chercher s'il en avait pris un récemment ? Une manière de conditionner l'esprit des flics ? Possible. Il conclut plus aimablement :

— Vous avez bien fait de m'avertir. Débrouillez-vous pour savoir quels chauffeurs étaient à l'aéroport ce matin, dénichez le vôtre et interrogez-le. Appelez aussi la compagnie aérienne pour savoir s'ils ont délivré récemment un billet au nom de Peter Richardson.

Il sortit rejoindre les autres avec une énergie nouvelle, tandis que l'agent Fiquet, un sourire béat aux lèvres, décrochait le téléphone. Marchand démarra, s'assurant que la Safrane suivait. Lorsque son supérieur lui fit part de ce qu'il venait d'apprendre, le lieutenant pria mentalement pour que la petite Roxane se fût trompée et que rien ne vînt compromettre son long week-end de Noël. Les deux voitures s'arrêtèrent devant La Chênaie. Richardson extirpa de son siège sa lourde carcasse et regarda autour de lui. Il était presque quatre heures. Aucune vie ne se manifestait nulle part. Les deux policiers l'observaient, il semblait un peu désorienté et son œil ne s'attarda pas plus sur une maison que sur une autre. Il y eut une fêlure dans sa voix quand il demanda :

— C'est par ici que ma fille a été retrouvée ? Je ne crois pas connaître ce quartier.

Lebris lui montra La Chênaie.

— Dans cette propriété. Cela vous rappelle quelque chose ?

— Non, rien. Je n'ai jamais pénétré dans cette maison. Celle où j'ai séjourné ne ressemblait à aucune de celles-ci. Je crois qu'elle se situait plutôt en face, là-bas.

Il indiqua du doigt la Pointe du Moulinet qui se dressait de l'autre côté de la plage et que l'on devinait à travers les barreaux de la grille. Il hésita puis ajouta :

— Dois-je déduire des questions que vous m'avez posées que la mort de ma fille n'est pas forcément le fait d'un voleur ? Ce matin j'avais cru comprendre qu'on l'avait tuée pour la dépouiller. Ses bijoux, son argent...

— Ce n'est pas exclu. Rien n'est sûr.

Il fallut le laisser partir. La police n'avait pour l'instant rien contre cet homme. Une sorte de pressentiment désagréable traversa Lebris. Il espéra que la crémation ne pourrait se faire le lendemain. Bon Dieu, pourquoi le fils Valençay aurait-il tué cette fille ? Il faudrait perquisitionner dans l'appartement de Lola. Le juge laisserait cette tâche aux Parisiens. Dommage.

CHAPITRE XI

Carole avait traîné dans les rues commerçantes en essayant de faire le point sur ce qu'elle avait appris. Ainsi, Muriel avait été assassinée à Dinard le 19 mars 1969, juste après avoir donné naissance à un enfant. Ni l'enfant, ni le meurtrier n'avaient été retrouvés. Et trente et un ans plus tard, une jeune femme ressemblant à Muriel était étranglée dans la cité balnéaire. L'enquête paraissait en voie de démontrer qu'il n'y avait aucun rapport entre ces deux événements, que cette ressemblance qui avait frappé plusieurs personnes n'était que le fait du hasard. Difficile à admettre. Au fond d'elle-même le capitaine Riou ne renonçait pas à l'idée que les deux morts étaient liées. Même si elle tentait de se persuader qu'elle ne s'intéressait qu'au premier crime, et seulement pour des raisons personnelles, elle ne pouvait réprimer le désir qu'elle avait d'en savoir plus sur le second. Plantée devant la devanture de la librairie, elle regardait les livres sans les voir. Un homme passa sur le trottoir, derrière elle, et la bouscula. Il parlait à un téléphone portable. Il marmonna une excuse puis poursuivit sa conversation, énervé, moulinant l'air du bras gauche. Carole le suivit des yeux un moment. Quelque chose venait de se déclencher dans son cerveau, une impression bizarre. Elle eut la certitude que l'une des paroles récemment prononcées devant elle s'était gravée dans son subconscient et la gênait. Une parole qui ne collait pas. Qu'est-ce que c'était ? Elle fut incapable de se le rappeler. Agacée, elle continua à déambuler devant les vitrines, indifférente aux amoncellements de bûches de Noël, aux boîtes de chocolat, aux cristaux avaleurs de lumière, aux robes du soir, aux pulls marins en pure laine vierge, à la porcelaine anglaise, aux mille saveurs du thé, à l'exotisme des confitures ou aux broderies des torchons. Une débauche de bon goût, une pléthore de raffinement. Sous la lumière crue des spots, sur des coussins de ouate blanche ou dans des nids de branches, les marchandises proposées par les galeries d'art, les antiquaires et les confiseurs s'offraient à la riche clientèle de Dinard. La déferlante électrique rendait le ciel de décembre presque noir. Au fur et à mesure que l'après-midi avançait, la foule des acheteurs devenait plus dense. Carole se laissait porter par le courant d'une boutique à l'autre, mais les silhouettes des passants emmitouflés dans les manteaux d'hiver lui paraissaient uniformément grises. Ils étaient des ombres arpentant les pages glacées d'un magazine de luxe. Ou les passagers d'un paquebot voguant sur une mer d'huile, ignorant résolument que la tempête et la mort dévastaient le reste du monde.

Elle regarda sa montre. Il était temps de partir. Elle décida de laisser sa voiture près de la poste et de se rendre à pied à l'adresse que lui avait indiquée son interlocuteur au téléphone. Elle rejoignit le boulevard Féart, puis tourna à gauche dans la rue Jacques-Cartier, une voie étroite, bordée d'immeubles de deux ou trois étages ne semblant fréquentée que par quelques chats, et déboucha sur l'avenue George-V qui surplombe la promenade du Clair de Lune. Là, le jour n'était pas complètement éteint par les néons ; dans le camaïeu des gris, les pierres de Saint-Malo ne se confondaient pas encore avec les nuages, et des éclats d'acier couraient au ras des vaguelettes crêtées d'écume, léchant les coques blanches. Carole trouva facilement le numéro qu'elle cherchait, du côté de la rue donnant directement sur la baie du Prieuré. La maison, recouverte d'un crépi crème, était basse, apparemment de plain-pied, aussi la jeune femme fut-elle étonnée quand une voix lui annonça dans l'interphone, après qu'elle eut sonné et se fut présentée, que « c'était au second ». Elle comprit en pénétrant dans le hall d'entrée. Un escalier descendait vers des paliers inférieurs et ce qu'elle avait pris pour un rez-de-chaussée était en réalité l'étage le plus haut de la grande demeure adossée au rocher et qui devait avoir une ouverture, tout en bas, sur la promenade. Au pied de la seconde volée de marches, un homme l'attendait devant sa porte ouverte. Il sourit en tendant la main :

— André Chapuis. Soyez la bienvenue, capitaine Riou.

Il lui fit signe d'entrer dans l'appartement. Carole ne s'était pas imaginé que le policier veuf, en retraite depuis vingt ans, pût avoir si peu l'air d'un vieillard. Grand et mince, à peine voûté, il portait un jean et un pull marin à col roulé. Ses cheveux, certes blancs et coupés court, restaient drus. Il ressemblait plus à un aventurier sur le retour, dans un film américain, qu'à un ancien fonctionnaire. La pièce où ils pénétrèrent était un grand salon prolongé par un bow-window ouvrant sur la mer. Malgré la grisaille hivernale, elle était claire. Un feu crépitait dans une cheminée de brique et seule une lampe était allumée, éclairant un fauteuil sur lequel était posé un livre ouvert. Son hôte n'invita pas immédiatement Carole à s'asseoir. Planté au milieu du séjour, il l'observait avec curiosité.

— Vous êtes en vacances à Dinard ? Vous y avez de la famille ?

— Je n'ai plus mes parents, mais j'ai gardé leur maison, sur la cale, à La Richardais.

— Un endroit ravissant. Si j'ai bien compris ce que vous m'avez dit au téléphone, dit-il, vous enquêtez sur la mort de Muriel Letellier, qui était une parente à vous. Il y a prescription, vous ne croyez pas ?

— Je n'enquête pas vraiment. Je vous ai dit que je vous appelais à titre privé. Disons que des événements récents m'ont amenée à me demander ce qui s'était vraiment passé il y a trente et un ans. J'avais six ans alors, et on m'a caché la vérité. Aujourd'hui, je veux la connaître. Le brigadier Lefrileux m'a donné vos coordonnées.

— Lefrileux ! s'exclama Chapuis. Il est encore là, lui !

Il se retint d'ajouter un commentaire que Carole imagina peu flatteur. Il reprit :

— Et ces événements récents qui ont réveillé votre intérêt, ça ne serait pas un nouveau meurtre dans notre charmante cité ?

Avec ce type-là, il était difficile de biaiser. Carole sortit de son sac la photo de Muriel qu'elle avait prise le matin chez ses parents et la lui montra.

— Elles se ressemblent, non ?

Les yeux clairs de l'ancien officier de police se firent graves.

— Vous trouvez aussi ? Je dois avouer que je dors mal depuis quelques jours. Quand j'ai vu le visage de la victime dans le journal, j'ai cru avoir une hallucination. Comme si le temps avait fait marche arrière. Tant d'années après, cette histoire que je n'ai jamais pu complètement oublier me revient comme un coup de poing...

Chapuis entraîna Carole vers la baie vitrée.

— Venez voir, dit-il. Dans une heure la nuit sera tombée, et tout changera. Il faut profiter maintenant des dernières lueurs du jour.

Légèrement à droite, en contrebas, le toit biscornu du Yacht Club émergeait de la masse vert foncé des palmiers. À gauche, la jetée où accostaient, l'été, les vedettes, était déserte. La mer apaisée s'étalait dans l'anse protectrice.

— L'été, reprit Chapuis, la végétation est méditerranéenne. Nous sommes à l'abri de tous les vents... Pourtant je crois que je préfère l'hiver. C'est plus calme.

Carole acquiesça. Mais au fond, elle n'était pas sûre d'aimer Dinard l'hiver. Sa carte postale à elle était bleu et or, pas gris et vert. Son hôte poursuivait sa rêverie.

— Regardez Saint-Malo, dans le fond. Un rempart compact, uniforme. Des ouvertures étroites dans la muraille. Un repaire de flibustiers, en apparence fermé, hostile. Et de ce côté de la baie, au contraire, une débauche d'ouvertures, de verrières, de balcons. De petits kiosques ont même poussé sur certains toits, de vraies verrues ! Avec, pour imiter les guetteurs de mer, de faux mâchicoulis, de faux créneaux, des donjons de pacotille... Dinard joue les femmes légères en costume d'époque, alors qu'elle est vertueuse et conformiste. Et, paradoxalement, Saint-Malo qui paraît austère a une jovialité un peu canaille !

Il se mit à rire.

— Vous allez me prendre pour un dingue. Mais vous savez, je ne suis pas complètement hors sujet et je n'oublie pas pourquoi vous êtes là. En réalité, pour parler de votre cousine, j'attends une invitée qui ne va pas tarder. Et puis, pour comprendre ce que je vais vous raconter, il faut d'abord comprendre Dinard. J'y vis depuis quarante ans, je suis incapable d'en partir. J'aime cet endroit que j'aurais tant de raisons de haïr. J'ai fait presque toute ma carrière à Rennes, et mon échec le plus cinglant a été l'enquête que j'ai menée sur la mort de la pauvre Muriel. Ma seule enquête à domicile, en quelque sorte. Un ratage complet. J'ai résisté aussi longtemps que j'ai pu, mais j'ai fini par abandonner. Ils ont tout fait pour que j'écrase l'affaire.

— « Ils » ? interrogea Carole.

— Les gens... Les notables, les commerçants, la sacro-sainte opinion publique. La saison approchait, il ne fallait pas faire de vagues, il fallait se dépêcher d'oublier. Ce n'était jamais qu'une gamine des Cognets, n'est-ce pas ? Je piétinais, je ne trouvais rien... J'ai dû caler.

— Je peux imaginer, dit Carole. J'ai passé mon enfance ici. J'habitais à La Richardais, mais j'allais à l'école de Dinard où ma mère était institutrice.

L'ancien policier l'observa plus attentivement, fronçant les sourcils.

— Votre père était marin ?

— Oui, c'est ça. Vous l'avez connu ?

— Je l'ai interrogé. Je crois qu'il était peiné de la mort de Muriel. Votre mère était...

Il hésita. Il ne voulait sans doute pas blesser Carole.

— Plus insensible ? Totalement sans pitié ? le devança-t-elle.

— Je ne sais pas. Plus froide, en tout cas. Très choquée par ce qui s'était passé. Alors, la petite fille en manteau bleu marine, au cimetière, c'était vous ? La petite Carole ?

— C'était moi.

Carole éprouva une impression étrange à partager avec cet inconnu un souvenir que, finalement, elle ne s'était réapproprié que quelques jours auparavant. À cet instant, la porte du salon s'ouvrit et une femme les rejoignit dans la pièce. Il était difficile de lui donner un âge, elle pouvait avoir entre quarante et cinquante ans. Grande et massive, elle était enveloppée dans un immense manteau de tweed marron. Ce qu'elle avait de plus remarquable était sa chevelure rousse, frisée et épaisse, et ses taches de rousseur sur une peau très blanche. Elle jeta le grand fourre-tout qu'elle portait en bandoulière sur un fauteuil, courut presque vers André Chapuis et l'embrassa sur les deux joues.

— Comment va mon vieux père ? Vous êtes la jeune collègue que je devais rencontrer à tout prix ? Bonjour, donc. Pourquoi fallait-il que j'amène ces fichues lettres ? Tu vas pas remettre ça, papa ? Tu m'expliques ?

Le père ne sembla pas ému par le flot de paroles qu'il endigua en souriant pour faire les présentations.

— Je vous présente Annie, ma fille. Éminent professeur de mathématiques à Saint-Malo. Et accessoirement, ancienne amie de Muriel Letellier. C'est pour cela que je lui ai demandé de nous rejoindre. Annie, tu te rappelles la petite Carole ? Aujourd'hui, capitaine Riou.

— C'est vous ? Vous avez changé ! Vous êtes flic ?

— Oui, répondit Carole que la question mettait généralement un peu mal à l'aise, même si elle émanait d'une fille de flic.

— Et on peut savoir comment l'idée vous en est venue ?

Cette femme était définitivement impossible mais sa spontanéité n'était pas agressive et Carole choisit la franchise, sans s'étendre.

— En 86. J'envisageais le barreau. J'étais tout près quand Malik Oussekine a été tabassé à mort. J'ai décidé de passer le concours d'inspecteur de police. Je pensais qu'il fallait changer les choses de l'intérieur.

— Vous le pensez toujours ? Mon père aussi était un doux rêveur.

Chapuis regarda Carole avec un sourire complice et répondit avant elle :

— Je suppose qu'elle fait comme si. Malgré les ivrognes, les imbéciles et les salauds qu'elle côtoie. Il y a également des gens bien.

Carole lui rendit son sourire.

— C'est à peu près ça.

Annie continuait à la dévisager. Elle semblait soudain triste.

— Muriel vous aimait beaucoup. Elle m'a souvent parlé de vous. Il y a si longtemps... Mon père a été tellement traumatisé de n'avoir pas réussi à dénicher le meurtrier que je lui interdis de remâcher cette histoire. Vingt ans de retraite dorée et il trimballe encore ses regrets ! Mais après tout, vous avez le droit de savoir. Et si j'ai bien compris, il pourrait y avoir un rapport avec le nouveau crime. Ouvrons donc la boîte à secrets, une fois encore.

Insidieusement, l'ombre investissait la pièce. Ils étaient debout, immobiles, hésitant encore à évoquer le fantôme d'une jeune fille blonde arrachée au monde des vivants un jour lointain de mars. Par une crapule qui jouissait depuis trente ans de l'impunité. Une bûche s'écroula dans la cheminée et une lueur orange se faufila, léchant les murs. Ils sursautèrent. Chapuis se dirigea vers la porte et appuya sur un interrupteur. La lumière jaillit, chassant les ombres de l'appartement mais éteignant le monde extérieur.

— Seulement quatre heures et il fait presque nuit, soupira-t-il. Si on s'asseyait ? J'ai tout préparé pour le thé dans la cuisine. Tu m'aides, Annie ?

La grande femme se décida à enlever son manteau, et ils s'activèrent sans un mot pendant quelques minutes. L'offre d'aide de Carole avait été gentiment repoussée. Le père et la fille bougeaient à l'unisson, leurs mouvements dénotaient une vieille complicité, l'habitude d'être ensemble. Bientôt, sur une table basse, près du feu, furent installées tasses, théière et assiettes de biscuits variés. Carole trouvait amusant qu'aucune alternative au thé n'eût été proposée. Cela aussi, c'était Dinard. Quand les trois tasses furent pleines, il fallut bien briser le cocon de silence. Chapuis prit une cigarette dans un paquet qui traînait sur la cheminée, en proposa une à Carole qui accepta avec soulagement. Il tira une bouffée et se lança :

— Qu'est-ce que vous savez au juste ?

— Elle a été assassinée en mars 69. Le crâne fracassé. La pierre était sur place. Un promeneur l'a découverte gisant sur les rochers. Elle était étudiante à Paris, mais personne, ici, n'avait de ses nouvelles depuis des mois. Elle n'était pas censée être à Dinard. En tout cas, les siens ne l'avaient pas revue avant d'aller reconnaître le cadavre.

Carole fit une pause. Elle s'efforçait de s'exprimer le plus froidement possible. Pour le moment, il s'agissait juste de résumer un dossier. Elle déglutit, avant d'ajouter :

— Elle venait d'accoucher, d'un enfant né à terme. Certainement viable. On ne l'a jamais retrouvé. On n'a pas non plus trouvé trace de la maternité où il était venu au monde.

André Chapuis et sa fille semblaient interloqués :

— Bon Dieu, comment vous avez découvert ça ? À part la police et la famille proche, personne ne l'a su. Je n'ai pas souhaité ébruiter cet aspect de l'affaire. On la démolissait assez, la pauvre gamine. Pour le coup, on avait droit à l'hallali.

Il réfléchit un instant. Carole se mordit la langue. Elle ne voulait pas risquer de mettre les collègues dans l'embarras.

— C'est Lefrileux qui vous l'a dit ? Je ne me rappelais pas qu'il était au courant. Après tout, quelle importance ? Aujourd'hui, les mentalités ont évolué. J'avais décidé de vous en parler.

— Je crois que vous l'aviez chargé d'une corvée de téléphone. Contacter les maternités, ajouta Carole, heureuse de s'en tirer à bon compte.

— Possible. Quoi d'autre ?

— Rien, c'est tout ce que j'ai appris.

— Je me demande si je vais vous être d'une quelconque utilité. En définitive, après avoir remué ciel et terre pendant trois mois, je n'avais pas avancé d'un pas. À l'heure présumée de la mort de votre cousine, il pleuvait et il faisait nuit. Le chemin de ronde était désert. Enfin, à part Muriel et son assassin. Pas de témoin, donc, qui aurait pu rencontrer l'un ou l'autre. Le meurtrier s'est évanoui dans la nature. Ou il était très fort, ou il a eu de la chance... Aucune trace de l'enfant. Aucune trace de la mère, entre l'été 68 et le jour où on l'a retrouvée morte. Sauf qu'elle a été vue la veille dans le train de Paris. Seule. Un contrôleur a affirmé qu'elle avait l'air triste. Et un voyageur a témoigné qu'il l'avait vue pleurer. J'ai enquêté dans la capitale. Elle vivait dans un minuscule studio, dont elle avait rendu les clés fin août, sans laisser d'adresse. J'ai interrogé ses copains de fac, en ratissant le plus large possible. Sa famille. Rien. Elle s'est évanouie pendant toute la durée de la grossesse. Où était-elle ? J'ai du mal à croire qu'elle ait pu organiser seule sa disparition. Mais qui l'aurait planquée ? Le père du bébé, souhaitant tenir sa paternité secrète, aurait volé ou tué l'enfant et assassiné la mère ? Telle était l'hypothèse du juge d'instruction. Du grand-guignol. Et j'ai de bonnes raisons de penser que le mystérieux géniteur est totalement étranger à cette histoire. Fais-nous voir tes lettres, Annie.

À la question muette qu'elle lut dans le regard de Carole, Annie Chapuis répondit en sortant de son sac deux enveloppes d'un bleu fané :

— Avant que vous lisiez, il faut que je vous explique un peu. J'ai connu Muriel au lycée, en seconde. On est vite devenues inséparables. Elle était brillante, bosseuse. Pourtant c'était dur pour elle. Une fille des Cognets au lycée, ça faisait tache. On ne lui faisait pas de cadeaux. Je l'invitais souvent à la maison, mais elle n'a jamais proposé de m'emmener chez elle. Elle avait honte de son milieu. Honte aussi de ses vêtements usés et démodés. Honte des hématomes qu'elle ne parvenait pas toujours à cacher quand son père avait cogné trop fort.

Elle se tut un instant, émue. Puis se reprit.

— En terminale, nous sommes parties au lycée de Saint-Servan. Muriel a fait philo, moi mathélem, ainsi qu'on disait à l'époque. On continuait à être amies. Le barrage de la Rance n'était pas terminé. Le bac faisait encore la navette et on le prenait ensemble, le matin, pour aller au lycée. Muriel m'attendait à l'embarcadère, elle avait déniché un vieux vélo pour venir des Cognets. Elle a eu son bac à dix-sept ans. Mention bien. Elle est partie à Paris. À la Sorbonne.

— Comment a-t-elle pu s'offrir des études ? s'étonna Carole.

— Elle bossait comme serveuse, le soir. Son père était fou de rage. Même sa sœur lui en voulait. Elle a coupé les ponts, petit à petit. Sauf avec moi. On s'écrivait régulièrement. Moi, j'étais restée à Rennes. J'ai apporté ses deux dernières lettres. Je sais qu'elles auraient dû être versées au dossier, mais j'ai refusé de m'en séparer, et mon père me les a rendues quand il a renoncé à poursuivre son enquête. Voici la première. Vous pouvez la lire.

Carole sortit les feuillets avec précaution. Le papier blanc se déchirait à l'endroit des plis. Les lignes n'étaient pas droites, montaient et descendaient, écrites, semblait-il, dans la fièvre.

Paris, le 20 mai 1968.

Ma chère Annie,

Excuse-moi d'être restée si longtemps sans te donner de nouvelles. Avant, j'étais très occupée, entre l'examen à préparer et mon boulot. C'est dur, tu sais, de servir à boire à des crétins avinés qui ne pensent qu'à me tripoter jusqu'à minuit et plus. Mais, depuis quelque temps, comme tu dois le savoir, le délire ! Est-ce qu'à Rennes aussi, le monde explose ? Je suis tellement heureuse ! Enfin, je n'ai plus honte de mon enfance aux Cognets, et je peux en parler... je me vide de tout cela. Les damnés de la Terre, c'était nous, non ? Eh bien, nous prenons le pouvoir et l'imagination est dans la rue. Que j'ai été sotte de me laisser humilier ainsi pendant toutes ces années. Jusqu'au 3 mai, j'étais une idiote sans conscience politique, persuadée qu'en trimant comme une bête je finirais bien par avoir une vie décente. Tu parles, ils ne m'auraient jamais acceptée, les bourgeois. J'étais marquée au fer rouge, non ? Ce jour-là, j'avais passé l'après-midi à la bibliothèque Sainte-Geneviève, place du Panthéon. Je révisais. Je n'ai rien entendu, c'est dingue ! Quand je suis sortie, il y avait de la fumée, des CRS partout qui couraient derrière des étudiants et leur donnaient des coups de matraques. J'ai eu une trouille pas possible. Je me suis rapidement planquée dans l'entrée d'un immeuble avec d'autres jeunes. On toussait, on pleurait, à cause des grenades lacrymogènes. Je me suis vraiment sentie solidaire. Finalement, j'ai pu rentrer chez moi sans encombre. Le lendemain, je suis retournée à la Sorbonne. Depuis, j'y campe. J'ai adhéré à la Ligue communiste révolutionnaire. Tu connais ? Un groupe trotskiste. Je lis plein de bouquins sur le marxisme. Le soir, on va chercher des affiches aux Beaux-Arts et on les colle toute la nuit. Je ne dors jamais chez moi, j'ai plein de nouveaux amis formidables. Dans les manifs, j'ai parfois eu peur, heureusement il ne m'est rien arrivé. J'ai un ami qui a eu la main arrachée par une grenade, alors que ces salauds à la radio prétendent qu'il n'y a pas eu de blessés graves. C'est un mensonge ! Nous savons que certains d'entre nous sont morts. Nous nous battrons jusqu'au bout pour changer le monde. En ce moment, je vis dans un appartement que nous squattons à plusieurs. Je ne sais pas si je vais garder mon studio. J'aurais du mal à me retrouver à nouveau seule. Et puis... oserai-je te le dire – mais oui, tu es mon amie, tu peux me comprendre – j'ai aussi découvert la libération sexuelle. Quand je pense à tous les tabous que nous imposaient les bonnes sœurs ! Mais il y a belle lurette, tu es bien placée pour le savoir, que je ne crois plus à toutes leurs sornettes ! Surtout, ne montre cette lettre à personne. Si mon père me voyait ! Et cette pauvre Suzanne ! Bon, je te quitte. Nous allons manifester devant les usines Renault. Tu peux m'écrire à mon ancienne adresse, j'y passe de temps en temps ramasser le courrier. Raconte-moi comment vous vivez ce printemps en province. Les Dinardais doivent serrer les fesses, non ? Bien fait. Je les déteste. Sauf toi, évidemment.

Je t'embrasse.

Carole rendit la lettre à Annie. Toutes deux étaient émues.

— Je n'avais jamais vu son écriture. J'ai l'impression qu'elle est vivante. J'entends presque le son de sa voix. Mais je ne me la rappelais pas si expansive. Dans mes souvenirs, Muriel est timide, réservée.

— Elle l'était, répondit Annie Chapuis. Quand j'ai reçu cette lettre, j'ai été abasourdie. Ce n'était pas ma Muriel. À Rennes aussi, les étudiants avaient bougé et finalement ce fut la grève générale. J'étais partie prenante, très concernée. Pourtant l'excitation de mon amie m'effrayait. Ça lui ressemblait si peu ! Et cette soudaine grandiloquence ! D'un côté, j'étais contente de la sentir heureuse, épanouie, et en même temps j'étais inquiète. Elle était trop enthousiaste, elle manquait de recul, d'esprit critique. Nous n'avions que dix-neuf ans, c'est vrai. Moi, je sympathisais avec le mouvement mais j'étais plus raisonnable, sans doute parce que je n'avais pas de revanche à prendre sur la vie. Je lui ai répondu en lui recommandant d'être prudente. Ma lettre lui a peut-être déplu. En tout cas, je suis restée sans nouvelles d'elle jusqu'en août.

— En août ? s'écria Carole. Elle vous a écrit en août ?

— Oui. La dernière lettre d'elle que personne à ma connaissance ait jamais reçue. Le ton n'était plus le même. Lisez-la.

Carole prit la feuille froissée, jaunie. Sa main tremblait un peu.

Le 3 août 1968.

Ma chère Annie,

Je suis seule dans mon studio. Il fait très chaud, sous les toits de Paris. La fête est finie, nous avons échoué et tout le monde est parti sur les plages. Qu'est-ce que j'ai pu me faire avoir ! Tu avais raison de me dire de me méfier. Et je croyais avoir trouvé des amis, des frères de combat, pour la vie ! Quand tu recevras cette lettre, j'ignore où je serai. Je suis désespérée et je ne sais pas quoi faire. J'ai été trop imprudente, je ne me suis pas protégée et maintenant je le paye. Ce qui m'arrive est terrible. Que dira mon père ? Il va me tuer. Et je ne sais même pas qui est responsable. De toute façon, ils m'ont tous lâchée. Je n'ai plus d'argent. J'ai quitté mon travail. Je voudrais t'en dire plus, mais j'ai trop honte. Il me reste un seul espoir. Si je passe en Bretagne, je te ferai signe. J'espère que toi, tu vas bien.

Je t'embrasse.

Même l'écriture qui dans la première lettre était aussi exubérante que les propos s'était resserrée, tassée. Carole posa le feuillet sur la table. Ils se turent un moment tous les trois. La présence de la jeune fille morte depuis des années était presque tangible, sa douleur réincarnée. Celle qui avait été son amie brisa le silence :

— Sur le coup, je n'ai pas trop compris ce qu'elle voulait dire. Je lui ai répondu le jour même. Je lui proposais même de la rejoindre, d'aller la chercher à Paris et de la ramener à la maison. Et c'est tout. Je n'ai plus eu de ses nouvelles jusqu'à ce que mon père me téléphone pour m'annoncer sa mort.

— Annie ne m'avait jamais parlé de la dernière lettre de Muriel, ajouta André Chapuis, jusqu'à ce que je sois chargé de l'enquête. À ce moment-là, elle me l'a montrée. À la lumière de ce que le médecin légiste nous avait appris, tout devenait clair. Elle était désespérée parce qu'elle était enceinte. Et elle nous laissait aussi d'autres indices. Qui infirmaient la thèse du juge.

Carole relut les mots de sa cousine.

— « Je ne sais même pas qui est responsable. »
C'est ça ? Elle ne savait pas elle-même qui était le père
de son enfant ?

— Je le crois, approuva l'ancien policier. Elle avait
dû avoir plusieurs amants. Elle le sous-entendait dans
la lettre de mai. Il y a autre chose. Elle parle d'un
ultime espoir, et une ligne plus loin envisage un passage en Bretagne. J'ai toujours pensé qu'elle était
venue chercher de l'aide à Dinard. Et qu'elle est revenue après son accouchement voir la même personne.
Je n'ai pas découvert qui c'était, pas plus que je n'ai
découvert où elle avait passé les derniers mois de sa
vie. Parmi ceux de ses proches que j'ai pu interroger, je
suis persuadé qu'aucun n'était dans le secret. Sa sœur
Suzanne s'est presque évanouie d'horreur quand je lui
ai annoncé l'existence de ce neveu ou de cette nièce
fantôme... Or, elle n'avait pas l'étoffe d'une comé-
dienne, la malheureuse ! Vous la voyez ?

— Oui. J'étais encore avec elle ce matin. Effectivement, ce n'est pas Sarah Bernhardt.

— Je ne sais pas comment elle est maintenant, mais
à l'époque, c'était une pauvre fille. Pas maligne, laide
et très pieuse. Elle a commencé à travailler comme
bonne à quatorze ans. Muriel avait ramassé tous les
dons.

Carole acquiesça, précisant :

— Aujourd'hui, c'est une vieille fille serviable et
confite en dévotion. Elle s'est acheté une petite maison
dont elle est très fière sur la route de Saint-Lunaire.
Elle voue une sorte de culte au souvenir de sa sœur.

— Elle a réussi à s'acheter une maison ? s'étonna
Chapuis. Avec ses petits revenus ? Tant mieux pour
elle. Elle a dû faire des tonnes de sacrifices. Difficile
de s'enrichir quand on vient des Cognets.

Encore une fois revenait le nom du quartier maudit. Qu'y avait-il donc de si terrible autour de la toile cirée à carreaux et des cabanes à lapins ? La petite fille d'autrefois n'avait pas eu conscience de pénétrer dans un univers qu'on lui présentait comme le neuvième cercle de l'enfer.

— Parlez-moi des Cognets, demanda-t-elle. Où est-ce que ça se trouve, exactement ?

— Nulle part. Les baraques ont été démolies au début des années quatre-vingt. C'est un joli lotissement, maintenant, derrière la plage du Prieuré. Les derniers occupants ont été relogés en HLM et je ne suis pas sûr qu'ils ne subissent pas le même ostracisme. En tout cas ceux d'entre eux qui survivent grâce au RMI... Comment vous expliquer ? Les Cognets, c'était un bidonville sinistre et crasseux où l'on cachait les marginaux dont l'existence était incompatible avec la respectabilité dinardaise. Car la vie de cette cité est régie par des règles très strictes, dont la première est la respectabilité. La société s'organise en cercles bien définis, protégés par la loi du silence. À la lisière sont rejetés les inclassables.

— C'est la même chose dans chaque petite ville de province, non ? fit remarquer Carole.

— Pas vraiment. Les petites villes de province végètent au même rythme toute l'année. Dinard est soumise à des métamorphoses périodiques, au rythme des vacances scolaires. Ou plutôt secouée par des lames de fond plus ou moins hautes selon les saisons. L'été, un raz de marée ! Imaginez ! La population est pratiquement multipliée par dix. Tout est bouleversé.

Carole savait. Avec les beaux jours, il poussait des tentes à rayures bleues et blanches sur les plages, des manèges envoyaient leurs flonflons sur les placettes gorgées d'odeurs d'ambre solaire et de gaufre. Partout, les volets étaient grands ouverts et les quartiers déserts aujourd'hui grouillaient de vie. Propriétaires ou en location, les estivants qui investissaient le bord de mer et les résidences cossues étaient généralement des gens fortunés envers lesquels les autochtones avaient des sentiments ambivalents. Espérés, courtisés parce que leur argent était facteur de prospérité, les touristes étaient en même temps perçus comme des envahisseurs. Pendant deux mois, une bonne partie de la population active se mettait à leur service et travaillait jour et nuit pour profiter de la manne. Quand septembre arrivait, quand les plages et les rues se vidaient, tout le monde poussait un soupir de soulagement. Et ce n'était pas seulement à cause de la fatigue. On se retrouvait enfin entre soi. Alors, on rangeait les parasols et la vie se repliait à l'écart du front de mer, dans des quartiers sans hôtels, sans restaurants, sans magasins de souvenirs. Les promontoires rocheux et les villas redevenaient un simple décor, fastueux mais vide. Les acteurs étaient partis, le théâtre avait fermé ses portes, les fauteuils avaient été recouverts de draps blancs. Les Dinardais se réappropriaient les lieux : ils en étaient les gardiens et déambulaient à tour de rôle dans les allées dépeuplées.

— Plus qu'ailleurs, reprit Chapuis, la société des résidants permanents doit avoir une structure rigide et prédéterminée. Car chaque année elle vole en éclats quand le territoire est violé. Il faut pouvoir reconstruire vite. Sur des bases solides et immuables. Avec des cloisons étanches. Pour jouir douillettement des fruits du labeur. On fuit les maux de l'extérieur. Dinard est allergique à tout ce qui dépare sa beauté. Parmi les enfants qui ont grandi aux Cognets, certains sont restés et travaillent ici. Je ne suis pas convaincu qu'ils se sentent bien intégrés. On n'oublie pas qu'ils sont fils d'ivrognes ou fils de rouges... Des deux en même temps, pour la plupart. C'était commode d'avoir un repaire de bolcheviques à sa porte. On y trouvait aisément un bouc émissaire, en cas de problème. Le fait que Muriel était originaire des Cognets a rassuré tout le monde. Il était simple de la considérer comme une putain qui avait mérité ce qui lui arrivait. Et tous se sont persuadés que son assassin ne pouvait être qu'un voyou qu'elle avait ramené de la capitale.

— Mais les Letellier étaient des catholiques pratiquants !

— Ils étaient en effet une exception. Pourtant, le père était l'un des pires salopards du quartier. Et un bon à rien.

Carole essaya vainement de faire coller cette information à la fois avec l'image qu'avaient imprégnée en elle les mots de Suzanne racontant ses soins au vieillard et avec les souvenirs des repas dominicaux où l'emmenaient ses parents. Sa mémoire ne lui restitua aucun portrait précis de cet homme. Il mangeait. Il servait à boire. Du vin, oui, beaucoup de vin. Elle revit dans une sorte de flash sa mère posant la main sur le verre de son père et disant « ça suffit » la voix pleine de colère. Il lui sembla soudain qu'une autre réminiscence commençait à émerger des brumes de l'oubli. Elle eut la vision fugace d'une bouteille cassée, d'un grand désordre, et son cœur se mit à battre... Était-ce le retour d'un cauchemar ou d'une scène vécue ? Cela disparut.

— Bien que je n'en aie aucune preuve, j'ai la conviction que sa femme est morte d'avoir été trop cognée, continuait Chapuis. Il se faisait renvoyer de partout parce qu'il buvait comme un trou et devenait vite violent. Suzanne et Muriel se faisaient régulièrement massacrer. Pourtant il était bigot. Un sale hypo-

crite. Tous les dimanches il allait à la messe puis
rentrait aux Cognets pour se saouler la gueule en pleur-
nichant sur son sort et en reprochant à Jésus de l'avoir
abandonné... Une ordure. N'empêche que sa présence
à l'église a poussé quelques dames bien-pensantes à
s'occuper des filles. Les seules enfants du quartier
qu'elles jugeaient dignes de leur compassion. On leur
donnait des vêtements, on a incité le père à les mettre
à l'école libre. Ce qui fait qu'elles étaient doublement
parias. Parias parce que des Cognets, et parias aux
Cognets parce qu'elles allaient à l'école des curés.

La colère d'André Chapuis était intacte, après toutes
ces années. Il fumait nerveusement, allumant une cigarette au mégot de la précédente, sans penser à en proposer. Il n'avait rien oublié, rien pardonné. Pourquoi
haïssait-il tant le cousin de son père qui payait ses
excès en vivant depuis si longtemps comme un légume
dans un fauteuil roulant ? se demanda Carole.

— Calme-toi, papa, dit Annie. Muriel s'en était sortie. Elle avait réussi à rejoindre le lycée public, en
seconde.

La résurgence de ses souvenirs l'avait remuée autant
que son père. Elle avait perdu l'exubérance des premiers instants, et grignotait machinalement les petits
gâteaux, vidant l'assiette que les deux autres négli-
geaient.

— Tu dis qu'elle s'en est sortie ? reprit l'ancien
policier. Moi je dis simplement qu'elle est morte à dix-
neuf ans. Je n'appelle pas ça s'en sortir. Et moi, je n'ai
pas coincé le fumier qui l'a tuée. On m'a renvoyé à
Rennes début juillet parce que les touristes arrivaient.
Le juge m'a forcé à clore le dossier. Tout le monde
s'en foutait. Je n'ai jamais arrêté de chercher la vérité
pendant les dix ans qu'il me restait à tirer. Même si
j'avais une idée, je n'ai rien pu prouver.

La rage ne l'avait pas quitté. L'échec de ses investigations était une blessure qui ne se cicatrisait pas. Carole eut pourtant l'impression qu'il n'avait pas tout dit. Et la certitude qu'au fond de lui il y avait eu une intime conviction. Une phrase l'avait d'ailleurs laissée perplexe.

— Tout à l'heure, demanda-t-elle, vous avez dit : « Parmi ceux de ses proches que j'ai pu interroger. » Je saisis mal. Pourquoi n'avez-vous pas interrogé tous ses proches ?

Chapuis esquissa un sourire amer.

— Il m'a échappé. Le père. Il a fait une attaque cérébrale une heure après être allé reconnaître le corps de sa fille. Il n'a plus jamais ni parlé ni marché. Il végète depuis grâce à une petite pension d'invalidité et aux bons soins de son aînée, je crois. Il est toujours chez elle ou il est mort ?

— Elle a été obligée de le placer dans un hospice de Rennes. Il y a un an, environ.

— Alors elle a sacrifié sa vie pour cette brute épaisse ! Quelle injustice !

Carole commençait à comprendre.

— C'est ça que vous croyez ? Vous croyez que c'est lui...

— Elle dit dans sa lettre : « Mon père va me tuer », et pourtant elle envisage de rentrer à la maison. Elle a pu imaginer sa famille comme le seul recours. Il n'aurait pas supporté qu'elle soit fille-mère. Il se serait cru déshonoré. Il était si violent que j'ai envisagé qu'il l'ait assommée sous le coup de la colère si elle lui a dit la vérité. Le choc aurait ensuite provoqué l'attaque. Lui avait-elle donné rendez-vous en terrain neutre, sur la promenade ? Suzanne a prétendu qu'il n'avait pas quitté la maison, ce soir-là. Ils avaient entrepris ensemble des travaux de peinture, je crois. A-t-elle menti ? Elle aussi détestait le scandale, le vieux était mourant et la révélation de sa culpabilité ne lui aurait pas rendu sa sœur...

— Le problème, c'est qu'il n'est pas mort ! Elle l'aurait gardé tout ce temps en sachant qu'il avait tué Muriel ? J'en doute.

— Difficile à croire, je sais. Suzanne est très croyante. Elle a pu se dire que Dieu avait déjà puni son père. Qu'elle avait une mission...

— Et le bébé ? Où était le bébé ? On a vu Muriel seule dans le train. Si elle avait confié son enfant à quelqu'un, cette personne aurait fini par se manifester, non ?

— La disparition de cet enfant est un mystère encore plus inexplicable que la mort de sa mère. D'après le légiste, l'accouchement ne remontait pas à plus d'une semaine. Pourquoi ne l'avait-elle pas avec elle ?

— Et si elle avait accouché sous X ?

— J'y ai pensé. Les services de la DDASS m'ont affirmé que c'était impossible. Rien ne correspondait. J'ai tout envisagé. Même le pire.

— C'est-à-dire qu'elle l'avait tué ? hasarda Carole à qui la même idée était venue un peu plus tôt.

Annie eut un mouvement de révolte.

— Jamais elle n'aurait fait cela ! Jamais ! Moi, je la connaissais trop bien pour croire une horreur pareille.

Carole lui fut reconnaissante de cette certitude qui la rassurait. Muriel ne pouvait être un monstre.

— Alors, évidemment, reprit l'ancien policier, quand j'ai vu dans les journaux la photo de cette jeune femme qu'on ne parvenait pas à identifier, je n'ai pu m'empêcher de repenser à cet enfant... Votre coup de fil a été le bienvenu.

— Elle vient d'être identifiée, dit Carole. Ce serait

la fille d'un marchand de tableaux parisien. Sa mère est morte l'année dernière. Je n'en sais pas plus.

Chapuis n'eut pas le temps de digérer l'information. Le portable de Carole émit, dans son sac, quelques notes d'une petite musique incongrue. Il était cinq heures et quart.

— Excusez-moi, dit-elle, en portant l'appareil à son oreille.

— Capitaine Riou ?

— Lefrileux, annonça Carole à voix basse à ses compagnons.

— Je viens de terminer mon service. Je suis allé dans un café pour vous appeler.

Et pas pour boire du jus d'orange. Il avait l'élocution laborieuse.

— Il y a du nouveau, articula-t-il. D'abord la fille. Son père, il dit pas qu'elle est adoptée. Au contraire. C'est moi qui ai tapé le procès-verbal. Il a raconté que sa femme était restée longtemps sans avoir d'enfant, qu'elle était drôlement contente d'être enceinte et qu'elle a trop gâté la gamine. N'empêche que c'est bizarre.

— Qu'est-ce qui est bizarre ?

— La date de naissance. Lola Richardson, la morte, elle est née le 12 mars 1969. Juste une semaine avant l'assassinat de Muriel Letellier.

— Quoi ! Vous êtes sûr ? Et où, dites-moi, où est-elle née ?

Carole avait presque crié. Son cœur battait la chamade. Ses deux hôtes, alertés, s'étaient figés.

— Vous n'allez pas le croire. À Marville. C'est ce que j'ai tapé. Née à Marville le 12 mars 1969. Il avait même amené le livret de famille. Je l'ai vu. Née de truc Richardson et Maud je ne sais plus quoi, son épouse. Sacrée coïncidence.

Carole ignorait s'il parlait de la date ou du lieu de la naissance. Elle avait pris les deux de plein fouet dans l'estomac. Elle se ressaisit, pourtant.

— Vous n'avez toujours pas parlé de Muriel aux hommes de la PJ ? Je crois qu'il va falloir le faire...

— C'est pas tout, l'interrompit le brigadier. Tout le monde est sur le pied de guerre. Boitel est parti à Saint-Briac mais il m'a dit que je pouvais vous mettre au courant. On a un autre macchabée. Un vieux de plus de quatre-vingt-dix balais.

Dans la tête de Carole une image s'imposa : un bras armé d'une canne qui frappait sur un carreau. Malgré la chaleur régnant dans le salon de Chapuis, elle se sentait glacée. Dans l'écouteur la voix poursuivait :

— Il habitait juste en face de la villa des Valençay. Sa gouvernante nous a appelés. Il aurait été étranglé. Et ça peut pas être le fils Valençay, vu qu'il est à Paris ! Et puis un de nos gardiens a l'impression qu'un chauffeur de taxi avait déjà vu Richardson à l'aéroport. On n'a pas encore mis la main dessus. Elle continue à chercher. Et puis la voiture a été retrouvée.

Carole nageait dans le brouillard. On n'avait pas retrouvé le chauffeur de taxi mais seulement sa voiture ? Elle finit par comprendre qu'on essayait de localiser un chauffeur de taxi ayant paru reconnaître le père de la victime à l'aéroport alors que celui-ci prétendait n'avoir pas mis les pieds à Dinard depuis plus de trente ans, et que la présence au fond d'une crique de Saint-Briac pratiquement inaccessible d'un cabriolet Mercedes cabossé et à moitié recouvert de sable avait été signalée par un joueur de golf, qui l'avait aperçu d'en haut et avait réussi à descendre jusqu'à la petite plage.

— D'après son père, Lola Richardson avait un cabriolet Mercedes, conclut Lefrileux.

Il raccrocha. Carole répéta ce qu'elle venait d'entendre. La nuit était complètement tombée sur la baie. Tout était paisible. Des lumières disséminées çà et là suggéraient des présences rassurantes. Fallacieuses clartés. Le mal était tapi dans l'obscurité. Le passé et le présent se rejoignaient brutalement dans une même violence. Il était encore trop tôt pour qu'ils tirent des conclusions précises de ce qu'ils avaient appris. Mais ils avaient la conviction que la similitude des deux visages n'était ni une illusion, ni le fruit du hasard.

— Je croyais que cette ressemblance n'était qu'un signe qui m'était fait pour m'obliger à renouer avec mon enfance, murmura Carole. Je croyais qu'elle ne concernait que moi.

— Elle concerne la justice, rétorqua Chapuis. Finalement, le père n'était peut-être pas le coupable... S'il y a vraiment un rapport entre les deux victimes, j'espère obtenir la réponse à la question que je n'ai jamais cessé de me poser pendant toutes ces années. J'appelle le directeur de la PJ. Je le connais bien, c'est moi qui l'ai formé.

CHAPITRE XII

Lebris était en train de téléphoner au juge Marquet lorsque la nouvelle tomba. Plus tôt, il avait regardé comme à regret, debout sur le trottoir de La Chênaie, s'éloigner la voiture de location de Richardson. De toute manière, l'homme ne quitterait pas Dinard sans les cendres de sa fille. Cela leur donnait au minimum une journée de sursis. Il ne s'était guère écoulé qu'une demi-heure quand les hommes de la PJ revinrent au commissariat. Roxane Fiquet était toujours au téléphone.

— Qu'est-ce que ça donne ? lui demanda le capitaine. Vous appelez qui ?

La jeune femme rougit légèrement et balbutia, en mettant la main sur l'émetteur :

— J'appelle les taxis. J'ai pas encore trouvé le bon.

— Les taxis ? Quels taxis ? Ça parle, un taxi ? Et l'aérodrome, vous n'y êtes pas allée ? Il y est peut-être encore, votre bonhomme. Et la compagnie aérienne ? Remuez-vous les fesses, aboya Lebris.

Devant une mauvaise foi aussi caractérisée, l'agent Fiquet reprit du poil de la bête. Elle raccrocha brutalement et répliqua :

— L'aérogare est fermée. J'ai vérifié. Il n'y a plus

227

d'avion jusqu'à demain matin. Je ne pense pas que les chauffeurs – elle appuya sur le mot « chauffeurs » – stationnent devant une aérogare fermée. Les bureaux de la compagnie ne rouvriront que demain. Il y a juste un répondeur. J'ai relevé la liste de tous les taxis de Dinard et Pleurtuit sur le Minitel. Je les appelle un par un, en leur demandant s'ils étaient à l'arrivée de l'avion de Londres. Si oui, on discute. Je suis sûre que je finirai par tomber sur celui de ce matin. Mais en une demi-heure, c'est un peu juste. Vous avez une autre méthode à me proposer ?

L'officier ne trouva rien à répondre et grimpa l'escalier quatre à quatre, suivi de Marchand qui réprimait tant bien que mal son envie de rire. Son supérieur était sombre.

— Bon, dit-il. Pour l'instant, je ne vois pas ce qu'on peut faire de plus. À moins que cette idiote ne nous amène la preuve formelle que Richardson est déjà venu à Dinard... et que c'était au moment du meurtre...

Il soupira.

— Ça serait trop beau ! Tant pis, j'appelle Marquet. On ferme boutique.

« Ça serait trop con », pensa le lieutenant qui commençait à avoir faim et se voyait déjà peinard dans la voiture de service sur la route de Rennes, allumant une clope et rêvant au dîner que lui aurait préparé son épouse. Il enfilait son pardessus quand ses espoirs s'envolèrent. Lefrileux entra sans frapper, rouge d'excitation.

— Il y a du nouveau ! s'exclama-t-il.

— Elle l'a, son chauffeur de taxi ?

— Son quoi ? Ah... non ! C'est moi. J'ai eu deux coups de fil, l'un après l'autre. On a repéré un cabriolet Mercedes à Saint-Briac. Et puis un vieux qui est mort.

Marchand et Lebris le regardèrent avec étonnement.

— La bagnole, on s'en occupe. Mais la mort du vieux, en quoi nous concerne-t-elle ?

— Ben... Sa gouvernante a téléphoné. Hystérique. Il habitait juste en face de la villa de Valençay. Elle croit qu'il a été étranglé.

L'ancêtre gâteux ? Étranglé ? Cette fois ce fut la stupeur qui se peignit sur leur visage.

— Elle est sûre ? Il était au bout du rouleau, rien d'étonnant à ce qu'il ait passé l'arme à gauche.

— Il paraît qu'il a la langue sortie, et bleue. Et des traces rouges sur le cou.

« Merde, merde et merde. » Marchand se débitait des jurons muets. Foutu, le Noël en famille.

Lebris était peut-être un sale type, mais il était efficace. Dix minutes plus tard, ils étaient en route vers la Malouine, sirène hurlante et gyrophare bombardant la nuit d'éclats bleus. Deux agents en uniforme suivaient dans le fourgon. Tout le personnel disponible était mobilisé. Ordre fut donné de retrouver Richardson et de l'enjoindre de ne quitter Dinard sous aucun prétexte. Une surveillance discrète mais constante du bonhomme devait être mise en place. Quel que fût le résultat des efforts de Fiquet, il fallait faire le tour des hôtels ouverts pour s'enquérir d'un éventuel séjour antérieur. Tandis que Marchand conduisait, son supérieur conversait dans son portable avec le chef de la police judiciaire. Boitel qui s'apprêtait à regagner son domicile, plein d'idées sur la manière dont sa jeune épouse et lui allaient occuper leur soirée, avait été prié de filer à Saint-Briac en emmenant des gardiens pour localiser le véhicule, recueillir la déposition du golfeur qui l'avait repéré et établir sur zone un cordon de sécurité jusqu'à l'arrivée de l'identité judiciaire.

— Il fait nuit ! avait-il protesté. Elle est au pied des rochers, on va se casser la gueule. On peut pas attendre demain ?

— On ne peut pas. Filez. Les mecs de l'IJ amène-ront des projecteurs.

Le commissaire Leguen s'occupait d'alerter le parquet et de rameuter suffisamment de spécialistes de la police technique pour former deux équipes. L'une rejoindrait les officiers de la PJ chez le vieux, l'autre irait inspecter la voiture et voir s'il y avait moyen de la remonter du fond de la crique dans laquelle vraisemblablement elle avait été poussée. Tout le monde devait se retrouver au commissariat à sept heures et demie pour un briefing général. Au moment où Marchand garait la voiture le long de la grille de la forteresse, Lebris termina sa communication.

— Quand je pense que le fils Valençay et ses copains ont été mis en garde à vue ! Ils vont être furax, les collègues.

— Pourquoi, furax ? Plutôt soulagés, non ?

— Trop tard. Tant que Valençay avait un doute sur la culpabilité de son gamin, il a gardé profil bas. S'il est avéré qu'Alexandre n'y est pour rien, son père va faire du foin sous prétexte qu'on a osé soupçonner sa progéniture. Certains gradés vont pisser de trouille... En plus, il y a eu des fuites. D'après le patron, un journal du soir a annoncé que les gamins étaient retenus à la PJ.

— Quel pouvoir il a, Valençay ?

Lebris ricana, sans répondre. Il se contenta de déclarer :

— Allez, on y va. Arrêtez-moi ce tintamarre.

L'ululement sinistre se tut. Pour le moment il n'y avait personne devant la maison. La pluie qui s'était remise à tomber avait découragé même les promeneurs de chiens. Les réverbères distillaient une lueur jaunâtre baignant les contours des villas. N'eût été l'éclat vif jaillissant par la porte grande ouverte de la demeure du vieillard, ces masses sombres auraient pu passer pour des mausolées, dans ce quartier nécropole. Si, tout à l'heure, les bruits et signaux inséparables du cérémonial imposé par la mort violente attiraient des badauds, si un attroupement se formait, les silhouettes plantées dans la vague clarté seraient-elles de simples humains curieux et apeurés, ou bien des morts-vivants réveillés de leur éternel sommeil par une agitation insolite ? D'ailleurs, au moment où Marchand allait franchir le portail, il vit deux ombres jumelles qui trottinaient vers lui. Il frissonna. « Je deviens morbide, moi », songea-t-il en traversant le jardin de devant.

Ils n'eurent pas à sonner. Recroquevillée contre un panneau de porte, tremblant de tous ses membres, la femme aux cheveux gris qu'ils avaient rencontrée quelques jours auparavant les accueillit en haut du perron, une cape noire jetée sur ses épaules. Elle avait les yeux rouges et serrait convulsivement un mouchoir dans son poing fermé.

— Enfin, vous voilà.

Sa voix monta dans les aigus. Elle était visiblement au bord de la crise de nerfs.

— J'ai tout allumé au rez-de-chaussée. Pourtant, je pouvais pas rentrer dans la maison. J'ai tellement peur ! J'ai préféré vous attendre dehors. C'est trop terrible. Pauvre M. Édouard. Comment on a pu faire une chose pareille ? Et son fils qui doit arriver bientôt ! Qu'est-ce qu'il va penser ? Ce n'est pas ma faute ! C'est lui qui me dit qu'il faut laisser ouvert. Il y avait la queue dans les magasins. Et puis, j'aurais dû monter plus vite, mais je m'occupais du dîner et pour une fois qu'il me fichait la paix...

Lebris mit un moment avant de stopper cette logorrhée. Il attrapa la gouvernante par le coude, et l'obligea à pénétrer dans le hall. Il fit signe à Marchand de refermer derrière eux. À gauche ouvrait un salon dont toutes les lampes brûlaient. Il déposa Mathilde, un peu comme un colis encombrant, sur un canapé.

— Vous allez rester là pendant que nous montons au premier. Nous reviendrons vous interroger après. Il est dans la chambre où nous l'avons vu l'autre jour ?

Elle hocha la tête en signe d'acquiescement, redevenue muette.

— Vous voulez boire quelque chose ? demanda Marchand. Un verre d'alcool, du café ?

Non, fit la tête. Le lieutenant pria néanmoins l'un des agents qui venait d'entrer de dénicher un truc fort pour remonter la brave dame.

— Restez avec elle. Nous vous appellerons si nous avons besoin de vous. Et ne laissez personne entrer, à part les gens de chez nous. Que votre collègue reste dehors pour surveiller les alentours.

La grande chambre était dans le noir. Après avoir fait sa macabre découverte, Mathilde avait éteint, s'imaginant peut-être qu'ainsi elle ferait disparaître la vision de cauchemar. Ils enfilèrent des gants et tâtonnèrent à la recherche d'un interrupteur. La lumière révéla immédiatement que Mathilde ne s'était pas trompée. Le fauteuil du vieillard n'était plus dans l'embrasure de la fenêtre mais avait été tiré d'environ deux mètres vers le milieu de la pièce. Ce n'était certainement pas la gouvernante qui l'avait déplacé. Pour passer l'aspirateur, elle devait le soulever quand son occupant était au lit. Or il avait été brutalement traîné car le tapis coincé sous le siège s'était plissé. Le meurtrier avait sûrement voulu éviter qu'on le vît de la rue. Le vieux s'était-il débattu ? Sa canne gisait sur le plancher, ainsi que le plaid qui recouvrait ses genoux. Le corps était à moitié allongé, de côté, et la tête pendait vers l'extérieur de l'accoudoir. Les jambes, décharnées dans un caleçon de flanelle beige trempé d'urine, semblaient s'être tendues dans un spasme d'agonie. La femme avait raison. M. Édouard n'était pas mort de sa belle mort. La marque violacée sur le cou ridé, les yeux exorbités et la langue pendante, tout témoignait qu'on l'avait sauvagement étranglé. Comme Lola Richardson.

— Au boulot, dit Lebris. On peut déjà commencer les constates, en attendant les autres.

Il sortit son dictaphone. Marchand n'écoutait pas la voix dépourvue d'émotion. Scientifique. Lebris faisait son boulot. Le lieutenant, lui, pensait aux derniers instants de l'inoffensif grabataire. Cette mort-là n'apitoierait pas grand monde. Elle créerait une psychose, certes, parce qu'un assassin décimait les habitants de la Malouine, mais de la victime, on penserait qu'il avait fait son temps, après tout. Que c'était une délivrance.

— Même s'il ne lui restait qu'une minute à vivre, ce salaud n'avait pas le droit de la lui voler de cette manière, murmura-t-il. Et pourquoi ?

— Qu'est-ce que vous racontez, mon vieux. Ne restez pas planté comme une souche. On ne peut pas le bouger avant l'arrivée de l'IJ. Allez donc interroger la vieille.

La gouvernante avait cessé de pleurer et ses joues reprenaient des couleurs. Elle s'était étendue sur le canapé, les jambes couvertes de coussins à fleurs, et finissait de lamper, par petites gorgées, un liquide ambré dans un verre à cognac. Ses frisettes grises se hérissaient au sommet de son crâne. À l'entrée de Marchand, elle eut un petit hoquet.

— J'ai réussi à dénicher un fond d'armagnac, dit le gardien toujours en faction dans le vestibule. Je crois qu'elle n'a pas l'habitude !

Mathilde était pourtant suffisamment lucide pour

répondre aux questions. Âgée de cinquante-huit ans, elle s'occupait depuis cinq ans d'Édouard Debrincourt. Native de Dinan, célibataire, elle avait longtemps travaillé comme aide-soignante dans une clinique de cette ville.

— C'était dur, surtout les horaires. Quand j'ai vu l'annonce qu'avait passée M. Francis – le fils, le fils unique –, j'ai écrit. Jusqu'alors, mon patron vivait seul. Il y avait juste une femme de ménage, dans la journée. Il devenait trop vieux et sa famille s'inquiétait. Ils auraient préféré le placer dans une maison, mais il n'a jamais voulu partir d'ici. J'ai été embauchée. Ça les rassurait que je me sois occupée de malades. Ils payent bien, ce n'était pas trop difficile. Si j'avais su ce qui arriverait. Quelle misère, quelle misère ! Mon Dieu, qu'est-ce qu'ils vont dire ?

Elle se remit à pleurnicher. Marchand la laissa se calmer avant de reprendre l'interrogatoire.

— Vous l'avez prévenu ? Le fils de M. Debrincourt ?

— Non ! Comment voulez-vous ? Ils sont en route, à coup sûr.

— En route ? Pourquoi sont-ils en route si vous ne les avez pas prévenus ?

— Je les attendais ce soir. M. Francis vit à Paris. Il est dans les affaires, je ne sais pas trop dans quoi. Il doit prendre sa retraite l'année prochaine. Enfin, j'ai le droit à mes congés, alors il vient toujours une semaine à Noël et un mois l'été. Avec sa femme, je l'aime pas celle-là, et leur dernière fille. Elle a une trentaine d'années, mais elle est un peu simplette. Je crois qu'elle fait la bonne quand je suis pas là ! Bref, ils s'installent et j'ai mes vacances. D'ailleurs je devais prendre le train demain pour aller chez ma sœur. Est-ce que je pourrai partir ? Et je vais devenir quoi, moi ? À mon âge, je vais avoir du mal à retrouver du travail...

Marchand ne l'autorisa pas à s'apitoyer sur son sort.

— Racontez-moi ce qui s'est passé cet après-midi.

Mathilde était partie « aux commissions » vers deux heures. Traditionnellement, elle préparait un bon dîner pour l'arrivée des Parisiens.

— Quand vous êtes sortie, vous n'avez remarqué personne, dans la rue ? Ni au retour ? Vous n'avez pas croisé quelqu'un que vous ne connaissiez pas ? Ou qui avait un comportement bizarre ?

— Près de la maison, j'ai pas vu un chat. Faut dire qu'il flottait. Je levais pas trop le nez. J'ai rencontré des gens, plus loin. Des familles, ou des dames âgées. Sûrement pas le tueur.

Elle blêmit, prise de terreur rétrospective.

— Enfin, je crois pas.

Son équipée avait pris plus de temps que prévu.

— Déjà que c'est pas la porte à côté, pour trouver des magasins. Je conduis pas de voiture, moi ! Et puis, avec les fêtes, il y avait beaucoup de monde partout chez les commerçants. Bref, il n'était pas loin de quatre heures à mon retour. Tout était calme. Je ne suis pas montée voir monsieur immédiatement. C'est si rare qu'il ne tape pas dans le plancher pour me faire grimper les escaliers ! J'ai déballé les provisions, tranquillement, et j'ai commencé à éplucher mes légumes. J'avais fini les carottes, quand j'ai eu une drôle de sensation. Un pressentiment, on dit ? La maison était trop silencieuse. Mon cœur s'est mis à cogner et je suis montée quatre à quatre. La chambre était dans le noir. Pourtant il a une petite lampe à côté de lui qu'il est encore capable d'allumer. J'ai appuyé sur l'interrupteur du plafonnier. Le fauteuil n'était plus à sa place. Et puis, je l'ai vu. J'ai tout de suite compris que l'assassin était venu chez nous. Après, je sais plus trop. J'ai crié. Je me demande comment je me suis pas cassé la figure en descendant les marches. Je vous ai appelés.

— Et avant de partir, vous l'avez vu, votre patron ?

— Oui, je suis allée lui dire que je partais. Il répondait jamais, mais il était assis près de la fenêtre, et il a bougé la main.

— Donc, le meurtrier est entré pendant que vous étiez absente. Par où est-il passé ? Vous aviez oublié de fermer la porte ?

L'indignation colora les joues de Mathilde.

— J'ai pas oublié ! M. Francis m'a interdit de fermer à clé dans la journée. À Dinard, et encore plus à la Malouine, on ne risque absolument rien, qu'il disait. Alors fallait pas enfermer son père, en cas d'incendie par exemple. Si j'avais su...

L'assassin n'avait donc eu qu'à guetter le départ de la gouvernante avec ses paniers au bras, et à pousser la porte. En plein jour. Il était gonflé.

— Avez-vous l'impression qu'on a volé quelque chose ?

— Il n'y a pas d'argent dans la maison. M. Édouard est sous tutelle. Son fils gère le budget. Tous les mois, il verse une somme sur un compte et j'en retire au fur et à mesure pour les achats courants. Jamais beaucoup à la fois. J'avais le portefeuille avec moi. À ce propos...

Elle hésitait. Marchand l'encouragea à poursuivre.

— C'était la semaine dernière. J'avais eu un jour de congé. Je laisse du liquide à ma remplaçante. Elle m'a toujours rendu compte à un centime près de ses dépenses. Là, il manquait cinquante francs dans le portefeuille.

Le policier sourit. Un détail sans importance, dont elle avait dû se faire une montagne. Il ne s'attarda pas.

— Autrement, aucun objet de valeur n'a disparu ?

— J'ai pas trop regardé dans la chambre... mais tout semblait en ordre. En bas, on n'a touché à rien.

Ils n'avaient pas affaire à un cambrioleur. Pourquoi

tuer le nonagénaire ? Marchand n'eut pas le temps de méditer plus avant. Des crissements de pneus, des pas pressés, des voix... technique et justice. La troupe allait être au complet sur le théâtre du crime. La scène fut rapidement investie par les acteurs en blouse blanche.

— Il y a foule, ce soir, dit l'un d'entre eux. Gros succès.

Le lieutenant sortit dans le jardin et regarda dans la rue. Les deux silhouettes qu'il avait vues émerger de l'ombre avaient fait des petits. Les habitants des tombeaux étaient massés sous des parapluies. Non. Les morts ne craignaient pas la pluie. Finalement, c'étaient des vivants, des vivants traumatisés. Une voix féminine interpella le policier :

— Quand est-ce que ça va s'arrêter ?

— Ils ne font rien, nous allons tous y passer, cria une autre bouche.

Un chien hurla à la mort. Marchand se dépêcha de fuir et rejoignit Lebris à l'étage. Sunlights et flashes. Poudre de perlimpinpin sur les objets du décor. Le chœur marmonnait sa chanson funèbre en tournant autour du cadavre, pantin ridicule maintenant allongé sur le sol. Un homme mesurait sa gorge et un autre, à l'aide d'une pince minuscule, lueur d'acier sur le blanc laiteux des gants, tentait d'extraire de la plaie striant la pomme d'Adam des fibres infimes. Il appela le capitaine :

— Ce sont les mêmes, dit-il. Je suis sûr que ce sont les mêmes.

— Les mêmes quoi ?

— Les fibres. De la soie vert bouteille. Comme pour la fille.

Il n'y avait bien qu'un tueur. Un tueur maniaque qui ne s'était pas débarrassé de l'instrument du premier meurtre. Lebris fouillait partout, remuant des paquets de livres, de photos, de lettres jaunies, ouvrant boîtes et tiroirs, et le juge, coryphée colérique, le suivait en déclamant des tirades indignées que nul n'écoutait.

— C'est dingue, dit le capitaine. Ce type a connu Picasso. Il y a des photos où il est avec lui.

Du bas d'une immense armoire en chêne, il sortit un antique carton à chapeau dissimulé par un châle noir à franges. Il souleva le couvercle et poussa une exclamation :

— Lieutenant, regardez ces trucs. Qu'est-ce que ça vous évoque ?

Le carton contenait des ciseaux, un tube de colle. Et du papier. Quelques feuilles blanches, mais surtout des pages de journaux et un nombre incalculable de lettres découpées dans ces pages. L'alphabet entier. Des caractères de toutes les tailles.

— Des lettres anonymes ? suggéra Marchand.

— On dirait bien. Bizarre, quand même. Essayez de trouver de quand datent les quotidiens dans lesquels il s'approvisionnait.

Pour obtenir de grosses lettres, le vieux avait choisi de garder essentiellement des unes. Ce qui permit aux policiers de constater qu'il s'agissait de numéros de *Ouest-France* et du *Figaro*, tous vieux de plus d'un an.

— Il a peut-être joué les corbeaux avant de devenir gâteux ?

Un homme de l'identité judiciaire s'était approché et les écoutait. Il attrapa le tube de colle, l'observa, hocha la tête et annonça :

— C'est récent. La marque a changé la présentation de ses tubes il y a moins de six mois.

Une histoire de fous. Et si la domestique était le corbeau ? Mais pourquoi aurait-elle caché son matériel dans la chambre de son maître et pas dans la sienne ? De toute façon, elle aurait eu largement le temps de le déplacer avant l'arrivée de la police. Il fallait l'interroger de nouveau. Lebris s'en chargea.

Mathilde avait renoncé à la position couchée. Elle arpentait le salon comme une chauve-souris affolée, en regardant sa montre.

— Ils ne vont plus tarder, murmurait-elle. Quelle catastrophe !

Devant le contenu du carton à chapeau, sa surprise parut totale.

— Jamais ouvert ce machin-là. Si vous croyez que j'avais le droit de fouiner dans sa chambre ! C'est tout juste s'il me laissait faire un peu de ménage. J'ignore totalement à quoi ça pouvait lui servir.

Innocente ou fourbe ?

— M. Édouard ne lisait plus les journaux depuis plus d'un an. Avant, je les lui achetais le matin. Un jour, il a grogné qu'il n'en voulait plus. À l'époque où il a perdu complètement la boule. Il a dit qu'il n'y voyait rien, qu'il ne pouvait plus lire. J'étais plutôt contente, je n'avais plus besoin de sortir tôt.

— Est-ce que vous lui avez acheté de la colle, récemment ?

— De la colle ? Pour quoi faire ? Il ne se servait plus de ses mains ! Vous ne vous rendez pas compte. Je le lavais, je l'habillais, je lui donnais à manger à la cuiller... Alors, de la colle !

Quand Lebris lui apprit qu'on avait trouvé un tube neuf dans la chambre, elle écarquilla les yeux.

— C'est pas moi. Questionnez donc l'autre.

— L'autre ?

— Je ne travaille pas sept jours sur sept. Une veuve de Dinard me relaie deux fois par semaine. Elle vient avec son gamin qui met du bazar partout.

Le policier nota les coordonnées de la remplaçante.

— Dites, je peux aller préparer mon dîner ?

Évidemment, elle pouvait aller préparer son dîner. Lebris se demanda si Francis Debrincourt aurait faim. Après tout, son père n'était plus qu'un légume hors d'âge. Si sa mort s'était produite naturellement, le fils aurait été assurément soulagé. La représentation se terminait. Le juge quitta la scène le premier. Faites pour le mieux, tenez-moi au courant. Il salua. Le brancard heurta la rampe. Un homme jura. Une blouse blanche descendit s'informer :

— On peut l'embarquer ? On a fini.

— Non, attendez encore un peu. Son fils sera là d'une minute à l'autre. Je préfère qu'il le voie.

Même en retard, la famille aurait droit au final. Le téléphone portable de Lebris sonna au moment où la voiture des Parisiens s'arrêtait devant la forteresse. La foule s'écarta pour laisser passer les trois passagers stupéfaits d'être accueillis par cette haie de spectateurs silencieux et terrifiés.

Carole se préparait à partir. Elle ne se pardonnait pas d'avoir négligé les signaux du vieillard. Elle aurait dû suivre sa première idée et lui rendre visite. Elle était sûre à présent que ses coups de canne étaient un appel. Il avait voulu leur dire quelque chose. Se savait-il en danger ? Son assassin était-il déjà dans la place ? Ses compagnons et elle avaient émis l'hypothèse qu'il avait été tué parce que sa fenêtre était un poste idéal pour observer ce qui se passait à La Chênaie. Le meurtrier avait-il eu peur de cet éventuel témoin ? En tout cas, l'étrangleur n'avait pas quitté Dinard et le fils de Jean-François Valençay semblait blanchi. André Chapuis avait longuement bavardé avec le directeur de la PJ. Il lui avait parlé de Carole, de Muriel et de cette extraordinaire série de coïncidences qui laissait craindre qu'à trente ans d'écart la mort eût frappé une mère et sa fille. Presque au même endroit. Il omit de mentionner que des flics de Dinard avaient levé le lièvre sans alerter la PJ. L'homme avait paru convaincu. Chapuis lui avait passé Carole. Souhaitait-elle collaborer, à titre officieux, avec le capitaine Lebris ? Celui-ci venait de l'appeler pour l'informer du nouveau meurtre. Il partait sur les lieux. Juste en face de l'autre maison. Carole voyait ? Elle n'avait qu'à le rejoindre là-bas. Bien qu'elle sût que son collègue serait furieux, elle avait accepté.

— Il faut absolument qu'il soit mis au courant. Il ne disposait d'aucun élément pour faire ce rapprochement. Je compte sur vous. Je le préviens de votre arrivée.

La porte de l'appartement où, l'espace de deux heures, elle avait eu l'impression d'être chez elle, se referma sur Carole. Après son entretien avec le grand ponte de la PJ, elle avait un peu traîné. Annie, dont la verve avait été quelque peu étouffée par l'évocation du meurtre de sa meilleure amie, avait retrouvé son dynamisme.

— Fais pas cette tête, papa, avait-elle dit. Ne regarde pas tout le temps en arrière ! C'est Noël, et c'est mon anniversaire... On va fêter ça.

Et pour la visiteuse, elle avait ajouté :

— Cinquante ans demain ! Deux maris, deux divorces et deux enfants envolés du nid pour causes d'études... Est-ce que je fais la gueule ? Bon, vous nous rejoignez dimanche pour le réveillon ? On se réunit ici. Toute une bande de dingues...

Carole n'avait rien osé promettre. André Chapuis lui avait dit, au moment où elle sortait :

— Essayez de venir, je sens que vous lui plaisez. Dites, vous me tenez au courant ? Si seulement...

Il n'avait pas terminé sa phrase, mais Carole avait deviné ce qu'il espérait. Dans la rue, elle ressentit comme en début d'après-midi un sentiment d'abandon. Une sensation bizarre. Depuis qu'elle s'était installée à Marville, après la mort de Pierre, elle devait lutter contre sa tendance à fuir la compagnie d'autrui. Elle cherchait la solitude pour cajoler sa tristesse. Son amitié pour les Palante était un premier pas, difficilement franchi. Ils ne l'avaient pas bousculée, lui avaient donné le temps de s'habituer à eux. Et voilà qu'elle avait un pincement au cœur en quittant des gens qu'elle ne connaissait pas deux heures auparavant ! Était-ce Dinard qui agissait ainsi sur elle ? Retombait-elle en enfance ? Elle réalisa qu'elle avait entrepris ce chemin à l'envers au moment où la photo de Lola Richardson sur l'avis de recherche lui avait sauté à la figure. Cette quête initiatique n'avait pas été déclenchée que par la blessure de Modard. Son désir de savoir ce qui était arrivé à Muriel procédait déjà de la volonté de renouer avec elle-même. Pour entamer sa nouvelle vie aux côtés Emmanuel ? Sans doute. Elle songea à leur conversation du matin. Elle n'était pas inquiète. Il lui pardonnerait. Elle le rejoindrait bientôt. Plus tard. Quand elle serait prête. Elle arriva place de la République. Des gens prenaient l'apéritif dans les cafés illuminés. Se doutaient-ils qu'un criminel rôdait dans l'ombre ? Allaient-ils s'affoler, puis une fois encore tenter de se persuader que le mal ne pouvait venir que de l'extérieur ? Elle se souvint seulement en montant dans sa voiture qu'elle devait dîner chez Suzanne. Elle serait sûrement en retard. Il faudrait la prévenir. C'était drôle, Suzanne qui lui était apparue la veille encore comme une bouée de sauvetage n'occupait plus du tout ses pensées. Elle était vraiment trop ennuyeuse. Carole mit le moteur en route et se dirigea vers la Malouine. L'officier chargé de l'enquête aurait du mal à accepter sa présence. Elle s'imposerait. Il fallait redevenir pro et laisser de côté les états d'âme.

Lebris étant toujours au téléphone fit signe à son adjoint de se charger des arrivants. Le lieutenant se demanda avec qui son supérieur discutait. Il ne haussait pas la voix mais paraissait vert de rage. Il n'eut pas le temps de s'appesantir sur la question. Trois personnes faisaient irruption dans le hall, s'époumonant en chœur.

— Qu'est-ce qui se passe ? Pourquoi la police est-elle là ? Où est papa ? Mathilde ! Où est Mathilde, bon sang ?

Quand on avait vu le petit vieillard rabougri qu'était devenu son père, Francis Debrincourt avait l'air d'un jeune homme. Au premier abord. Un examen plus attentif dénonçait les artifices utilisés pour créer cette illusion. Son costume taillé sur mesure ne dissimulait pas complètement la proéminence de l'estomac, la chevelure brune et lisse se révélait rapidement ce qu'elle était : une moumoute. Marchand se présenta et entraîna la famille dans le salon où Mathilde, jaillie de la cuisine et s'essuyant les mains sur son tablier, les rattrapa avant qu'il ait eu le temps d'ouvrir la bouche.

— Monsieur Francis, madame ! Quel malheur ! Pauvre M. Édouard ! Lui qui était si gentil... Faut être un monstre pour faire une chose pareille !

La bru, une grande femme sèche, très maquillée, poussa un petit cri et se laissa tomber dans un canapé, tandis que le dernier membre du trio, une grosse fille à l'œil bovin, restait plantée, bouche bée.

Le lieutenant, fermement, fit taire la gouvernante et résuma la situation. Ils semblèrent d'abord incrédules :

— Ce n'est pas possible, balbutia Francis Debrincourt. Étranglé ? Pas ici, pas à Dinard. De telles horreurs ne se produisent pas à Dinard...

Lebris, qui venait de les rejoindre, intervint :

— C'est la deuxième fois en deux semaines, qu'elles se produisent. Vous avez dû apprendre qu'une jeune femme a trouvé la mort dans une maison située juste en face.

L'homme parut surpris, comme s'il faisait soudain le rapprochement.

— Mathilde m'a averti, oui. Et j'ai lu la presse. J'étais scandalisé. Mais je n'ai jamais imaginé que nous pouvions être concernés. Le quartier n'est plus ce qu'il était. Avec ces parvenus qui rachètent les villas... Sans compter que certaines sont divisées en appartements locatifs.

Son arrière-grand-père avait fait construire la demeure au dix-neuvième siècle. Ils étaient l'une des plus anciennes familles encore présentes à la Malouine. Les textiles Debrincourt. Un empire dans le Nord, fondé sous la Restauration. Son père vivait là depuis plus de trente ans. Un endroit jusqu'alors respectable, éminemment respectable. Où l'on vivait en sécurité. Le monde allait bien mal.

— Est-ce qu'il est... ?

Les mots ne sortaient pas.

— Encore là ? souffla Lebris. Oui. J'ai pensé que vous souhaiteriez le voir.

— Tu y vas tout seul, chéri ! s'exclama sa femme. Valentine et moi ne supporterions pas le choc.

Debrincourt gravit donc les marches d'un pas lourd. Seul. Le capitaine entraîna son adjoint dans le couloir. Sa colère ne l'avait pas quitté.

— Le grand patron vient de me rappeler. Une tuile.

— C'est-à-dire ?

— Vous vous rappelez la fille qui accompagnait la gardienne de la villa des Valençay ?

Marchand se rappelait et sourit intérieurement. Capitaine Carole Riou, OPJ quelque part en Normandie. Ravissante. Elle s'était fait sèchement virer. Touche pas à mon enquête...

— Il paraît qu'elle détient des informations sur un crime qui aurait été commis à Dinard à la fin des années soixante et qui pourrait avoir un rapport avec les événements actuels. Je n'en sais pas plus. Tout cela me semble aberrant.

Qu'est-ce que c'était que cette histoire ? Étaient-ils passés à côté d'un élément important ? Aucun des protagonistes, à part le vieil Édouard, n'était à Dinard trente ans auparavant ! Si, bordel, Richardson... Une lueur passa dans le cerveau de Marchand :

— Capitaine, Richardson, c'étaient bien des dessins de Picasso qu'il était venu acheter à Dinard.

— Oui... Nom de Dieu ! Les photos du vieux... Ce serait lui, le vendeur ? L'Anglais aurait menti ? Il va falloir le surveiller, celui-là. Pour finir, le patron m'envoie cette nana. Je suis prié de collaborer avec elle. Elle nous rejoint ici.

C'était évidemment cet ordre qui l'avait fichu en rogne. Carole se présenta au moment où Francis Debrincourt, pâle et les yeux rougis, redescendait l'escalier.

— Vos hommes demandent s'ils peuvent l'emmener. Je vous remercie de m'avoir permis de le revoir.

— Lieutenant, dites-leur d'emporter le corps. Je m'occupe de mademoiselle. Pardon, du capitaine Riou.

« Ça promet », se dit Marchand. Et pour la deuxième fois, il fit à Carole un clin d'œil complice derrière le dos de son chef. Elle n'avait donc pas eu d'hallucination le matin au commissariat. Elle aurait peut-être un allié. Autant ne pas prendre l'autre à rebrousse-poil dès le départ. Il avait vraiment l'air furibard.

— Désolée de m'imposer à vous, capitaine. Je vous offre ma collaboration à titre officieux, selon le souhait du directeur départemental de la PJ. Je suis chargée de vous transmettre des informations capitales concernant une affaire très ancienne et jamais élucidée, qui pourrait avoir un lien avec celle-ci. Il est évident que je n'interviendrai pas dans l'enquête en cours.

Après un instant d'hésitation, il concéda une poignée de main. Molle et moite.

— Évident en effet, chère collègue. Cette enquête relève de ma seule responsabilité. C'est clair ?

C'était clair. Carole devinait qu'il bouillait d'impatience. Mais son orgueil lui interdisait de le montrer.

— Écoutez, dit-il, nous avons un briefing dans une demi-heure au commissariat. Retrouvons-nous là-bas. Nous entendrons alors ce que vous avez à nous dire.

Ce con la virait de nouveau. Elle choisit de lui faire un grand sourire.

— D'accord. À tout à l'heure, donc.

Les ambulanciers descendaient la civière. Le corps enveloppé dans sa bâche de plastique blanc paraissait minuscule. Quelques heures plus tôt, c'était un être vivant essayant d'attirer l'attention de Carole. En vain. Elle n'avait pas réagi. Il était mort. Aurait-elle pu le sauver ? La question l'obsédait. Carole ne croyait pas à grand-chose. Elle ignorait si l'heure où chacun devait mourir était inscrite à l'avance sur le grand livre du destin. Elle s'en fichait. Elle avait seulement constaté qu'il existait deux catégories d'individus. Ceux qui étaient capables de donner la mort, sciemment, et ceux qui ne le pourraient jamais. Elle avait toujours cru qu'elle appartenait à la deuxième, même – et surtout – quand elle avait décidé d'entrer dans la police. À présent, elle en était moins sûre. Car finalement, quand elle avait tiré sur l'ivrogne alors qu'il venait de poignarder Modard, elle n'avait ni le souvenir ni la certitude d'avoir visé précisément le genou. On la bouscula. Les trois femmes alignées dans le couloir firent des signes de croix. Seule celle qui était en blouse pleurait.

Il restait à débusquer la bête malfaisante. Carole tenait à participer à la chasse. L'examen de conscience viendrait après. Elle ne pouvait vraiment pas tout résoudre en même temps. Elle se dirigea vers sa voiture. Le rideau tomba. Chacun commença à ranger ses accessoires. L'ambulance traverserait la ville en silence. Inutile de gâcher cette veille de fête. Il n'y avait plus urgence pour le passager.

Le petit Bertrand était sorti de l'école tout content. Enfin les vacances ! Sa mère avait acheté le sapin et il le décorerait le lendemain. Son seul regret était qu'on n'irait pas chez le vieux monsieur cette semaine, puisque son fils devait être là. À six heures et demie, il sortit acheter le pain. La rumeur était partie de la Malouine, ou d'ailleurs, avait circulé d'un téléphone à l'autre. On avait entendu les voitures de police, on s'était renseigné. Encore un meurtre ! Un vieillard grabataire, tout près de chez Valençay. Un début de panique soufflait des impasses aux boulevards, secouait dans les jardins les branches dénudées transformées en griffes malfaisantes, secouait les persiennes aux charnières grinçantes, vent coulis qui n'épargnerait aucun recoin et véhiculait dans son haleine froide le mot « serial killer ». L'univers de la télévision avait réussi à traverser l'écran et s'incarnait dans un endroit du monde où l'on s'en croyait protégé à jamais. On tardait à récupérer sa monnaie, on hésitait à sortir de la boutique chaude et claire, à affronter le trajet dans les rues obscures et la solitude de son chez-soi. C'est ainsi, en tendant la main vers la baguette tiède, que Bertrand apprit par des chuchotements que son ami avait été à son tour victime du tueur. Il rentra en courant, et se réfugia dans sa chambre sans rien dire à sa mère. Il s'assit sur son lit, fouilla sous le matelas, et en sortit une enveloppe blanche sur laquelle étaient tracés des signes incompréhensibles. Il poussa un gros soupir. Il n'avait pas acheté le timbre. À quoi cela aurait-il servi ? Il s'était offert sept francs de bonbons et avait mis les trois francs restants de côté pour les rendre à Édouard. Que faire ? Il tourna et retourna l'enveloppe, la soupesa, la renifla. Puis il se décida. Il se leva, saisit un coupe-papier sur son bureau, et parvint à décoller le rabat sans le déchirer. La feuille de papier qu'il sortit et déplia délicatement était couverte de lettres d'imprimeries collées. C'était lisible, cela formait des phrases. Cinq minutes plus tard, Bertrand sanglotait, de chagrin et de terreur. L'enveloppe était dans sa cachette.

CHAPITRE XIII

Quand Carole se gara sur le boulevard Féart, devant un break de France 3 Bretagne, il n'était pas tout à fait la demie. Il se passerait un sacré moment avant qu'elle puisse aller dîner. Elle composa donc le numéro de Suzanne qui répondit au bout de cinq ou six sonneries :

— C'est toi ! Excuse-moi, j'étais dans la cuisine. J'ai eu le temps cette fois de te préparer un bon dîner. Il est prêt. Tu arrives ?

Ça n'allait pas être simple... Une averse de culpabilité dégoulina sur les épaules de la jeune femme. La barbe ! Elle n'avait pas le choix.

— Écoute, j'ai un petit contretemps. Il y a eu un nouveau meurtre et je dois discuter avec les flics. Ne m'attends pas, je risque de terminer très tard. Je viendrai demain, si tu veux ?

Un silence lourd de reproches. L'indignation faisait vibrer sa voix lorsqu'elle reprit :

— Je croyais que tu étais en vacances ? Je ne te comprends pas. Je n'aime pas me coucher tard, mais pour une fois... Je préfère t'attendre que jeter de la nourriture. Viens quand tu pourras. J'espère que le repas sera encore mangeable.

Quand elle eut raccroché, Carole réalisa que sa cousine s'intéressait plus à la cuisson de son dîner qu'à la victime d'un meurtre. Drôle de bonne femme ! Au moment où elle fermait sa portière, un autre véhicule freina brutalement devant le sien, arrachant à la chaussée détrempée une gerbe de gouttes qui l'aspergèrent. Le crétin au volant, c'était Fabien Boitel. Il se précipita, très énervé :

— Qu'est-ce que vous fichez là ? Lefrileux vous a mise au courant ? Je lui ai suggéré de vous appeler. Je ne pensais pas que vous alliez venir. Déconnez pas ! Si Lebris sait que je vous ai mise au parfum, il va être furieux...

— Ne vous inquiétez pas. Collaboration officiellement officieuse... Il est déjà furieux, mais l'ordre vient d'en haut. Je n'ai pas parlé de vous. On ne se connaît pas. D'accord ?

Le jeune lieutenant sourit, soulagé.

— D'accord. Vous lui avez dit pour Muriel Letellier ?

— Pas encore. Je vais le faire dès qu'il voudra bien m'écouter. On n'a plus vraiment le choix.

Ils pénétrèrent dans l'hôtel de police l'un après l'autre, ignorant les questions des journalistes qui s'étaient rassemblés sur le trottoir et laissant entre eux un écart raisonnable. La salle de réunion, au deuxième étage, ne devait son nom qu'à la table en fer à cheval qu'elle contenait. Elle était si étroite que les dossiers des chaises s'appuyaient sur les cloisons. Les néons soulignaient la crasse des murs beiges et la fatigue creusant les visages. Une dizaine de personnes, en civil ou en uniforme, patientaient en remplissant consciencieusement des cendriers jaunes. Du brouhaha des conversations émergeait un leitmotiv bien audible. Il fallait que ça arrive juste avant Noël, alors qu'il ne s'était rien passé depuis des siècles. Le commissaire

Leguen en personne avait déserté son bureau. Carole alla le saluer.

— Installez-vous. Je suis au courant. Un coup de fil de Rennes.

Lui au moins ne lui tirait pas la gueule. Au contraire, il la prit sous son aile et la présenta comme une collègue de passage, porteuse d'informations primordiales. Elle serra la main de Boitel sans gaffer. Les deux officiers de police judiciaire parurent enfin, on pouvait commencer. Lebris s'affirma immédiatement chef des opérations. Il était doué. Il annonça l'identification formelle de la femme découverte à La Chênaie.

— C'était donc une Parisienne. Pourtant, selon son père, elle ne connaissait pas les Valençay. Nous ignorons toujours ce qu'elle fichait à la villa et pourquoi elle était nue. Surtout qu'il semble s'avérer qu'elle est venue seule à Dinard. J'espère, maintenant que nous savons qui elle est, en apprendre plus sur sa vie et ses fréquentations. Et nous avons un nouveau meurtre.

Après un résumé des observations faites à la forteresse et un topo sur la deuxième victime, il reconnut clairement que la mort du vieillard avait changé la donne :

— Nous avions toutes les raisons de penser que l'assassin de Lola Richardson était forcément l'un des jeunes présents dans la villa le week-end précédant la découverte du corps. Alexandre Valençay et ses amis, à part deux d'entre eux qui sont en vacances, étaient au Quai des Orfèvres au moment du crime d'aujourd'hui. Ils sont hors de cause. Il semblerait donc qu'ils soient également innocents du premier. Si, effectivement, cette femme n'était pas avec eux, l'absence de boisson et de nourriture dans son estomac s'explique mieux.

Comme à l'école, Boitel leva la main. Et Lebris, l'air exaspéré, lui accorda la parole.

— À moins que l'un des deux qu'on n'a pas arrêtés soit revenu à Dinard. Ou qu'il y ait deux assassins. Imaginez qu'on ait voulu se débarrasser d'un grabataire refusant de passer l'arme à gauche et dont la survie entamait le magot ? La gouvernante, tout ça... des dépenses. L'occasion était belle. La police croirait à un même tueur et...

Lebris ricana :

— À ceci près qu'Édouard Debrincourt n'a qu'un héritier, son fils, et que celui-ci, à l'heure du crime était sur la route entre Paris et Dinard, avec son épouse et leur fille. Et nous avons la certitude qu'il n'y a qu'un tueur. La police technique m'a confirmé que les fibres prélevées dans le cou des deux victimes proviennent du même tissu. De la soie vert bouteille.

Boitel se tut, vaincu par cet argument imparable. En manifestant clairement sa volonté de ne plus être interrompu, le capitaine poursuivit :

— L'hypothèse la plus satisfaisante sur les mobiles du criminel est qu'il a pu considérer le vieil homme comme un possible témoin. Il était toujours assis derrière une fenêtre qui donne sur le jardin de La Chênaie. J'ai moi-même espéré qu'il aurait des informations à nous offrir. En réalité, il était pratiquement aveugle. Et complètement sourd ! C'est absurde... Évidemment on peut supposer que le tueur n'était pas au courant de son état et qu'il a paniqué en découvrant quelqu'un derrière la vitre... Mais pourquoi a-t-il attendu presque deux semaines ? Si le vieux avait su quelque chose, il avait largement le temps d'en parler !

Carole essayait de digérer ce qu'elle venait d'entendre. Aveugle ? Alors, il ne les avait pas vues ? Il cognait au hasard ? Quel soulagement... Non. Elle se rappela la face grimaçante, le sourire... le regard croisant le sien.

— Il y voyait, dit-elle.

Tous se tournèrent vers elle. Qu'est-ce qu'elle racontait ? Elle expliqua ce qui s'était passé le matin. Les coups de canne. Le geste de la main.

— J'aurais dû aller le voir. Je ne me le pardonne pas. Il avait les yeux fixés sur nous, pas dans le vide. Et il se marrait. J'en jurerais.

— Capitaine Riou, rétorqua Lebris, vous vous êtes trompée. Sa gouvernante est formelle. Elle le connaît mieux que vous, je pense ! Elle le soigne depuis cinq ans. Patientez un peu, vous vous exprimerez tout à l'heure.

Renvoyée dans les cordes. Pourtant, elle n'en démordait pas. Il les avait regardées. Elle insista :

— Il pouvait mentir. Ne pas vouloir que la gouvernante sache de quoi il était encore capable... pour se faire dorloter, ou pour qu'elle lui fiche la paix. J'en sais rien. Vous nous avez dit avoir découvert de quoi écrire des lettres anonymes. Et si c'était lui qui s'amusait à ce petit jeu ? Si l'assassin avait réagi parce qu'il avait reçu des menaces ?

Lebris haussa les épaules. Elle l'exaspérait visiblement.

— Bien sûr, et il serait allé faire un tour en ville dans son fauteuil sans roulettes pour aller s'acheter de la colle ! N'importe quoi !

Marchand, lui, ne jugeait pas cette théorie idiote. Même si la gouvernante disait la vérité en prétendant tout ignorer du tube de colle, il restait la possibilité de sa remplaçante ou du gamin. Mais son supérieur changea de sujet, bien décidé à clore ce débat, et exposa ses doutes concernant Richardson et l'éventualité qu'il fût venu récemment à Dinard.

— L'agent Fiquet n'a toujours pas dégoté son chauffeur de taxi. Elle nous rejoindra si elle a du nouveau. Les hôtels, qu'est-ce que ça a donné ?

Un gardien dont la veste d'uniforme était maculée de cendres de cigarette répondit qu'apparemment l'Anglais n'était descendu nulle part, sauf au Grand Hôtel où on l'avait reçu pour la première fois le jour même. Et à cette époque de l'année, il y avait si peu de clients dans les rares établissements ouverts qu'on devait les remarquer... Un détail, cependant avait intrigué le policier :

— À l'Hôtel des Roches. Vous le situez ? Il donne sur la grande plage. Petit et très huppé. Ils n'ont que trois ou quatre chambres d'occupées. J'ai décrit Richardson au réceptionniste. Il m'a affirmé qu'il ne le connaissait pas. N'empêche, je ne l'ai pas trouvé franc du collier. Il baissait les yeux, bafouillait. Il est pas net. Mais après tout, il tripote peut-être la comptabilité et n'aime pas voir les flics dans ses parages...

— Pourquoi chercherait-il à protéger un client ? S'il est prouvé que notre homme est déjà venu, on cuisinera un peu votre réceptionniste. Vous avez localisé Richardson ?

— Sans problème. Comme vous le pensiez, il était encore aux pompes funèbres quand vous avez quitté le commissariat. On ne l'a pas lâché depuis. Il est rentré à l'hôtel. On a deux agents sur place, avec une voiture banalisée. Il ne disparaîtra pas.

— À part cette vague intuition de Roxane, vous n'avez pas grand-chose contre ce pauvre type qui vient de perdre sa fille, fit remarquer le commissaire.

Marchand devança le capitaine :

— Il y a Picasso !

Et souriant de l'air ahuri de l'assistance, il expliqua :

— Richardson a reconnu qu'il avait séjourné à Dinard autrefois, avec sa femme, chez des gens qui voulaient lui vendre des dessins de Picasso. Nous l'avons emmené à La Chênaie. Il a forcément vu la maison de Debrincourt et a prétendu ne pas reconnaître les lieux. D'après lui, ses hôtes étaient plutôt au Mouli-net. Or, le vieux avait dans sa chambre des photos des années vingt où il posait en compagnie du peintre. S'ils étaient amis, Picasso a pu lui laisser des croquis. Et lui, décider un jour de s'en séparer. Imaginons que le capitaine Riou ait raison. Édouard Debrincourt le voit sous ses fenêtres le jour du meurtre de Lola. Il identifie son acheteur, lui envoie une lettre anonyme. L'autre décide de le supprimer à son retour à Dinard. N'ou-blions pas qu'il n'a pas d'alibi. En sortant de la morgue, il a refusé de nous suivre et a exigé du temps pour se remettre. Nul ne sait ce qu'il a fait jusqu'à trois heures.

Cette fois, Lebris se fâcha tout rouge. Il avait fait une erreur en ne faisant pas surveiller Richardson dès le début et le soutien apporté par son adjoint à cette gonzesse qu'on lui imposait était insupportable.

— Vos élucubrations, lieutenant, ne tiennent pas debout. D'abord je maintiens que le vieillard était impotent. Vous y étiez, non ? Il réclamait son père et ses petites biscottes. Il n'a même pas remarqué notre présence. C'était un légume ! D'autre part Richardson a abordé spontanément cette histoire de Picasso, cet après-midi ! Rien ne l'y obligeait. Surtout s'il venait de trucider le mec qui lui avait vendu les dessins ! Sans compter qu'il a dû changer, Richardson, en trente ans ou plus... Je n'exclus pas a priori qu'il soit coupable. Mais je récuse votre scénario.

Ainsi le père de Lola avait séjourné à Dinard long-temps auparavant. Et si c'était en mars 1969 ? se demanda Carole. Vivait-il alors à Marville où Lola était censée être née ? S'était-il absenté une semaine après cette naissance ? La jeune femme commençait à trou-ver drôle que Lebris tardât tant à écouter ce qu'elle avait à dire, malgré les ordres qu'il avait reçus du grand patron. D'autant plus qu'elle apportait de l'eau à son moulin, s'il suspectait réellement Richardson. Qu'il s'enferre. Elle aurait sa revanche. Elle détestait ce macho vaniteux et bourré de préjugés.

Au tour de Boitel, à présent, de rendre compte. La voiture était bien celle de la première victime. Le jeune lieutenant avait appelé le service des cartes grises à la préfecture. Le véhicule avait été conduit au bout d'un chemin sablonneux qui longeait le golfe et délibérément précipité en bas des rochers, portière ouverte et frein desserré, dans une crique très difficile d'accès et que chaque marée recouvrait. L'intérieur était plein de flotte. L'équipe de l'identité judiciaire avait obtenu une grue et allait essayer de remonter le cabriolet. Ce ne serait pas une partie de plaisir. Ils étaient encore là-bas, à prendre de la flotte dans la figure. Et la mer remontait. Ils avaient déjà averti qu'il ne subsisterait sûrement pas d'empreintes. Dans le coffre, il y avait une valise, contenant des vêtements gorgés d'eau, une trousse de toilette et des chaussures à talon. Celle de Lola Richardson, apparemment, mais pas de sac à main. Aucun papier, pas de manteau. L'IJ allait apporter la valise après l'avoir examinée. Tous ceux qui suivaient l'affaire depuis son origine restèrent un moment silencieux. Ainsi les hommes de la PJ qui croyaient en avoir terminé avec la mise en garde à vue du fils Valençay, s'étaient plantés. La morte n'avait pas fait le voyage dans une des bagnoles des jeunes Parisiens, mais par ses propres moyens. Cependant, la découverte de sa voiture n'expliquait pas comment elle avait atterri à La Chênaie pour y être étranglée. Ni ce qu'elle était venue chercher à Dinard, ni qui elle avait rencontré. L'image de la carcasse dégoulinante, couverte d'algues et de sable se balançant dans le vide, hantait les cerveaux. C'était un peu comme un autre cadavre. Comme si Lola avait été aussi noyée et qu'une fois de plus son corps était profané.

Lebris rompit le silence :

— Bien. Il faudra avertir le père. Je crois que nous avons fait le tour. Si le capitaine Riou veut bien nous faire part des renseignements qu'elle doit nous transmettre, nous n'aurons plus ensuite qu'à fixer le planning pour demain.

En gros, « grouille-toi ma cocotte, je n'ai pas que ça à faire ». Carole s'efforça de rester calme. Elle remonta au moment où elle avait été frappée, en recevant l'avis de recherche, par la ressemblance entre la femme qu'on cherchait à identifier et une lointaine cousine à elle, morte à dix-neuf ans trente et un ans plus tôt. De son sac, elle sortit la photo de Muriel qu'elle avait récupérée à La Richardais. Le cliché passa de main en main et provoqua des murmures étonnés. C'était indéniable, elles avaient un air de famille. Carole omit de préciser qu'elle ne savait pas, au début, que Muriel avait été assassinée. Sa vie privée ne regardait qu'elle. Elle n'évoqua pas non plus son entrevue avec le brigadier et Boitel. Elle se contenta de dire qu'étant en vacances à Dinard, elle n'avait pas résisté à l'envie de signaler cette coïncidence à l'officier qui avait, à l'époque, essayé en vain d'élucider ce crime. À son grand soulagement, nul ne lui demanda comment elle l'avait retrouvé. Lebris pianotait sur la table.

— Où voulez-vous en venir ? Il s'est produit un autre crime à Dinard il y a trente ans. Rien entre les deux. Cette ville fait baisser les statistiques de la délinquance, c'est sûr. À part ça, je ne vois pas en quoi une vague ressemblance entre les deux victimes peut avoir un quelconque intérêt ! À moins que vous ne croyiez à un serial killer qui frappe toutes les trois décennies ! Ce n'est pas sérieux.

— Je n'ai pas fini. Le rapport du médecin légiste affirmait que Muriel Letellier, celle qu'on a tuée en 69, avait accouché une semaine avant sa mort. On n'a jamais retrouvé l'enfant. Muriel est morte le 19 mars. J'ai appris cet après-midi...

Elle fit une pause, voyant Boitel faire les gros yeux.

— ... par André Chapuis, le divisionnaire qui avait suivi l'affaire et à qui le directeur de la PJ a téléphoné, mentit-elle sans vergogne, que Lola Richardson est née le 12 mars. La même année.

Elle avait marqué un point. Marchand la contemplait avec ébahissement et Lebris avait blêmi. Allait-il enfin accepter son concours ? Il résista encore :

— Troublant, capitaine Riou. Troublant, mais pas probant. Votre hypothèse implicite serait que la nouvelle victime serait l'enfant de la précédente, à cause d'une similitude dans les traits et d'une concordance de dates ?

Carole hocha la tête.

— C'est un peu tiré par les cheveux..., reprit Lebris. On constate parfois des hasards plus surprenants. Néanmoins, je ne peux que regretter de n'avoir pas eu plus tôt ces informations.

Il promena un regard noir sur toute l'assemblée, fixant les présents, chacun son tour. Mais il ne lut sur les visages levés vers lui que stupéfaction et innocence. Boitel aussi avait l'air d'un petit saint. Bien joué. Il se troubla quand même lorsque le commissaire déclara :

— Le dossier doit être encore dans les archives. Qui veut essayer de le dénicher ?

— J'y vais, répondit le jeune lieutenant – un peu trop précipitamment – et il quitta la pièce, rapide comme l'éclair.

Ouf ! Carole ressentait une impression violente de triomphe. Cela n'avait rien à voir avec de l'orgueil.

Rien à voir avec sa personne. Simplement, la réussite d'un accostage. Tant qu'elle était restée à l'écart de l'enquête officielle, elle avait été hantée par la juxtaposition de deux images floues que seule leur superposition rendrait nettes. Elle avait la certitude de détenir le morceau d'un puzzle, sans avoir les moyens de l'intégrer dans un tableau incomplet. Maintenant, le temps qui séparait les deux meurtres allait s'abolir. On pouvait espérer que la justice ferait coup double.

En attendant le retour de Boitel, chacun réfléchissait. À vrai dire, la plupart des hommes s'interrogeaient sur les intentions des officiers de la PJ, plus que sur l'énigme posée. Ils avaient des réveillons plein la tête, des cadeaux à emballer, des sapins à décorer avec leurs mômes. Deux jours avant l'échéance et aucune envie d'heures supplémentaires. Observant Lebris qui jetait fébrilement des notes sur un calepin, ils craignaient le pire. Ce dernier doucha, en reprenant la parole, l'enthousiasme de Carole :

— Je vais parcourir ces rapports. Mais ma priorité est l'actualité. Je ne suis pas là pour m'occuper d'une affaire dans laquelle il y a prescription depuis un bail. J'ai deux meurtres bien frais sur les bras. Si vous souhaitez disposer, capitaine Riou, je vous remercie de votre précieuse collaboration.

Elle ne céda pas. Elle disposait d'un argument imparable :

— Je reste. J'ai tout mon temps. Justement, dans la mesure où ma mission n'est pas officielle, je peux tenter de réétudier le dossier de 69 à la lueur des nouveaux événements.

— Comme vous voulez. Tant que vous n'empiétez pas sur mon territoire.

Avant que Carole eût précisé ses intentions, la porte s'ouvrit avec fracas sur une Roxane Fiquet rose d'excitation qui s'écria :

— Je l'ai eu ! J'avais raison !

Boitel la suivait. Carole constata qu'il apportait un énorme tas de documents enfermés dans une pochette de carton gris fané qu'il tapota comme pour en ôter une vieille poussière. Il avait tout remis en ordre et enlevé la chemise neuve. Il posa le paquet devant Lebris et se rassit. L'agent Fiquet narrait ses exploits :

— J'étais complètement découragée ! J'avais parlé à tous ceux que j'avais pu joindre. Soit ils ne faisaient jamais l'aérodrome, soit ils y étaient mais aucun n'avait souvenir d'avoir apostrophé un gros bonhomme. J'ai élargi ma recherche à Saint-Lunaire et à Saint-Briac. Rien. Seulement, il y avait deux numéros qui ne répondaient pas. Des taxis dinardais. Alors, j'ai rappelé leurs collègues pour leur demander s'ils connaissaient les chauffeurs en question. Et là, bingo ! C'étaient des mecs qui avaient arrêté de travailler ce midi et étaient partis en vacances. Alors, forcément, ils ne répondaient plus aux appels sur leur ligne professionnelle. Mais les autres étaient potes avec eux, et on m'a donné leur numéro de portable. Le premier était le bon. Il est à Coutances, chez ses beaux-parents. Il rentre mardi. Il est formel. Le gros, il l'a déjà chargé, il descendait de l'avion de Londres. Il l'a déposé à Dinard, devant l'entrée de l'Hôtel des Roches, en fin de matinée. Il a eu du mal à se rappeler la date exacte. Après mûre réflexion, il a conclu que c'était le samedi 9 décembre.

Elle s'arrêta pour jouir de son effet. Une belle réussite. Jamais la jeune fille, dans sa courte carrière, n'avait remporté un tel succès !

— Nom de Dieu, jura le capitaine Lebris. Vous aviez raison. Félicitations. Le fumier. En nous laissant croire qu'il avait peur de l'avion, il faisait un écran de fumée... Pas idiot, mais risqué. Il a sans doute tué sa propre gamine.

Marchand le coupa :

— S'il l'a tuée, pourquoi a-t-il eu l'air tellement étonné qu'elle n'ait plus ses vêtements ? D'ailleurs, pourquoi les lui aurait-il enlevés ?

— Son étonnement, il a pu le feindre. Il l'a déshabillée pour retarder l'identification. Ou c'est un autre écran de fumée. Pour nous éloigner de l'hypothèse d'un crime familial. Un corps nu, cela évoque un sadique, de la violence sans mobile. Il a même tenté de nous égarer sur une autre fausse piste, celle d'un voleur, en évoquant le prix des bijoux. Ça le dédouanait. Il est intelligent. On l'alpague demain matin. Et on m'amène le réceptionniste de l'Hôtel des Roches. Pourquoi a-t-il couvert Richardson, celui-là ? Ne relâchez pas la surveillance cette nuit. Marchand, aux aurores vous filez à Paris. Je vais tâcher de joindre le juge dès ce soir. Vous passerez au tribunal avant de partir récupérer la commission rogatoire et un mandat de perquisition pour l'appartement de la fille. Dans un premier temps. Pour celui du père, on verra quand il aura été entendu. Je veux tout savoir sur ce type. Si sa galerie marche bien, s'il est aussi riche qu'il le prétend. Démerdez-vous. Interrogez son notaire, son banquier. Et puis, prenez contact avec le commissariat du treizième. Ils vous prêteront du monde pour faire ouvrir le logement de Lola Richardson et le visiter de fond en comble. J'ignore ce qu'il faut y chercher. Je compte sur votre intuition, lieutenant. Essayez de dénicher des gens qui l'ont connue. Sa personnalité est assez intriguante. Elle ne vivait pas comme une nonne, j'imagine !

Marchand acquiesça sans faire de commentaire. Sa mine s'était allongée. Putain, ce voyage à Paris lui tombait dessus comme une vérole. Et s'il fallait qu'il passe d'abord à Saint-Malo, autant qu'il ne rentre pas à

Rennes cette nuit, mais qu'il dorme sur place. Sa femme allait hurler.

— Capitaine ? s'enquit Carole. Que comptait-il faire du corps de sa fille ?

— Il doit être incinéré demain.

— Je crois qu'il faudrait surseoir. Si Lola Richardson est le bébé disparu, il y a un moyen de le prouver. Ma cousine est enterrée ici. Vous pouvez obtenir une exhumation et comparer les ADN.

Lebris hésita un moment. Il savait que c'était possible. Au grand étonnement de Carole, il finit par lui sourire presque aimablement.

— De toute façon, la pauvre n'est plus à quelques jours près, et je crains que Richardson ne soit dans l'incapacité d'assister à une crémation demain. D'accord. Je leur ordonnerai d'attendre.

Carole profita de son avantage pour pousser un autre pion.

— Vous vous souvenez sans doute que je suis en poste à Marville. Lola y serait née. J'aimerais, si vous n'y voyez pas d'inconvénient, envoyer un collègue de là-bas enquêter dans les maternités. Il n'y en a que deux, l'hôpital et une clinique privée. Ils gardent sûrement des archives. On ne sait jamais. Quelqu'un se souviendra peut-être de cet accouchement. Vous pourriez obtenir une photo de la femme de Richardson ? Ancienne, autant que possible. On la faxerait à Marville. Si elle a bien mis Lola au monde et que je me suis trompée, on en aura au moins la certitude.

— Et comment ? Une sage-femme qui reconnaîtrait une mère si longtemps après ? Je suis persuadé que vous perdez votre temps. Enfin, si ça vous amuse...

Il n'allait quand même pas faire ami-ami. Leurs relations s'amélioraient cependant. Lebris tenait son poisson au bout de la ligne. Personne ne risquait plus de lui faire de l'ombre, et il avait besoin de monde. Il était presque neuf heures quand ils se séparèrent. La plupart des agents estimaient qu'ils s'en tiraient à bon compte. Roxane Fiquet pérorait. Lebris et le commissaire Leguen s'apprêtaient à aller parler à la presse. Marchand semblait à présent plus méditatif que boudeur. Quand Carole passa à sa portée, il la retint par la manche.

— Il faut que je vous parle. Je n'ai pas voulu vous contredire devant les autres, mais j'ai la preuve que Lola n'a pas été adoptée par les Richardson. C'est bien leur fille.

Carole sursauta, un crabe lui pinçait le ventre. Elle se contenta d'un signe pour encourager le collègue à continuer.

— J'ai eu au téléphone la première personne à se manifester après avoir vu la photo dans le journal, le maire d'un village de l'Eure, où Richardson a une maison. Je viens de me rappeler qu'il m'a dit que Mme Richardson était là-bas pendant sa grossesse. Il a bien prononcé le mot grossesse.

En remontant l'avenue Édouard-VII, Carole se demanda quel accueil lui réserverait Suzanne. Mais cette légère appréhension s'effaça rapidement car son cerveau était entièrement occupé par ce qu'elle venait d'entendre. Alors qu'elle avait essayé toute la journée de concevoir comment le bébé de Muriel aurait pu naître de parents Richardson, voilà que l'échafaudage s'effondrait. Pourtant, le doute avait beau s'insinuer en elle, elle ne parvenait pas à admettre que sa conviction n'était qu'une construction de son esprit. Elle roulait doucement, hypnotisée par le balai des essuie-glaces, sans voir la ville complètement endormie. La croix verte de la pharmacie ne clignotait plus. Une ambulance la dépassa et tourna à gauche pour pénétrer dans l'enceinte de l'hôpital. Seule la souffrance veillait encore. Peut-être une femme à l'abri des murs épais poussait-elle des cris dans les affres de l'accouchement. Une vie surgirait, une vie toute neuve en échange de celle d'un vieillard étendu glacé dans le sous-sol du bâtiment. Muriel avait-elle crié ? Elle était si jeune... Qui l'avait aidée à mettre au monde l'enfant dont on l'avait si tôt séparée ? Soudain Carole entrevit une solution. Et si le nouveau-né des Richardson était mort ? S'ils l'avaient remplacé par un autre ? Ou alors... Elle n'eut pas le temps de réfléchir davantage. Elle était arrivée. La lampe extérieure était allumée et le portail grand ouvert. Suzanne lui souhaitait ainsi la bienvenue, et Carole se sentit émue. Dans l'éclat lumineux, les nains de jardin dont la pluie avivait encore les couleurs criardes formaient une haie d'honneur. La porte s'ouvrit au moment où Carole posait le doigt sur le bouton de la sonnette. Sa cousine était plantée dans le corridor, vêtue d'une blouse bleue qui tombait toute droite sur son corps androgyne. Contrairement à ce que laissaient présager les illuminations, l'accueil manquait de chaleur. La froideur des yeux marron trahissait un reproche muet, et les lèvres étaient pincées. Suzanne était furieuse et ne s'en cachait pas. Avec raideur, elle fit demi-tour, conviant d'un mouvement du menton son invitée à la suivre. Elle n'ouvrit la bouche qu'une fois dans le séjour.

— Il est très tard. Le rôti est desséché. Tu vas m'obliger à me coucher à pas d'heure alors que je dois me lever très tôt.

Carole faillit s'enfuir. Ça commençait à bien faire et elle n'avait pas l'intention de subir les jérémiades de cette bonne femme. Elle ne bougea pourtant pas et fit l'effort de s'excuser, d'abord parce qu'elle mourait de faim et qu'une odeur alléchante venant de la cuisine la faisait saliver, et surtout parce qu'elle avait mauvaise conscience. Elle avait déjà fait faux bond le midi à Suzanne dont la solitude excusait la mauvaise humeur. Qu'avait-elle d'autre, cette vieille fille, qu'un rempart d'habitudes, de manies pour emplir son existence ? En définitive, elle était heureuse d'avoir de la compagnie à condition que le rituel ne fût pas chamboulé. Après ce dîner, il faudrait trouver des biais pour éviter ses invitations. Décidément, comme embryon de parenté, elle ne faisait pas l'affaire. Si Muriel avait vécu, auraient-elles été proches ?

— Je suis désolée, j'ai eu un imprévu. Pas moyen d'y échapper. Je suis sûre que le rôti sera délicieux, dit-elle avec un sourire qu'elle espérait convaincant.

Une nappe de lin blanc, brodée de fleurs mauves, recouvrait la table. Suzanne avait sorti la porcelaine fine et les couverts en argent. Elle montra une chaise :

— Assieds-toi. Il est trop tard pour l'apéritif. Je vais chercher l'entrée.

Elles commencèrent à manger en silence. Carole oublia un instant l'atmosphère pesante pour se consacrer exclusivement à combler le gouffre de son estomac. La quiche et le vin étaient bons. Mais quand la viande fut posée devant elle, le malaise devint insupportable. Elle n'avait plus faim. Une odeur un peu écœurante, mélange d'encaustique et de lavande, se mêlait aux effluves des nourritures, les supplantait peu à peu, sucrant les légumes, poissant les narines. Si seulement elle avait pu faire une pause, fumer une cigarette. Mais son assiette se remplissait avant d'être vidée. Et le tabac était banni de cette maison... Dans un sursaut de révolte, Carole repoussa le plateau de fromages. C'était infernal !

— Non merci, articula-t-elle fermement. Je suis repue.

— Tu n'as pas un gros appétit pour quelqu'un de ton âge...

Enfin, elle parlait !

— Tu sais, ma croissance est terminée depuis longtemps ! Tu as passé un bon après-midi ? Comment va ton dos ?

Il fallait bien amorcer la conversation. La balle fut saisie au bout de quelques secondes.

— Pourquoi tu me parles de mon dos ? Je vais très bien. Encore un grand nettoyage. Des patrons qui arrivent demain. Puis les courses et j'ai préparé le dîner.

— Étais-tu dans la Malouine ? Tu te rappelles le vieux qui cognait sur sa fenêtre ce matin ? Il a été assassiné.

Ce n'était pas un secret. La ville tout entière devait déjà bruire de la nouvelle. Le sujet ne parut pas passionner sa cousine :

— Ce vieux-là ? C'est la première fois que je le voyais. Je n'étais pas dans ce coin, mais vers la Thalasso. Une maison récente.

Subitement, elle s'énerva.

— Où on va, mais où on va ? Le mal est ici. Dans les beaux quartiers. Dieu punit ceux qui sont arrogants. Tu ne dois pas te mêler de ça, Carole. Pourquoi étais-tu avec ces policiers ? Ce n'est pas ton affaire... Tu ne vis plus dans notre ville. Comment une femme peut-elle faire un métier pareil ? Tu y perdras ton âme. Tu veux de la glace ?

Carole ne voulait pas de glace. Et la moutarde commençait à lui monter au nez.

— Je n'y perds pas mon âme. J'essaie de défendre les victimes et d'arrêter les criminels. Et toi non plus tu ne peux rester indifférente à cette série de meurtres. Il est possible qu'ils aient un rapport avec l'assassinat de ta sœur. Et la femme de chez Valençay était peut-être ta nièce. Tu le savais, n'est-ce pas, que Muriel avait eu un bébé ?

Elle regretta immédiatement de n'avoir pas tenu sa langue. Suzanne était devenue plus blanche que sa nappe. Son visage lisse semblait cireux. Elle mit son bras devant ses yeux, comme pour parer un coup. Elle répondit d'un ton exalté :

— Muriel n'a jamais eu de bébé. Muriel était pure et innocente. Une créature de Dieu. Ce sont des mensonges. La police a raconté ça pour la salir. Je t'interdis de répéter une horreur pareille. Dieu nous l'a donnée, Dieu nous l'a reprise. Et si on n'a pas trouvé celui qui l'a tuée, c'est qu'Il ne l'a pas voulu. Il n'y a rien à ajouter.

Elle s'était mise debout et se signa à plusieurs reprises. Carole eut la certitude que le malheur et la solitude avaient fini par rendre Suzanne hystérique. Sa patience était à bout. Cette fois, elle ne résista pas à son envie de fuir. Elle vida son verre et se leva.

— Je suis désolée.

Même formule à l'arrivée et au départ... Quelle soirée !

— Je n'aurais pas dû te parler de ça. Je vais te laisser te reposer. Je te remercie mille fois.

Sa cousine s'était un peu calmée. Elle recouvra de l'affabilité.

— Tu reviendras ? Tu seras là pour Noël ?

— Je ne sais pas encore. Je te téléphonerai.

Elle enfila son manteau et courut plus qu'elle ne marcha vers la sortie. Dans le corridor, elle embrassa les joues sèches. En lui ouvrant la porte, son hôtesse répéta :

— Ne te mêle pas des affaires de la police dinardaise, Carole. C'est mal.

CHAPITRE XIV

Samedi 23 décembre.

Le silence l'angoissait. Et pourtant, comme tout silence terrestre, il n'était pas absolu. Le vieux réveil au cadran rond de son père tictaquait sur la table de chevet. Sept heures et demie. La marée était haute car l'eau clapotait contre les pierres de la jetée. Régulièrement, le gaz se mettait à siffler quand le chauffe-eau se déclenchait. Le cri strident d'une mouette avait tiré Carole du sommeil. Ces fichues bestioles ne dormaient donc jamais ! Elle avait le cœur qui battait un peu trop vite, la bouche pâteuse. En rentrant, la veille, elle avait ouvert une des bouteilles de bordeaux continuant à vieillir à la cave et fumé clope sur clope, retardant le moment de se mettre au lit alors qu'elle était épuisée. Elle ne parvenait plus à raisonner correctement. Un comportement de tarée, mais aussi une manière de rejeter l'ordre et la dinguerie de Suzanne. Se nettoyer en empuantissant l'atmosphère... N'empêche qu'elle avait plongé dans l'oubli dès qu'elle avait posé la tête sur l'oreiller ! Même pas consulté le répondeur de son portable qu'elle avait éteint en arrivant chez sa cousine. Autant se lever. Elle fit du café. Il en restait un paquet pas trop périmé dans

269

le buffet. Et du sucre. Rien d'autre, évidemment. Elle aurait dû acheter du pain et du lait. L'idée ne l'avait pas effleurée. Une fois douchée et habillée, elle se sentit gagnée par l'impatience. Il fallait envoyer le plus rapidement possible quelqu'un de Marville fouiller dans les archives des maternités. Que Lola Richardson fût née là-bas, c'était un drôle de clin d'œil. Machinalement Carole mit son téléphone en marche et composa un numéro qu'elle connaissait par cœur. À la première sonnerie elle coupa la communication. Quelle abrutie ! Elle avait appelé chez Modard. L'image de son adjoint gisant inconscient sur un lit d'hôpital s'imprima sur tous les murs de la maison. Seigneur, même si vous n'existez pas, faites qu'il s'en tire. Ça n'allait pas être facile de trouver au commissariat un collègue prêt à lui rendre ce service. Il valait mieux attendre un peu que l'équipe de jour soit sur place. Carole n'osait pas appuyer sur la touche qui lui donnerait accès au répondeur. Le symbole sur l'écran l'avertissait qu'elle avait un message. Emmanuel avait-il tenté de la joindre ? Elle le souhaitait ardemment. Elle avait besoin de sa voix, de sa présence, de sa chaleur. Elle finit par se décider. Vous avez un nouveau message. Le sang cogna dans le ventre. Seulement Marie Palante. « *Carole ? C'est Marie. Il est deux heures du matin. J'espère que tu dors. Emmanuel vient juste de nous quitter. Il va mal. Tu déconnes Carole. Arrête de faire ta tête de mule. Pourquoi tu es partie comme ça ? Comme un animal qui se cache pour lécher ses plaies... Bon, on part demain, mais lui il ne bouge pas. Ce n'est pas ta faute, ce qui est arrivé à Modard. D'ailleurs, j'ai une bonne nouvelle. Il paraît qu'il est sorti du coma. L'équipe médicale est plus optimiste. Il sera sûrement content de te voir. Tout le monde sera content de te voir. Je t'embrasse. Bon Noël.* » Il était sorti du coma...

Une vague de bonheur déferla. Carole contemplait le petit appareil porteur du miracle quand brusquement un minuscule incident surgit des limbes où sa banalité l'avait relégué. Marie. Le répondeur. Elle savait désormais ce qu'était le petit caillou qui avait chatouillé son subconscient au moment où le type au portable l'avait bousculée devant la vitrine de la librairie. Quelqu'un avait menti. Mais pourquoi ? C'était absurde... Une phrase d'André Chapuis remonta à la surface. Un mobile possible ? Elle délirait. Il y avait forcément une autre explication. Elle attrapa son sac et son manteau, éteignit toutes les lumières et sortit. Rien n'annonçait encore l'aurore. L'air était plus frais, plus sec. Les senteurs du goémon chassaient la gueule de bois.

À huit heures trente, Lebris et Marchand étaient à Saint-Malo dans le bureau du juge d'instruction. Dans le jour naissant la cité corsaire somnolait encore sous ses guirlandes de fête. La flèche de la cathédrale se fondait dans le clair-obscur et le palais de justice, massif bâtiment de granite, se détachait de l'ombre. Jean-Pierre Marquet était d'une humeur de dogue, son grand corps maigre avachi dans le fauteuil.

— Vous êtes sûrs que ça ne pouvait pas attendre mardi ? J'espère que cette fois vous n'allez pas vous planter. Paris a relâché Alexandre Valençay et ses amis hier soir. Évidemment, le père est furieux.

Le capitaine, profil bas, résuma pour le magistrat les derniers rebondissements. Le juge se radoucit.

— Votre Richardson, vous l'interrogez le plus vite possible. Faites fouiller sa chambre d'hôtel pendant la garde à vue. Vous me faites parvenir les procès-verbaux. Si vos soupçons se confirment, on le défère ce soir. Je suis là jusqu'à dix-huit heures. Mais je ne l'entendrai qu'après Noël. Je m'absente.

Il tendit une liasse de documents.

— Commission rogatoire, avec ordre aux collègues du treizième de vous assister, mandat de perquisition pour l'appartement de la première victime et pour l'hôtel. Vous pouvez y aller.

Cinq minutes plus tard, les policiers se séparaient. Lebris revenait à Dinard et Marchand prenait la route de Paris. Il n'y serait pas avant l'heure du déjeuner et ne rejoindrait sa famille que tard le soir. Il avait les reins endoloris et les paupières lourdes. Chaque fois qu'il dormait ailleurs que dans son lit, c'était la catastrophe. Il faudrait qu'il s'arrête sur l'autoroute pour boire un autre café. Celui de l'hôtel était dégueulasse. Il alluma une cigarette et appuya le pied sur l'accélérateur. Au moins, il ne pleuvait pas.

Carole et Hervé Lebris montèrent au même instant les marches du commissariat. L'homme de la PJ toisa sa collègue avec un sourire ironique.

— Bonjour, capitaine Riou. Vous êtes bien matinale pour quelqu'un qui est en vacances.

— Parce que c'est un plaisir de travailler à vos côtés, capitaine Lebris, répliqua Carole en lui rendant son sourire.

Il se figea. En plus il n'avait aucun sens de l'humour. La jeune femme préféra éviter l'affrontement.

— Ne vous inquiétez pas. Je ne marcherai pas sur vos plates-bandes. Je vais juste chercher à obtenir des renseignements sur la naissance de Lola, comme nous en étions convenus hier soir. N'oubliez pas de demander à Richardson s'il a une vieille photo de son épouse. Je peux utiliser le fax ?

L'officier se détendit. Soudain, plus qu'une rivale, il vit en face de lui une jolie femme.

— Bien sûr, concéda-t-il.

— Vous avez réfléchi à l'idée d'une exhumation de Muriel Letellier ?

Non, il n'y avait pas vraiment réfléchi. Il avait accepté, il ne savait trop pourquoi, de faire retarder la crémation, mais se voyait mal solliciter du juge un truc aussi dingue... Il fila vers le premier étage après voir lancé au passage une série d'ordres clairs et précis aux hommes présents au rez-de-chaussée. Richardson allait être cueilli au Grand Hôtel et le réceptionniste de l'Hôtel des Roches ramené au poste manu militari.

— Faites en sorte qu'ils ne se rencontrent pas avant que je les aie interrogés.

Le mouvement de troupe se fit en cadence et deux voitures démarrèrent en même temps. La valise découverte dans le coffre attendait dans le bureau. La police technique y avait relevé quelques empreintes, malgré son séjour dans l'eau, mais uniquement celles de la morte. Ils poursuivaient l'examen du cabriolet. En l'absence de Marchand, Boitel était réquisitionné pour assister le capitaine pendant les interrogatoires. Il bâillait et avait des cernes sous les yeux. Une folle nuit de jeune marié ? Un brigadier inconnu de Carole, aussi maigre que l'autre était rond, remplaçait Lefrileux à l'accueil. D'un air totalement indifférent il désigna un téléphone et un fax. Débrouillez-vous. Et il se replongea dans les mots croisés de *Ouest-France*. La nouvelle de l'assassinat du vieux Debrincourt était parvenue au journal avant le bouclage et faisait un gros titre à la une. « La perle de la Côte d'Émeraude frappée par une épidémie de meurtres. » Il fallait toujours qu'ils exagèrent. Qui allait-elle appeler ? Elle n'avait pas d'atomes crochus avec la grande majorité des OPJ de Marville. Elle était la seule femme officier. Si elle était obligée, lorsque Modard était de repos, d'avoir l'un d'entre eux pour équipier, les missions se déroulaient dans une ambiance de franche hostilité. Les lieutenants supportaient mal d'être commandés par une femme, les commandants la considéraient au mieux comme quantité négligeable, au pire comme une mauviette qui risquait de faire rater l'intervention. Elle n'avait d'autre choix que d'essayer de convaincre directement le commissaire Giffard de dépêcher deux agents à l'hôpital et à la clinique des Églantines. La tâche s'avéra ardue.

— Vous n'y pensez pas, capitaine Riou ! Vous me mettez déjà dans l'embarras en filant à l'anglaise alors que vous deviez assurer la garde. Modard étant à l'hosto, j'ai dû sucrer le week-end de deux de vos collègues. Ils sont furibards. Vous ne voudriez pas que je leur impose un travail supplémentaire et sans aucun mandat, sous prétexte que vous profitez de vos vacances pour jouer au détective ! Et que vous voulez des informations sur un accouchement vieux de trente et un ans ! Franchement, vous vous foutez de moi !

Carole utilisa la seule arme de persuasion dont elle disposât : le week-end du jour de l'an. Elle promit donc d'être de retour le 29 et d'assurer trois jours de permanence. Giffard, en échange, prêtait un gardien de la paix.

— Je vous faxe déjà une photo, ajouta Carole sortant de son sac le portrait de Muriel. Je compte en avoir une seconde rapidement. L'idéal serait qu'une sage-femme proche de la retraite ait pratiqué l'accouchement qui m'intéresse et nous dise si elle se rappelle l'un de ces deux visages et si le bébé qu'elle avait mis au monde était en bonne santé. Dans ce cas, qu'on me joigne aussitôt sur mon portable.

Après avoir raccroché, elle resta plantée près de l'amateur de mots croisés qui n'avait pas levé le nez. Et maintenant ? Exclue de l'enquête officielle, elle était condamnée à l'attente et au désœuvrement. Elle se sentit gagnée par le découragement. Qu'espérait-elle ? En réveillant ses souvenirs d'enfance, en ressuscitant une Muriel adolescente, elle avait aboli le temps. Tout cela n'était qu'un leurre. La mort de sa cousine lui semblait proche seulement parce que la conscience qu'elle en avait était récente. La superposition de deux jeunes visages féminins avait pipé les dés. Et dans l'imaginaire de Carole, la plus âgée était celle qui vivait encore deux semaines auparavant ! En réalité, elle était bien loin la petite fille au manteau bleu marine donnant la main à sa mère dans un cimetière ensoleillé. Muriel aujourd'hui aurait cinquante ans... et on étudiait Mai 68 dans les manuels d'histoire. Combien d'enfants naissaient chaque jour dans les maternités de France ? Comment croire que l'un d'entre eux ait laissé durant trois décennies des traces indélébiles dans la mémoire du personnel médical ? Elle haussa les épaules. La journée s'étendait devant elle comme un champ en jachère. Vide et stérile. Carole se demanda à quoi elle allait l'occuper. Pas envie de voir Suzanne, aucun élément nouveau ne justifiant de déranger Chapuis. Personne n'avait besoin d'elle. Elle aurait donné n'importe quoi pour participer à la chasse, mais elle était décidément devenue une étrangère dans cette ville. Dinard la rejetait, la privait de son enfance, niait ses racines. Carole éprouva un fort sentiment d'exil, une violente nostalgie. L'absence de son père lui causa brusquement un immense chagrin. Où était sa place ? La solitude dont elle s'était fait un bouclier se transformait en un lourd fardeau. Elle dut lutter, une fois de plus, contre la tentation de rentrer à Marville. Ce n'était peut-être pas chez elle, mais elle manquait à Emmanuel.

Une série d'événements la sortit de sa morosité. La porte s'ouvrit. Deux agents en uniforme accompagnaient un homme assez jeune qui avait la tête d'un bouledogue et émettait des protestations indignées.

— Qu'est-ce que c'est que ce cirque ? J'ai rien fait, moi ! Qui va accueillir les clients ? Et qui va servir le petit déjeuner du 3 ! À cette époque de l'année je suis le seul responsable de l'hôtel, et la femme de ménage n'est pas arrivée. Le patron va me virer...

Il fut fermement invité à se calmer et à monter les escaliers. Lebris l'interrogerait donc en premier. Logique. L'un de ses gardiens resta en arrière pour faire signe aux collègues de la deuxième voiture arrivée trois secondes après qu'ils pouvaient entrer. Carole supposa qu'elle allait enfin voir Richardson. Elle fut frappée par sa corpulence. Sa haute taille et son embonpoint, sa démarche lourde et lente l'apparentaient à un éléphant. Il ne portait pas d'écharpe. Celui-là ne disait rien. Il avait l'air calme, l'air de qui n'a rien à se reprocher et se demande ce qu'on lui veut. Pourtant une goutte de sueur perlait sur son front et ses yeux légèrement enfoncés dans les orbites révélaient qu'il était sur le qui-vive. On le fit entrer dans un petit bureau du rez-de-chaussée où les deux agents s'enfermèrent avec lui. À contrecœur, Carole s'apprêtait à partir, quand le téléphone sonna. Le brigadier en soupirant posa son journal et décrocha.

— Je vous écoute, capitaine.

Un appel interne. Sans doute Lebris. L'autre était laconique :

— Fiquet ? Elle est sortie. Un accident de mobylette. Lui ? Pas de service. Non, personne. Si, elle est encore là. D'accord.

Son regard se posa sur Carole qui se dirigeait vers la porte comme s'il la découvrait.

— Capitaine Riou ? C'est bien vous ? Le capitaine Lebris veut vous voir.

Du doigt, il désigna le plafond. Lebris la guettait dans le couloir, mal à l'aise.

— Vous pourriez me rendre un service ? Il n'y a personne de disponible pour le moment. Et j'ai un témoin sur le gril.

Il indiqua la porte fermée derrière laquelle il avait caché le bouledogue. Un service par défaut ? Pourquoi pas. Si ça aidait à tuer le temps...

— Je viens d'avoir la compagnie aérienne qui assure les vols Paris-Londres. Ils ont consulté leurs listings. Ils ont bien délivré un billet au nom de Peter Richardson le 9 décembre. Il a pris le vol venant d'Angleterre, notre soi-disant phobique ! Pas de trace du retour. Ils me sortent une copie de la liste des passagers. Ça vous ennuierait d'aller la chercher à Pleurtuit ?

Un boulot de groom pour un officier. Non, pour un informateur officieux. Elle accepta et reçut un cadeau en échange :

— J'ai épluché le contenu de la valise. Rien que des affaires propres. Du haut de gamme. Au vu de la quantité de linge, je ne pense pas qu'elle prévoyait un séjour très long. Deux jours au maximum. Elle semble n'avoir dormi nulle part. Elle a peut-être été tuée très peu de temps après son arrivée sans avoir retiré ses bagages du coffre. Ou l'assassin les y a remis. Si l'on admet que son père l'a déshabillée pour détourner les soupçons, j'aimerais savoir où sont passés les vêtements qu'elle portait, ses chaussures, son sac.

Carole fila vers l'aéroport. Le jour s'était bien installé, et la fraîcheur sèche de l'aube n'était pas trompeuse. Les nuages avaient provisoirement déserté et, venue d'un ciel plus lointain, une lumière bleutée baignait la ville. Les gens n'étaient pourtant pas sortis en masse de leur cocon pour en profiter. Ils restaient à l'abri. Du froid, ou du tueur. À l'aérogare, on n'attendait pas d'atterrissage avant une heure, le parking était vide et seuls quelques futurs voyageurs se renseignaient aux guichets. L'employé à qui s'adressa Carole la conduisit dans un bureau où l'accueillit une femme d'un certain âge.

— J'ai imprimé les deux listings sur lesquels on trouve le nom que vous cherchiez. Ce monsieur a pris deux fois l'avion de Londres. Le 9 décembre et hier matin. Il a payé dans les deux cas par carte bancaire. Voici le double du reçu que j'ai demandé à notre agence anglaise de faxer. Ah ! Il y a autre chose. Le premier billet, celui du 9, était un aller-retour. Une place était retenue sur le vol du dimanche soir pour l'Angleterre. L'homme ne s'est pas présenté à l'embarquement.

Sur la route la ramenant à Dinard, le capitaine Riou se disait que le suspect était mal barré. Il était sur place dans l'intervalle de temps où le meurtre avait pu être commis. Comment avait-il regagné Londres ? Peut-être plus tôt que prévu, par le train ? Avait-il passé la nuit à l'hôtel ? Ce qui la tracassait, c'est qu'il eût pris si peu de précautions s'il avait fait ce voyage dans l'intention de commettre un meurtre ! Il avait donné son nom, payé par carte bancaire... Ou alors, il n'avait rien prémédité, simplement retrouvé sa fille par hasard ou parce qu'ils avaient rendez-vous. Une dispute, il l'étrangle, la dévêt et quitte la Bretagne précipitamment. Non, ça ne tenait pas debout. Si Lola avait été tuée le samedi 9, sa présence chez les Valençay était encore plus inexplicable. Innocents, et même complètement bourrés, Alexandre et ses copains n'auraient pas passé un week-end avec un cadavre dans le salon sans réagir ! Elle fit part à Lebris de ses réflexions lorsqu'elle lui remit les papiers. Il était seul dans son bureau et ne refusa pas le dialogue.

— Je suis aussi perplexe que vous. Surtout après ce que je viens d'apprendre. Manoury, l'employé de l'Hôtel des Roches, a fini par lâcher le morceau. Il a bien vu Richardson le 9. Il est arrivé à midi, a réservé une chambre et y a déposé une mallette. Il est ressorti aussitôt. Il avait l'air pressé. Il est revenu vers dix-sept heures. Selon le témoin, il faisait la gueule. Pas paniqué, ni affolé. Plutôt furieux. Il a dit qu'il ne prolongerait pas son séjour, payé sans protester la chambre qu'il n'avait pas occupée, puis consulté les horaires des trains Saint-Malo-Paris et demandé qu'on lui appelle un taxi. L'établissement est ouvert toute l'année, mais comme l'hiver il tourne au ralenti, la direction ne garde que Manoury et une femme de chambre qui vient le matin. Manoury était donc le seul à avoir vu Richardson.

— Alors pourquoi n'a-t-il rien dit au brigadier qui l'a interrogé ?

— J'y arrive. Hier, un peu avant deux heures, il a vu débarquer son étrange client. Richardson a tiré de sa poche une liasse de billets. Dix mille balles. Il lui a juste ordonné d'oublier qu'il l'avait déjà vu. Le type n'a pas résisté bien longtemps quand il a compris ce qu'il risquait. Je lui ai promis de fermer les yeux sur le faux témoignage...

— Qu'est-ce qu'il dit, Richardson ?

— Je ne l'ai pas vu. Il marine en bas. J'attendais que vous me rameniez la preuve noir sur blanc qu'il était dans l'avion. Que voulez-vous qu'il dise ? Il est cuit. Je ne pense pas que nous aurons besoin de fouiller dans le passé pour élucider cette affaire. Il n'y a sûrement pas de rapport. Merci quand même de votre aide.

Il avait été aimable, certes, mais il la virait de nouveau !

— Capitaine, je peux vous poser encore une question ?

Lebris reprenait son air agacé.

— Allez-y.

— Le vieux monsieur, il est mort à quelle heure ?

— Le légiste ne fera l'autopsie que mardi. D'après les premières constatations, la mort remontait à deux ou trois heures quand on l'a examiné. De toute manière, il a été tué pendant l'absence de sa gouvernante. Elle est partie à deux heures et revenue à quatre. Richardson était dans mon bureau à partir de trois heures.

— Ça ne lui laissait guère de temps...

— Presque une heure... C'était jouable.

— N'empêche que je me demande où était caché le corps de Lola pendant que les jeunes faisaient la fête à la villa... Et comment il y est arrivé après leur départ.

— L'IJ n'avait pas exclu qu'elle ait pu être tuée ailleurs et transportée ensuite, ce qui expliquerait qu'on n'ait trouvé aucune de ses empreintes dans la maison. Je vais faire rechercher le chauffeur de taxi qui a chargé notre homme à l'hôtel le 9 en fin d'après-midi. Il n'est pas forcément parti. Mais s'il s'avère qu'il a bien pris le train...

Il appela le chef de poste, il était prêt à recevoir Richardson. Carole n'avait plus qu'à s'en aller. Elle n'avait pas osé réclamer à nouveau sa photo. Debout sur le trottoir, elle offrit son visage aux picotements du froid et du soleil et décida de se balader en bord de mer. Attirée par une odeur de pain chaud, elle entra dans une boulangerie, acheta des croissants et marcha jusqu'à la plage en balançant au bout du bras le léger sac de papier. Les baraques devant lesquelles l'été on faisait la queue étaient fermées. Pas d'enfants léchant d'énormes glaces roses ou barbouillés de blanc par le sucre répandu sur les gaufres brûlantes. Mais sur l'un des bancs une très vieille dame emmitouflée dans un anorak rouge était assise, une canne posée à côté d'elle, les paupières mi-closes. Carole s'installa un peu plus loin, sans bruit et ouvrit le sac. Une tache de graisse, laissée par les croissants tièdes, jaunissait le papier et le rendait translucide. Un autre souvenir surgit de l'oubli. Était-ce au même endroit ? La maîtresse avait emmené la classe chercher des crevettes à marée basse dans le cadre des leçons de choses. On était remonté sur la digue pour manger le goûter que les fillettes avaient apporté. Carole, qui n'avait que des tartines de confiture, contemplait pleine d'envie le pain au chocolat et le chausson aux pommes de sa copine, dans leur emballage maculé de beurre. Elle ressentait encore la violence de sa frustration pendant que la chanceuse dévorait les gâteaux à pleines dents sans lui en proposer une miette... Sa mère n'entrait jamais dans une pâtisserie. Les sucreries donnaient des caries. En souriant, elle mordit allègrement dans la pâte dorée puis, se sentant observée, tourna la tête. La vieille dame avait ouvert les yeux et la regardait avec beaucoup de bienveillance et un peu de convoitise. La gourmandise n'était pas l'apanage des petites filles.

— Vous en voulez un ?

— Si ça ne vous prive pas trop... Ils ont l'air bons !

Carole changea de place, et côte à côte, elles grignotèrent. La mer redescendait. Une risée venue du nord balaya la surface de l'eau et sur le sable humide miroitèrent des milliers de paillettes dorées. À l'horizon se profilait la silhouette d'un gros bateau, ferry ou cargo, et une unique voile blanche louvoyait devant la masse arrondie de l'île Cézembre.

— C'est beau, non ? déclara sa voisine à Carole. Voilà bientôt vingt ans que j'habite ici, et je ne m'en lasse pas. Je me réjouis chaque jour de pouvoir finir ma vie dans un cadre aussi somptueux.

C'était beau. La femme à l'anorak rouge se leva

bientôt et s'éloigna à petits pas, appuyée sur sa canne. Elle ne semblait pas avoir peur, n'avait pas évoqué les meurtres. Elle était sereine, encore pleine de joie de vivre. Soudain, Carole eut l'impression de se réconcilier avec Dinard. La cité lui offrait ce matin une rencontre amicale et lui rendait sa carte postale bleu et or, cité dont Chapuis disait tant de mal mais qu'il ne pouvait se résoudre à quitter. Dans leur démesure même, dans l'exubérance naïve de leur architecture, les villas caressées par la lumière paraissaient moins arrogantes que porteuses d'une douce nostalgie. Une énergie renouvelée emporta Carole de la Pointe du Moulinet au bout de la Promenade du Clair de lune. En marchant d'un pas rapide, elle réfléchissait. Quand elle revint à sa voiture, elle avait pris une décision. Elle voulait savoir pourquoi on lui avait fait ce mensonge en apparence anodin. Il ne servait à rien d'imiter l'autruche et tout en espérant se tromper, elle refusait de garder plus longtemps le doute. Elle sortit son téléphone de son sac.

Richardson paraissait fatigué. Assis dans le même fauteuil que la veille, il n'avait ni retiré son pardessus, ni allumé un cigare. Il parut étonné de voir Boitel devant l'ordinateur. Il prit néanmoins l'initiative d'ouvrir les hostilités.

— Je suis scandalisé par les procédés de la police. Vous envoyez des hommes en tenue à l'hôtel, ce qui manque singulièrement de discrétion et m'a profondément choqué. Ils me cueillent au saut du lit sans me laisser le temps de me raser. J'en déduis que vous avez des informations urgentes à me transmettre sur l'assassin de ma fille et au lieu de ça, deux hommes entament une fouille de ma chambre et vous me faites poireauter plus d'une heure sous l'œil de vos guignols, comme si j'étais un malfaiteur. J'ai autre chose à faire qu'à attendre votre bon vouloir. Je dois m'occuper des obsèques de Lola.

Lebris ne broncha pas. Son expression ne dénotait qu'une neutralité polie.

— Le corps de votre fille ne sera pas incinéré aujourd'hui, monsieur Richardson. Des éléments nouveaux nous obligent à exiger un délai.

Le marchand de tableaux accusa le coup. Il ouvrit la bouche pour protester, mais le capitaine le devança :

— Vous nous avez menti. Pourquoi avoir caché que vous étiez venu récemment à Dinard ? Et justement à la date où le médecin légiste situe la mort de Lola.

Le gros corps se tassa sur son siège, et les bajoues que la barbe renaissante envahissait s'empourprèrent. Richardson sembla oublier de respirer pendant quelques secondes, puis avala une grande goulée d'air et redressa le torse.

— Je n'ai pas mis les pieds à Dinard depuis ma jeunesse ! Je vous défie de prouver le contraire !

Bon sang, pourquoi niait-il l'évidence ? Même s'il comptait sur le silence de l'hôtelier, il devait bien se douter qu'il était facile de trouver trace de son voyage en avion ! Ce type les prenait pour des imbéciles s'il pensait qu'il les empêcherait de vérifier à l'aéroport en prétendant avoir la trouille ! Lebris eut pourtant l'honnêteté de reconnaître en son for intérieur que si Roxane Fiquet n'avait pas levé le lièvre avec son histoire de taxi, il aurait peut-être fait l'impasse sur la route des airs. Le coup de bluff tenté par Richardson avait foiré, mais n'était pas stupide.

— Le défi est relevé, monsieur. Nous avons la liste des passagers sur le vol du samedi 9 décembre. Et le reçu de votre carte bancaire. Vous aviez même payé le retour. Vous espériez sans doute que nous omettrions

283

de vérifier, en essayant de nous faire croire que vous étiez allergique aux transports aériens. C'est raté.

Richardson avait conscience qu'il était en train de perdre la partie. De plus en plus rouge, il desserra son nœud de cravate et passa le doigt entre son cou et le col de sa chemise. Il ressemblait à un animal traqué mais n'avait pas renoncé à faire front dans une ultime tentative :

— Je n'ai pas mis les pieds à Dinard. J'allais à Saint-Brieuc livrer un tableau.

Lebris n'avait plus qu'à donner l'estocade. Le lieutenant Boitel qui ne perdait pas une miette du combat, bien que le jugeant par trop inégal, surprit dans l'œil du capitaine une lueur de pure jouissance. Il aimait ça, le salaud. Il acheva la bête blessée :

— Monsieur Richardson, pensiez-vous vraiment faire le poids avec votre petit million de centimes face à la menace d'un procès pour faux témoignage ? L'homme de l'Hôtel des Roches sort de mon bureau. Vous voulez lire sa déposition ? Pourquoi avez-vous tué Lola ?

Cette fois, Richardson sembla se liquéfier. La peur et la sueur sourdaient de tous ses pores. Il balbutia :

— Je ne l'ai pas tuée. Je ne l'ai même pas vue...

Il savait qu'en face, on ne le croyait pas. Il se tut durant un long moment. Lebris le contemplait béatement. Finalement, le galeriste opta pour la résistance passive.

— Je ne dirai plus un mot. Je suis innocent. À vous de démontrer le contraire.

— Très bien. Dans ce cas, je vous place en garde à vue. Je devrai également vous entendre à propos du meurtre d'Édouard Debrincourt.

— Du meurtre de qui ?

Quel comédien, pensa Lebris. Il avait eu l'air réellement ébahi.

— Le meurtre d'un vieil homme qui a eu le tort d'être derrière sa fenêtre, d'un vieil homme qui vous connaissait car vous lui avez acheté autrefois des dessins...

— Vous êtes complètement fou, l'interrompit Richardson. Je ne vous répondrai même pas. J'ai droit à la présence d'un avocat.

Le capitaine lui tendit le téléphone. Le suspect retroussa sa lèvre supérieure dans un rictus méprisant.

— Je vais prévenir un de mes amis du barreau de Paris. Il vous faudra l'attendre avant de m'interroger à nouveau.

L'avocat était chez lui et promit qu'il se mettait en route immédiatement. Lebris attendrait. Il n'était plus pressé. Il pouvait prolonger la garde à vue quarante-huit heures, ou déférer son coupable au parquet le soir même. On verrait bien. Au fait, la petite Riou... Pourquoi ne lui ferait-il pas ce plaisir ? Ça ne coûtait rien.

— À propos, monsieur Richardson, pourriez-vous me confier une photo de votre épouse ? Pas trop récente.

La brève lueur de panique qui passa dans le regard de son vis-à-vis l'interloqua.

— Pour quoi faire ? Elle est morte. De toute façon, je n'ai aucune photo sur moi.

Tant pis. Le capitaine remplit les formalités obligées, se leva et appela les deux agents qui poireautaient dans le couloir.

— Vous installez M. Richardson dans une des geôles. Vous veillerez à ce qu'on lui apporte à manger à midi.

Dûment menotté, l'homme à l'allure d'éléphant fut conduit au sous-sol, privé de bretelles, de cravate et de lacets, puis abandonné, les mains libres, dans une cellule sombre et froide puant l'urine et le vomi. Il s'allongea sur le bat-flanc, repoussa d'un air dégoûté la couverture marron raide de crasse. Quand il commença à pleurer, nul n'était plus là pour l'épier.

Carole avait raccroché, très en colère. Pourquoi s'enferrer dans le mensonge, puisqu'elle lui avait fourni la preuve du mensonge ? Il suffisait de dire que c'était une erreur, un malentendu... L'épouvantable soupçon qui l'avait vaguement effleurée à son réveil revint en force. Mais non, Richardson était coupable. Forcément Richardson. Elle était pourtant mal à l'aise. Il lui fallait en avoir le cœur net. Elle ne savait pas trop comment s'y prendre. Avant, elle avait un pèlerinage à faire. Elle qui ne fréquentait jamais les cimetières, qui s'en voulait encore de n'avoir su convaincre les parents de Pierre de réduire son corps meurtri en cendres, qui se moquait de Suzanne et de ses chrysanthèmes, avait eu soudain un désir irrépressible de se pencher sur le tombeau de Muriel. Elle se dirigea donc vers la sortie de Dinard et gara sa Clio sous les grands ifs séparant les morts des vivants, sans être tout à fait certaine que le cimetière de son souvenir était bien celui-là. Si, il l'était. Un vieil homme en salopette, crottée de boue, en train de creuser un trou dans la terre argileuse, lui indiqua sans une seconde d'hésitation l'allée où Muriel Letellier avait été enterrée trente et un ans auparavant.

— Je les connais tous, expliqua-t-il. Surtout les jeunes. Celle-là, en plus, elle a de la visite et sa maison s'agrandit.

Carole comprit ce que signifiait la formule sibylline en découvrant le hideux monument de marbre surmonté d'angelots rondouillards, encombré de tous les saints de la Création et couvert de fleurs, artificielles et fraîches. La prolongation du culte à domicile. La revanche des Cognets. Suzanne, si fière de sa maison,

devait avoir décidé que sa sœur avait droit à une dernière demeure de luxe pour compenser l'enfance au
bidonville... Quelle horreur ! Carole demandait mentalement pardon à celle à qui l'on faisait subir ces
outrages post mortem quand son téléphone sonna.
Gênée, elle regarda autour d'elle si ce bruit incongru
n'avait choqué personne. Elle était seule et s'autorisa
à répondre. C'était Ducrocq, un brigadier de Marville
qu'elle aimait bien. Il avait enquêté dans les maternités.
Et trouvé la réponse à la clinique des Églantines. Il
parla longtemps. Il avait beaucoup à raconter. Carole
ne put retenir des exclamations de surprise. Elle n'en
espérait pas tant ! Une croix de granite lui servit de
pupitre pour noter des mots et des chiffres. Dès lors,
elle sut avec certitude qu'elle n'avait pas été abusée
par son imagination, là, devant la plaque en marbre où
elle lisait : « Muriel Letellier. 1950-1969. Paix à son
âme. » Son âme ? Elle n'aurait pas une seule chance
de reposer en paix. Au moins, il ne serait pas nécessaire
de violer la sépulture de sa cousine. Pas besoin de
comparer les ADN. Lola était bien le bébé disparu. Et
Carole pigeait parfaitement comment les Richardson
s'y étaient pris. Elle devinait aussi que l'assassinat de
la vraie mère était la suite logique de la naissance de la
fille. Elle appela André Chapuis. Il l'invita à déjeuner.

À cet instant, Lebris recevait un fax de Paris. La
mystérieuse petite brune surnommée Bébé existait bel
et bien. Quand elle avait lu dans la presse qu'un
meurtre avait été commis dans la villa où elle avait
passé une nuit avec une bande rencontrée dans une
boîte, elle s'était spontanément présentée à la police.
Bénédicte Roussel. Son père était un haut fonctionnaire. Elle était formelle, ils n'avaient laissé aucun
cadavre derrière eux. S'ils étaient partis en catastrophe

en début d'après-midi, c'était parce que deux abrutis avaient passé la nuit à fumer du shit, qu'ils avaient épuisé la provision et qu'il y avait eu une grosse engueulade.

— On s'en fout ! grommela le capitaine.

Le petit Bertrand demanda la permission d'aller chez son copain Nicolas. Il avait mal dormi. Comme si la chose cachée sous le matelas envoyait des rayons dangereux. Un vrai pistolet pour la Guerre des étoiles. Ce matin, il avait vaincu ses peurs. Il fourra l'enveloppe dans sa poche. Il raconterait tout à son meilleur ami. À eux deux, ils trouveraient bien une solution. Ça pourrait être marrant de jouer aux détectives.

CHAPITRE XV

Bernard Marchand avait choisi de commencer ses investigations parisiennes par la perquisition de l'appartement de la fille Richardson. Il arriverait dans la capitale à l'heure de midi, et la galerie de la rue de Seine serait sûrement fermée. Il y passerait donc dans l'après-midi. Inutile de perdre du temps à glander, il espérait ne pas se coucher trop tard. Rêver au confort de son lit, à l'odeur et à la chaleur de sa femme qu'il y rejoindrait, faillit l'envoyer sur la bande d'arrêt d'urgence. Il roulait vite, trop vite. Il s'arrêta à la station la plus proche, but un express bien tassé et appela le commissariat du treizième. Les collègues l'attendraient à l'adresse dite avec un serrurier. Non, cette nana n'avait pas fait parler d'elle. Sinon, ils auraient réagi en recevant l'avis de recherches. « Tu parles, pensa le lieutenant, tout le monde s'en fout des avis de recherches ! » L'enquête auprès du voisinage allait démarrer immédiatement. Marchand s'acheta un sandwich sous cellophane, un jambon-beurre qui avait goût de carton, et reprit la route. Il entra assez facilement dans Paris et quitta le périphérique à la Porte d'Italie. Ça grouillait sur les boulevards, piétons et automobiles agglutinés dans une débauche de décorations de Noël. Il tourna en rond, jurant et pestant, la carte de Paris étalée sur le siège du passager, avant de trouver la rue de La Butte-aux-Cailles et miraculeusement une place pour stationner. Le quartier, à son grand étonnement, ressemblait au centre d'un gros bourg. Une enclave provinciale, au cœur de la capitale, cernée par de hautes tours limitant l'horizon, avec des rues étroites et des immeubles vieillots de deux ou trois étages. Des tas de petits commerces avaient survécu, épicerie, boulangerie, bureau de tabac. Les restaurants d'apparence modeste affichaient des plats du jour à prix réduit et commençaient à se remplir. Le fumet des cuisines se répandait à l'extérieur, alléchant. On croisait des vieux qui baladaient leur chien. Une femme en bigoudis ouvrit une fenêtre en rez-de-chaussée pour saluer une connaissance. Un gros chat roux en profita pour sauter sur le trottoir. Lola avait habité au-dessus d'un magasin de lingerie fine. Deux agents en uniforme vinrent à la rencontre de leur collègue de la PJ.

— On peut y aller. Le serrurier nous attend devant la porte. Elle devait avoir du fric, la fille qu'on a refroidie. On s'est renseigné : tout l'immeuble lui appartient. Elle l'a acheté il y a environ un an. Elle s'est gardé le second et le troisième et a fait percer une ouverture pour en faire un duplex. J'ai hâte de voir ça !

L'escalier était ciré et les murs fraîchement peints. Sur le palier du second, un énorme pot en cuivre servait de porte-parapluies. Le serrurier lutta un moment contre la fermeture à triple verrouillage, mais en vint à bout. Les trois policiers pénétrèrent dans l'appartement. À première vue, c'était magnifique. On se serait cru dans un feuilleton américain. Lola avait de l'argent, et aussi du goût. Les cloisons avaient été abattues pour former une pièce immense, avec une cuisine ouverte et un bar. Au centre, un escalier en hélice montait vers les chambres. La teinte dominante était le blanc, blanc des murs, de la moquette et des divans de cuir. Des tableaux abstraits, des coussins et des fleurs ajoutaient des notes de couleur savamment réparties. Néanmoins, au bout d'un moment, les narines flairaient une odeur désagréable, des relents de tabac froid, d'atmosphère viciée. Les fleurs étaient fanées, des revues et des livres éparpillés sur le sol. Du linge traînait sur un canapé, et sur la table basse, une bouteille de vin blanc ouverte, des verres sales et un cendrier plein de mégots. Le blanc n'était pas immaculé. Des taches jaunâtres constellaient la moquette, des brûlures de cigarettes avaient troué les canapés. Les étagères en verre d'une vitrine étaient recouvertes de poussière. C'était presque neuf, ça avait coûté très cher, et pourtant de ce décor se dégageait une impression de laisser-aller, de déprime. La propriétaire des lieux n'avait-elle pas de femme de ménage ? Elle n'avait pas dû lui dire de venir en son absence. Était-elle partie précipitamment ? Qu'allait-elle faire en Bretagne ? Il se posa sur du cuir blanc. Avant de débuter la fouille, il fit le point avec les collègues.

— Vous avez interrogé les voisins ?

— Ouais, répondit le plus âgé. Je crois que c'était un drôle de numéro. Son locataire du premier prétend qu'elle faisait des fêtes à tout casser. Il s'en foutait un peu, il est gardien de nuit, alors ça l'arrangeait qu'elle dorme comme lui dans la journée ! D'ailleurs il a râlé parce qu'on le réveillait. Visiblement, il ignorait qu'elle était morte. Il demande à qui il doit payer son loyer.

Marchand n'en avait pas la moindre idée. Richardson héritait, mais toucherait-il les loyers en taule ?

— Quoi d'autre ? Qu'est-ce que les gens pensaient d'elle ?

— À vrai dire, pas beaucoup de bien. Méprisante, jamais un mot aimable. Une garce, d'après le boucher...

— Elle vivait seule ? Pas de petit ami attitré ?

— Apparemment pas. Selon la rumeur, c'est plus compliqué. Elle traînait, à ce qu'on m'a dit, avec une faune pas nette. Elle arrivait souvent escortée d'une bande bruyante dans les restaurants du coin. Des gens plus ou moins marginaux qu'elle semblait à peine connaître. Jamais les mêmes. Ils bouffaient et picolaient tant et plus. Et la fille payait la note. Elle claquait énormément de pognon. Puis elle embarquait tout le monde chez elle. On m'a suggéré qu'elle partouzait, qu'elle se droguait. Une sale réputation, à l'évidence.

Marchand savait qu'elle ne se droguait pas. Le légiste était formel. Il avait du mal à faire coller ce portrait détestable de Lola vivante avec l'image bouleversante de la jeune morte encore anonyme reposant nue et froide à la morgue de Dinard. Les propos du père sur le caractère de sa fille se confirmaient. Son attitude scandaleuse expliquait-elle sa mort ? Richardson s'était-il débarrassé d'une enfant qui compromettait sa réputation ? Ou qui galvaudait son héritage ? À moins qu'il n'y soit pour rien, et qu'elle ait été victime d'un cinglé ramassé par hasard qu'elle aurait emmené faire une virée au bord de la mer, dans le joli cabriolet ? Il reprit :

— Avait-elle des employés ? Une femme de ménage ?

— J'ai posé la question. On m'a envoyé voir une dame d'une quarantaine d'années qui habite deux maisons plus loin. Elle venait régulièrement. La fille l'appelait quand elle avait besoin d'elle, mais refusait de lui confier la clé. Il paraît que parfois, c'était une vraie porcherie. Elle était plutôt soulagée de ne plus avoir de nouvelles...

Lola comptait sans doute reprendre contact à son retour... Elle n'était pas revenue.

— Je trouve bizarre que personne, dans ce quartier, n'ait reconnu sa photo dans les journaux et ne nous ait appelés.

— Si ! Un patron de restaurant et la boulangère m'ont affirmé qu'ils avaient téléphoné. Pas le jour même. Ils hésitent toujours à contacter la police ! Le lendemain. Hier, en fait.

Effectivement, la veille, des appels étaient arrivés après que Lola Richardson eut été reconnue par son père. Ils n'avaient guère eu le temps de s'en soucier.

— C'est tout ce que vous avez appris ?

— Pas tout à fait. Il y a un peu plus d'un mois, elle a disparu pendant une semaine. Quand elle est réapparue, elle avait changé. Elle semblait mal fichue, inquiète. Finies, les fiestas. Elle était toujours seule. Parfois, on ne la voyait pas pendant un jour ou deux, puis elle surgissait au volant de sa voiture... Le buraliste a déclaré qu'elle n'était pas plus aimable, mais encore moins souriante. Personne n'a trouvé sa nouvelle absence anormale.

Le lieutenant se souvint que le rapport d'autopsie avait révélé une récente intervention chirurgicale. Bénigne. L'ablation d'un kyste sur l'ovaire, si sa mémoire était bonne. L'absence de la jeune femme s'expliquait-elle par une hospitalisation ? En quoi une opération anodine pouvait-elle avoir transformé son caractère ? Se croyait-elle gravement malade ? Ou elle avait découvert quelque chose pendant son séjour en clinique... quelque chose qui la tracassait et l'avait poussée à prendre la route de Dinard. Sans emmener de fada, puisqu'elle n'en fréquentait plus. À Dinard, où une semaine après sa naissance, une femme qui lui ressemblait avait aussi trouvé la mort. Il commençait à se demander si le capitaine Riou n'avait pas raison.

Ils entamèrent une fouille en règle du logement sans savoir au juste ce qu'ils cherchaient. Marchand choisit de s'attaquer aux chambres. Il y en avait deux, spacieuses, chacune dotée d'une salle de bains, dont une seule semblait avoir été régulièrement occupée. Le lit était défait, mais les draps, propres, ne révélaient aucune trace d'activité sexuelle. Se rappelant les propos du légiste sur la légère tuméfaction constatée sur les organes génitaux, le lieutenant vida les tiroirs de tous les meubles à la recherche d'objets utilisés pour des plaisirs solitaires... En vain. Simplement une provision impressionnante de préservatifs dans la table de chevet et une multitude de produits de beauté, de fards et de parfums très chers. Sa garde-robe témoignait également qu'elle avait les moyens de s'offrir ce qu'il y avait de mieux. Les vêtements portaient les griffes de grands couturiers. Étrange créature ! Une fille riche et belle sans amant, sans amis, qui s'entourait de pique-assiettes ramassés n'importe où. Elle avait sûrement un grain.

Dans la deuxième chambre, le seul tiroir qui ne fût pas vide offrait aussi aux imprévoyants un lot de capotes... Lola était peut-être givrée, mais quand même prudente, et pas suicidaire. Son inscription à la Sorbonne n'était pas totalement bidon comme le prouvaient les livres tapissant la troisième pièce, un bureau. Un grand nombre d'ouvrages historiques essentiellement consacrés au Moyen Âge occupaient un rayon entier ; des livres d'art, des essais et des romans complétaient la bibliothèque. Oisive, mais pas inculte, la demoiselle. Un peu partout traînaient de nombreux papiers. Marchand soupira, il faudrait éplucher tout ça. Dans l'immédiat, voir si quelque chose pouvait servir pour l'enquête. Le reste serait emporté et décortiqué à tête reposée. Avant d'attaquer, il descendit aux nouvelles.

— Alors ?

Les collègues s'agitaient, en manches de chemises. Les coussins des canapés gisaient à terre. Dans le coin cuisine, le frigo et le lave-vaisselle étaient ouverts.

— Pas grand-chose. Elle comptait revenir vite, elle a laissé du jambon et des yaourts au frais, de la vaisselle sale dans la machine. Ça commence à puer. Des épluchures d'orange, dans la poubelle, du marc de café... rien de passionnant. Les deux portes, là, donnent sur des chiottes et une lingerie. Rien à signaler sinon des sous-vêtements sales, en soie s'il vous plaît !

— Deux messages sur le répondeur, compléta son alter ego. Deux fois le même homme. Il ne se présente pas. La première fois il râle parce qu'elle n'est pas au rendez-vous et que son portable ne répond pas. Il dit qu'elle le rappelle si elle est à Paris. La deuxième fois, c'est juste : « Lola, merde, qu'est-ce qui se passe ? » Et sur la tablette où sont posés le téléphone et le Minitel, elle a gribouillé des numéros sur une feuille volante.

Marchand appuya son doigt sur la touche du répondeur. Il reconnut aussitôt le léger accent anglais. C'était Richardson. Qui semblait ne pas savoir où était sa fille. Mais alors ? Il appuya à nouveau sur la touche. Les appels venaient d'un portable. Premier coup de fil le 9 décembre, à seize heures. Le deuxième datait du jeudi 21. Dix-sept heures six. La police avait alors appelé Richardson à Londres. Et le 9 était le jour où le chauffeur de taxi l'avait pris en charge à l'aéroport. Il avait rendez-vous avec Lola et ne l'avait pas trouvée ? Le lieutenant saisit le bout de papier sur lequel étaient griffonnés des chiffres. Quatre numéros. Les deux premiers commençaient par 02 35, les deux autres par 02 99. Ceux-là, c'était l'Ille-et-Vilaine. Le voyage à Paris n'aurait pas été pas inutile. Il fallait prévenir Lebris le plus vite possible, après un examen rapide des documents du bureau, examen qui confirma que Lola Richardson avait fait le vide autour d'elle. En effet, Marchand ne découvrit aucune correspondance privée. Le seul courrier conservé comportait des factures, des relevés bancaires attestant d'importantes dépenses – mais le compte restait bien approvisionné –, des lettres du notaire chargé de la succession et dont le policier nota l'adresse. Les liasses de feuilles quadrillées empilées sur la table, couvertes d'une grande écriture, décrivaient les échanges commerciaux de la Hanse au quatorzième siècle. Au milieu de ces cours, un paquet de photocopies détonnait. Des reproductions d'articles émanant de revues scientifiques traitant de l'ADN et des groupes sanguins. Un passage où était évoquée en particulier « la transmission héréditaire selon les lois de Mendel des facteurs de groupes sanguins », avec schéma des filiations possibles et impossibles, avait été surligné en bleu fluo. Marchand une fois encore pensa à sa collègue de Marville. Elle serait sûrement intéressée. Dans un tiroir étaient rangés des actes de propriété, les doubles des quittances de loyer du locataire du premier et de la commerçante du rez-de-chaussée. La corbeille à papier était pleine. Sous des Kleenex en boule il y avait un tas de photos déchirées. En mille morceaux. Le lieutenant jura un grand coup et appela les autres :

— Vous avez trouvé des photos dans l'appartement ?

— Non, aucune. Ni sur les murs, ni sur les meubles. Pas d'album.

— Vous aimez faire des puzzles ?

Les deux agents le regardèrent comme s'il était devenu fou. Il leur montra la corbeille.

— Vous allez pouvoir vous amuser.

Et montrant ce qu'il avait entassé sur le bureau :

— Embarquez-moi ces paperasses. Essayez de reconstituer les photos. Je passerai prendre le tout au commissariat avant de repartir. Je vous laisse finir et fermer.

Il s'arrêta pourtant dans la grande salle du bas, examina attentivement les nombreux tableaux accrochés. Des lignes, des éclaboussures colorées, il n'y comprenait rien. Y avait-il du Picasso, là-dedans ? Il dévala enfin l'escalier et pénétra dans l'un des restaurants. Voluptueusement installé sur une banquette, il commanda une andouillette-frites. Son estomac gargouillait. Après la tarte aux pommes et le café, il téléphona à Lebris et lui fit part de ses trouvailles. Celui-ci ne fit aucun commentaire à propos des articles scientifiques et des photos déchirées. Le contenu du répondeur le fit sortir de son silence.

— Il a téléphoné à sa fille le 9 dans l'après-midi ? Vous êtes sûr ? De son portable ?

La nouvelle semblait avoir déconcerté le capitaine qui se tut un instant avant de décréter :

— C'est sans doute encore un coup de bluff, comme le truc de l'avion. Sachant qu'elle avait un répondeur, il téléphone pour se dédouaner après l'avoir tuée. Et il rappelle jeudi à la suite de notre coup de fil. Bien vu. Ce type est redoutable.

Lebris résuma pour son adjoint les derniers développements, puis reprit :

— Et ces numéros qu'elle avait notés ? Ils appartiennent à qui ?

— Ben, j'en sais rien, ne put que bafouiller Marchand.

— Vous n'avez pas cherché ? Vous avez dit qu'elle avait un Minitel. Avec le Minitel, bougre d'âne, on peut trouver un abonné à partir de son numéro !

L'âne n'y avait pas pensé. À cause de petits détails de ce genre il était encore lieutenant alors que Lebris était capitaine.

— Bon, dictez-les-moi. Je m'en occupe.

C'est un homme mortifié qui remonta dans sa voiture pour rejoindre les quais de la Seine, et le quartier des antiquaires et des galeries d'art. Et en plus son chef avait décrété que tous les papiers saisis lors de la perquisition devaient être sur son bureau le lendemain aux aurores. Merde, un dimanche ! Ce mec n'avait pas d'âme.

Était-ce un autre temps, un autre monde ? L'appartement, la veille plongé dans la pénombre, était inondé de lumière. Sur la baie, une main mystérieuse avait répandu des milliers de particules de mica scintillant. Deux ou trois voiliers avaient même largué les amarres et l'on discernait les barreurs en ciré, mouvantes taches jaune vif. André Chapuis sourit du ravissement de Carole :

— Le grand jeu de la séduction, hein ? Vous comprenez pourquoi je ne peux vivre ailleurs ?

Il avait préparé des filets de sole, ouvert une bouteille de chablis et réprima son impatience jusqu'à ce que les assiettes et les verres fussent vides.

— Racontez-moi.

— Un brigadier de Marville s'est chargé d'aller examiner les archives des maternités. Aucune trace des Richardson à l'hôpital. En revanche, il a eu une énorme surprise à la clinique des Églantines. Quand il a demandé à la personne qui était à l'accueil s'il pouvait consulter les documents concernant les accouchements de l'année 1969, elle l'a regardé bizarrement et a dit que c'était possible. Ducrocq a précisé le nom de l'enfant et la date exacte de sa naissance. La fille a alors ouvert des yeux en boules de loto et déclaré que ce dossier-là, elle l'avait encore sous la main puisqu'on l'avait réclamé trois semaines plus tôt et que personne n'avait eu le temps de le remettre en place.

Chapuis ne put retenir une exclamation de surprise.

— Et je suppose que vous devinez qui avait consulté ce dossier ?

— Une jeune femme blonde, non ?

— Dans le mille. Elle a d'abord téléphoné pour se renseigner, en donnant son nom, d'ailleurs, Lola Richardson, et a expliqué qu'elle souhaitait retrouver la sage-femme qui l'avait mise au monde. Puis elle est venue.

— Comment a-t-elle justifié cette subite curiosité ?

— Elle a prétendu que sa mère venait de mourir et qu'elle léguait un bijou à cette femme en remerciement de ses bons et loyaux services...

— Trente ans après ? Ce n'est pas crédible ! s'étonna Chapuis.

— Pas vraiment, mais ça a marché. On lui a sorti le compte rendu de l'accouchement. Y figuraient le nom du médecin accoucheur et celui de la sage-femme. Le médecin est mort en 1980. La sage-femme, elle, une certaine Marie-Thérèse Picard, n'a pris sa retraite qu'en 1998.

Presque machinalement, ils vidaient la bouteille de vin blanc. De même que sur la ville, contre toute attente, la lumière venait de déchirer les ténèbres de décembre, de même la vérité était en train de jaillir, éclatante, après tant d'années d'obscurité. Ils n'étaient plus pressés. Ils savouraient cet instant.

— Elle a pu la rencontrer, cette sage-femme ?

— Une des infirmières est son amie. Elle a accepté de donner son adresse à Lola. Puis au brigadier Ducrocq.

Marie-Thérèse Picard vivait à Marville, et avait reçu le brigadier, soulagée de pouvoir se confier. Depuis qu'elle avait vu dans le journal la photo de la morte, elle se rongeait, ne sachant trop quoi faire. Elle pensait bien avoir reconnu sa visiteuse, mais préférait croire qu'elle se trompait. La jeune femme était venue la voir début décembre, lui disant qu'elle l'avait mise au monde en mars 1969 et voulant savoir si par hasard elle avait gardé un souvenir de sa naissance. Un peu qu'elle s'en souvenait, avait affirmé la retraitée au brigadier, et comme si c'était hier. Parce qu'elle avait toujours pensé à une histoire louche. Les Richardson étaient arrivés à la clinique en pleine nuit, déclarant qu'ils s'apprêtaient à prendre le ferry pour l'Angleterre quand la future mère avait senti les premières contractions. Soi-disant qu'elle n'attendait l'enfant que pour le mois suivant... Elle était pourtant bien à terme, cette petite. Drôle d'idée de faire un voyage pareil en fin de grossesse, non ? Enfin, lui était Anglais. Le plus bizarre avait été leur comportement. Le futur papa avait refusé d'assister à l'accouchement. Il était plutôt sombre, ne manifestant ni tendresse, ni sollicitude envers sa jeune épouse. Et l'accouchée, la pauvre, elle ne desserrait pas les dents. Pas un mot, pas une plainte. Courageuse, certes, mais surtout tellement triste. Quand sa petite fille était née, elle avait éclaté en sanglots et refusé de la prendre dans ses bras.

— C'était Muriel, n'est-ce pas ?

— C'était Muriel. J'avais faxé à Marville une photo d'elle. Mlle Picard l'a formellement reconnue. Pas étonnant que vous n'ayez retrouvé aucune trace d'elle. Elle a accouché sous le nom de Maud Richardson. Ils avaient tout calculé. Richardson a présenté le livret de famille et la carte de sécurité sociale de son épouse. Il a insisté pour se charger lui-même de la déclaration du bébé à l'état civil. Là, il a pu montrer la carte d'identité ou le passeport de Maud que l'employée de mairie ne connaissait évidemment pas. La sage-femme avait vu les documents officiels et s'était étonnée que sa patiente, qu'elle croyait très jeune, ait trente-cinq ans selon ses papiers. C'était quasiment invraisemblable. Que pouvait-elle faire ? Si le mari disait qu'elle était sa femme, elle n'avait aucun moyen de prouver le contraire. En plus, ils sont repartis au bout de deux jours, dès que la mère a été en état de quitter la clinique.

— Elle a dit tout cela à Lola Richardson ?

— À peu près. Elle n'a pas trop eu le choix. Lola lui a demandé si elle se rappelait ses parents. Pourquoi aurait-elle nié ? Toutefois quand sa visiteuse lui a mis sous le nez une photo du couple avec le bébé dans les bras, elle a eu l'air tellement interloquée que la jeune femme a compris que quelque chose clochait. Elle reconnaissait le père, mais elle n'avait jamais vu la femme qui posait sur le cliché. Elle était d'autant plus secouée que Lola ressemble énormément à sa mère biologique. L'autre était brune, plus grande avec un visage chevalin et faisait beaucoup plus âgée.

— Comment a réagi Lola ?

— Avec beaucoup d'agressivité. Elle est devenue blanche, puis s'est mise en colère et a exigé que la sage-femme lui décrive l'accouchée. Elle voulait toujours plus de détails et l'a littéralement torturée ! Une vraie furie... D'après Ducrocq, Marie-Thérèse Picard en était encore toute retournée. « Sa mère était plus douce », lui a-t-elle dit. En tout cas, elle est prête à témoigner. J'ai ses coordonnées. Je vais les transmettre au capitaine Lebris.

— C'est machiavélique, murmura Chapuis. Ils ont inventé cette histoire de voyage en Angleterre, parce que personne ne risquait de les reconnaître à Marville. Mais pourquoi ont-ils monté cette machination ? Et pourquoi votre cousine a-t-elle accepté d'entrer dans leur jeu ?

Carole essayait d'imaginer ce qui avait pu pousser Muriel à mettre sa fille au monde sous le nom d'une autre. Visiblement, elle n'avait pas agi de gaieté de cœur. Ses larmes, son refus de toucher le nouveau-né prouvaient son chagrin. Se pouvait-il qu'elle eût donné – ou vendu ? – l'enfant de la honte parce qu'elle n'avait pas trouvé mieux pour assurer son avenir ? Qu'elle se fût sentie paumée au point d'accepter ce marché diabolique ? Être mère porteuse, en quelque sorte. À moins que le père du bébé n'ait été réellement Richardson ? Comment savoir ? Une vague de pitié la submergea. Elle se rappela la main de Muriel qui tenait la sienne pour la guider jusqu'aux lapins dans leur clapier. Elle entendit son rire... Quel gâchis. Pourtant, si une partie du voile était soulevée, il restait pas mal de points d'interrogation. Comment la jeune fille avait-elle été en contact avec les Richardson, si lui n'était pas son amant ? Où s'était-elle cachée pendant sept mois ?

— Il y a autre chose que je ne comprends pas, reprit Carole, c'est ce qui est arrivé au véritable enfant de Maud Richardson. Le maire du village de l'Eure où ils ont une résidence secondaire a affirmé que la dame y était restée pendant sa grossesse. Il l'a donc vue enceinte.

— Elle a pu faire une fausse couche et manifester un tel désespoir que son mari aura cherché un nourrisson de remplacement... Il lui aurait offert le môme qu'il avait fait à une autre ? Ou alors, ils ont séquestré Muriel pendant tous ces mois et la femme a simulé une grossesse... Avec un coussin, ou je ne sais quoi, qu'elle mettait sur son ventre pour sortir dans le village.

— Ça paraît dingue, mais c'est possible.

Carole accepta un café. Pendant que son hôte le préparait, elle alluma une cigarette et fit quelques pas dans la pièce. En contrebas, la Promenade du Clair de Lune s'animait et les silhouettes n'étaient plus recroquevillées sous les parapluies, au contraire, elles paraissaient se grandir, se tendre vers le soleil. Un couple à cheveux blancs s'assit sur un banc et ils se serrèrent l'un contre l'autre. Une petite brise ricocha sur la mer, une mouette plongea. Un bel endroit où vivre et vieillir en paix, dans la beauté des choses. Pourtant, derrière la tranquillité des apparences, la haine et la folie meurtrière étaient tapies.

— Je donnerais cher pour savoir ce que Lola Richardson est venue faire à Dinard, dit Carole après avoir vidé sa tasse. Ou plutôt, car j'imagine qu'elle était sur la piste de sa vraie mère, comment elle a appris d'où elle était originaire. Ça, la sage-femme l'ignorait.

— Son père ?

— Peut-être. Il l'envoie à Dinard, et l'y rejoint pour l'assassiner ? Comme il avait assassiné Muriel pour s'assurer qu'elle ne vendrait pas la mèche ou ne réclamerait jamais sa fille ? Il la tue on ne sait où le samedi 9, parce qu'elle a découvert la vérité sur sa naissance, repart à Londres et on retrouve le cadavre dans le salon d'une villa occupée jusqu'au 10 par un groupe de jeunes qui n'aurait rien vu ? Franchement, c'est incohérent...

— Tout nous ramène à Dinard, constata Chapuis. Pourquoi Muriel y est-elle revenue ? Pourquoi sa fille est-elle venue y mourir à son tour ?

— Richardson a avoué qu'il avait séjourné à Dinard il y a très longtemps. J'aimerais bien qu'il précise quand exactement. Il était accompagné de son épouse et négociait l'achat de dessins de Picasso. Donc, ce n'était sûrement pas en mars 69.

— Et si c'était en août 68 ?

— Ça pourrait expliquer comment ils ont connu Muriel, bien que nous n'ayons pas la preuve de sa présence à Dinard ce mois-là. Dans sa lettre, elle ne fait qu'envisager un passage en Bretagne. Elle était enceinte depuis juin. A-t-elle pu rencontrer Richardson sur une barricade ? Je n'y crois pas. Le père était un étudiant.

Tout les ramenait à Dinard. Ils avaient l'intime conviction qu'il n'y avait qu'un assassin, qu'une seule histoire qui se répétait, se prolongeait. Un double meurtre comme en écho. Et la troisième victime, le vieil Édouard, en avait subi le contrecoup, presque par hasard. Une seule histoire, dans laquelle la mort de la fille répondait à celle de sa mère. Ici, rien qu'ici, le temps pouvait être aboli. S'arrêter trente ans et redémarrer. Muriel restait éternellement l'adolescente blonde des Cognets. Les villas narguaient le siècle, immuables. Et Carole avait enfin le miroir où contempler la petite fille de six ans prisonnière de sa mémoire. Punir le monstre, ce serait la libérer définitivement, régler les comptes.

— C'est le même. Je suis sûr que c'est le même. Richardson ?

La pensée de Chapuis avait cheminé sur une route parallèle.

— J'espère, soupira Carole.

Elle chassa de son esprit l'autre nom qui tentait de s'immiscer. Ce soupçon était extravagant et trop douloureux. Il était presque deux heures.

— Il faut que j'y aille. Je dois prévenir Lebris.

— Vous ne lui avez encore rien dit ? Comment vous a-t-il accueillie, hier ?

Carole sourit.

— Comme quelqu'un qui déteste qu'on mette en cause ses prérogatives. Surtout si ce « on » est une femme. Il va devoir changer d'avis.

Chapuis hocha la tête, et ajouta :

— En tout cas, je m'étais trompé. Ce n'était pas le père Letellier. J'ai du mal à en convenir. Vous savez ce que j'ai fait ? J'ai honte de l'avouer... J'ai appelé tous les services de gériatrie de Rennes, en demandant à parler à Marcel Letellier, jusqu'à ce qu'on me réponde que ce malade était totalement grabataire. Alors seulement j'ai été convaincu. Ridicule, hein ?

Non, ce n'était pas ridicule. Mais le coupable ne pouvait être que Richardson. Un gros nuage passa devant le soleil, assombrissant le monde.

CHAPITRE XVI

L'avocat parisien n'arrivait toujours pas et Lebris s'énervait. La perquisition au Grand Hôtel n'avait rien donné d'autre qu'une protestation de la direction. Pas d'écharpe de soie verte. Juste une en laine blanche. L'inspection du cabriolet était finie. Un flic de la police technique avait trouvé deux cheveux coincés dans l'appui-tête du siège du conducteur. Pas des cheveux blonds, des gris. Courts. On comparerait avec ceux de Richardson prélevés sur un peigne dans sa chambre. Le capitaine avait déjeuné en vitesse d'un sandwich et d'un beignet qui lui ballonnaient l'estomac, faisait gicler café sur café dans les gobelets en plastique de la machine. Les journalistes tournaient dans le coin, la rumeur qu'un suspect était en garde à vue s'était répandue à la vitesse de la lumière et le procureur n'arrêtait pas de le titiller parce qu'il avait programmé une conférence de presse à six heures. Marchand lui manquait presque. Si son adjoint avait été là, il aurait eu au moins quelqu'un sur qui se défouler. Surtout, ses idées étaient embrouillées et une inquiétude le taraudait, comme un élancement de dent malade. Depuis l'instant où la réflexion de Roxane Fiquet avait orienté les recherches sur le père de la victime, tout s'était bien goupillé. L'erreur Valençay – mais n'importe qui à sa place l'aurait commise – était rattrapée et il offrait au juge d'instruction au bout d'une semaine d'investigations un coupable sur un plateau. Une enquête menée rondement, dirait-on en haut lieu. Richardson avait supprimé sa fille pour une raison que l'instruction déterminerait, et le vieux parce qu'il l'avait vu à sa fenêtre et qu'il ignorait qu'il était aveugle et gâteux. Sa présence à Dinard le 9 était avérée. Il avait menti, tenté de soudoyer un témoin. Les indices étaient concordants et accablaient l'Anglais. Pourtant le capitaine avait l'impression que certains éléments contredisaient ses conclusions. Ou du moins ne s'intégraient pas dans le schéma qu'il avait tracé. La présence du cadavre dans la villa La Chênaie finirait bien par s'expliquer. N'empêche qu'on venait de lui téléphoner de Saint-Malo. Un chauffeur de taxi avait emmené Richardson à la gare, et un contrôleur attestait de sa présence dans le train de Paris qui partait à vingt heures quinze. Bon Dieu, où était alors le corps de Lola ? Alexandre Valençay et ses amis prétendaient ne pas l'avoir vu. Étaient-ils complices ? Peu vraisemblable. Restait la possibilité que le marchand de tableaux fût revenu tirer le macchabée de sa cachette provisoire pour le transporter dans la maison. Au fond de lui, Lebris savait que cette hypothèse ne tenait pas plus debout que la première. Pourquoi aurait-il pris de tels risques ? Et puis, était-on sûr que la jeune femme était bien morte le 9 ? Le capitaine sortit du dossier le rapport du médecin légiste. « La mort a pu intervenir entre le 8 et le 11 décembre. » Le toubib n'avait pu être plus précis.

Il y avait plus embêtant. Le coup de fil de Marchand avait plongé son chef dans un abîme de perplexité, perplexité accrue depuis qu'il avait identifié les abonnés correspondant aux numéros relevés par Lola Richardson, aussitôt après avoir raccroché. Ainsi donc la victime s'intéressait aux groupes sanguins, et surlignait les passages d'articles sur leur transmission héréditaire. Lebris n'y aurait sans doute pas prêté beaucoup d'attention sans ces fichus numéros de téléphone. Les deux premiers étaient ceux des maternités de Marville. Les deux autres appartenaient à des Dinardais. Letellier Simon, kinésithérapeute, et Letellier Suzanne. La femme de ménage des Valençay. Les seuls Letellier de la ville dont le prénom commençât par un « S ». Il avait vérifié. Au fait, la gamine assassinée en 69 et dont on n'avait pas retrouvé le bébé, elle ne s'appelait pas Letellier, aussi ? Il consulta le vieux dossier qu'il avait déjà parcouru rapidement. C'était bien ce nom. Le capitaine était déchiré entre deux tentations contradictoires : soit mener l'interrogatoire de son suspect et le déférer le soir même en transmettant au juge les informations obtenues lors de la perquisition. Le magistrat en ferait ce qu'il voudrait pendant l'instruction. Soit prolonger la garde à vue sous prétexte que de nouvelles pistes méritaient d'être approfondies. Mais après tout, ces découvertes inopinées ne lui ôtaient pas la certitude qu'il avait de la culpabilité de Richardson. Si elles le gênaient tant, fut-il obligé de reconnaître, c'est qu'elles corroboraient la théorie de Carole Riou. En effet, l'hypothèse selon laquelle Lola avait conçu des soupçons sur la légitimité de sa naissance semblait fondée et justifiait sa venue à Dinard sur les traces de sa vraie mère. Le capitaine jurait intérieurement en vouant sa collègue, cette emmerdeuse, aux gémonies quand on frappa à sa porte. C'était justement elle. Elle avait reçu une réponse de Marville.

Carole sut avoir le triomphe modeste, et Lebris essaya d'être beau joueur. Leur conscience de flics les aida à surmonter leur antipathie, et ils se mirent mutuellement au courant de ce qu'ils avaient appris. Lebris ne remarqua pas que Carole s'était figée, comme s'il lui avait donné un coup de poing, lorsqu'il avait mentionné les numéros de téléphone copiés par Lola Richardson. Elle répondit néanmoins clairement à sa question :

— Cette Suzanne Letellier avec qui vous étiez hier matin, la femme de ménage des Valençay, c'est une parente de la jeune fille assassinée ?

— Sa sœur, sa sœur aînée.

— Une personne de confiance, non ? Pas du genre à égarer ses clés ?

— Je ne pense pas.

Que pouvait-elle répondre d'autre ?

— Si Lola avait son numéro, cela tendrait à prouver qu'elle avait obtenu le nom de sa mère biologique. Et sa ville d'origine. D'après ce que vous m'avez dit, ce n'est pas à Marville qu'elle a eu cette information. Alors comment ? Et pourquoi a-t-elle uniquement relevé les « S. Letellier » dans l'annuaire ? Pourquoi pas les « M. » ? Ces deux personnes sont-elles les seuls membres de la famille de Muriel Letellier demeurant encore dans le coin ?

— Simon Letellier ne nous est pas apparenté. Il n'y a que Suzanne. Le père est encore en vie, mais il est grabataire et achève ses jours dans un hospice.

— Est-ce que Lola Richardson l'a contactée, cette Suzanne ? Apparemment, non. Je suppose que si votre cousine avait reçu un coup de téléphone ou une visite, vous le sauriez ? Et elle m'en aurait averti quand elle est venue me voir, non ?

— Bien sûr que Suzanne en aurait parlé ! Mais elle ignorait jusqu'à l'existence de cette jeune femme. Elle ne veut même pas admettre que sa sœur n'est pas morte vierge !

Carole se demanda si elle était vraiment convaincue de ce qu'elle avançait si fermement. De Suzanne, que connaissait-elle ? Un physique ingrat de vieille grenouille de bénitier, une maison qui ne trahissait que l'obsession de la propreté et le mauvais goût de sa propriétaire, quelques manies, de petites tranches de vie... Et ne l'avait-elle pas prise en flagrant délit de mensonge ? Pour l'instant, elle ne dirait rien. Suzanne demeurait sa seule famille.

— Je nage complètement, avoua-t-elle. La seule chose dont je sois sûre, c'est que Lola était bien l'enfant de Muriel et que Richardson a commis un premier délit le jour de sa naissance, en faisant passer ma cousine pour sa femme. Comment qualifieriez-vous son acte ?

— Substitution volontaire ayant entraîné une atteinte à l'état civil d'un enfant, si je ne m'abuse. Je ne pense pas qu'il puisse y avoir prescription puisque tant que sa fille vivait la fraude persistait. La peine maximale doit être de trois ans. Si Lola a menacé de le dénoncer, il avait une bonne raison de la faire taire définitivement. Or, elle devait être bouleversée par sa découverte si l'on en juge par la rage avec laquelle elle a déchiré toutes les photos de sa famille. Et elle avait un fichu caractère. À votre avis, Richardson est-il le père ?

— J'y ai réfléchi. Je parierais que non. Il a pris de gros risques pour offrir un bébé à son épouse. Ce n'était sans doute pas le fruit d'un adultère. Dites, vous croyez vraiment qu'il se serait transformé en assassin pour éviter une peine de trois ans ?

— Allez savoir... Pour certains, la perspective d'un emprisonnement est insoutenable. Mais il faut peut-être chercher le mobile ailleurs. Beaucoup d'argent en jeu.

Un gardien vint enfin annoncer l'arrivée de l'avocat

de Richardson. Il souhaitait consulter le dossier et rencontrer son client. Lebris lui accorda une demi-heure.

— Ensuite vous les ferez monter, ordonna-t-il au gardien. Et vous m'enverrez Boitel.

Il hésita une seconde, puis comme à regret dit à Carole :

— Je crois que vous pouvez rester. L'enquête a maintenant des ramifications dans votre secteur. Bien sûr, je mène l'interrogatoire. Je vais quand même appeler Simon Letellier, le kiné.

Il brancha le haut-parleur. Un homme à la voix jeune répondit. Après un temps de réflexion, il se souvint effectivement qu'une femme lui avait téléphoné.

— Je ne sais plus exactement quand. Au début du mois. Je n'ai rien compris. Elle ne s'est pas présentée. Quelqu'un d'angoissé, j'ai pensé que c'était une dingue. Elle m'a demandé quel âge j'avais. J'ai vingt-neuf ans. J'ai eu l'impression qu'elle était contrariée. Ensuite, elle a voulu savoir si le prénom de ma mère commençait pas un « S ». Ma mère s'appelle Carmen, elle est d'origine espagnole ! Finalement, je lui ai expliqué que je n'avais aucune famille à Dinard, que je venais de m'installer dans la région, venant du Nord. Elle a raccroché brutalement, sans un merci. Une dingue, je vous dis. Elle est recherchée ?

Lebris aussi lui raccrocha au nez.

— Elle cherchait bien sa mère. Mais qu'est-ce qui a pu lui faire croire que son prénom commençait par la lettre « S » ? Et pourquoi n'a-t-elle pas téléphoné aussi à votre cousine ?

— Je l'ignore, répondit Carole. Suzanne n'était peut-être pas chez elle. Elle n'a pas de répondeur. Lola n'aura pas eu l'occasion de faire une autre tentative avant sa mort.

Carole souhaitait ardemment que les choses se fussent bien passées ainsi. Ils restèrent silencieux, chacun essayant de reconstituer le puzzle. Ils espéraient pour des raisons différentes que le gros homme finirait par craquer. Carole pensa à la voiture de Lola, précipitée à la mer à plus de cinq kilomètres de Dinard. Bon sang, pourquoi si loin ? Comment était-il revenu à l'hôtel ? À pied ? En avait-il eu matériellement le temps ? Un frisson d'appréhension la traversa.

La seule perspective qui avait ragaillardi Marchand dans les embouteillages parisiens était qu'il allait rencontrer la femme à la voix suave. Aline Lebrun. Il se gara rue Jacob et se dirigea vers la rue de Seine en fantasmant sur une robe noire moulant des hanches et un cul somptueux... La galerie Richardson étalait deux vitrines très sobres, chacune ne contenant qu'un immense tableau posé sur chevalet, éclairé par la lumière crue de spots. Encore des trucs sans queue ni tête coûtant la peau des fesses. La porte centrale s'ouvrit dans un bruit cristallin de carillon et les pieds du lieutenant foulèrent une épaisse moquette. Sur les murs tapissés de tissu noir, d'autres peintures et dans le fond de la pièce, derrière un bureau doré, une silhouette sombre qui se leva à son approche. Ça ne pouvait pas être elle...

— Monsieur ? Je peux vous aider ?

C'était elle. Sœur jumelle de son patron en pachydermie. Un être énorme dont le ventre croulait par-dessus la ceinture du pantalon, aux yeux violemment soulignés de bleu et à la bouche rouge sang. De quoi ils se nourrissaient, ces deux-là ? En plus, elle le toisait comme si elle le jugeait indigne de pénétrer dans le sanctuaire. La déception le rendit odieux. Il sortit sa carte tricolore de sa poche et d'un ton rogue dit :

— Lieutenant Marchand. Police judiciaire. J'ai

quelques questions à vous poser. Vous êtes bien l'employée de Peter Richardson ?

Elle faisait déjà moins la fière.

— Je suis sa collaboratrice. Depuis qu'il a ouvert sa première galerie, ajouta-t-elle en se rengorgeant. Il n'est pas là en ce moment. Il a perdu sa fille et s'occupe des obsèques.

Il l'avait donc avertie. Mais elle ne savait sûrement pas tout.

— Je pense qu'il n'en aura pas le loisir aujourd'hui. Il est en garde à vue. Mal barré, votre patron. C'est d'ailleurs à ce propos que je suis là.

Il s'en voulut un peu de sa brutalité en la voyant pâlir. Elle était visiblement assommée par la nouvelle. Elle balbutia :

— En garde à vue ? Pourquoi ? De quoi l'accuse-t-on ?

Marchand ne répondit pas, mais il se radoucit. Elle ne lui avait rien fait, la pauvre. Ce n'était quand même pas sa faute si elle avait une voix qui l'avait émoustillé.

— J'ai besoin de renseignements sur la situation financière de M. Richardson. A-t-il des difficultés d'argent ?

Aline Lebrun s'était ressaisie. Elle fit une moue vaguement méprisante.

— Je suppose que vous plaisantez. La galerie est l'une des plus importantes de Paris. Nous sommes l'un des leaders sur le marché mondial de l'art contemporain. Croyez-vous que si Peter avait des problèmes nous aurions ouvert une nouvelle galerie à Londres ?

Peter. Tiens donc. Et ce nous... Elle l'énervait, décidément. Il lança une flèche empoisonnée :

— Ça ne doit pas être commode quand on a des acheteurs dans le monde entier...

314

Elle le regarda, désarçonnée :

— Qu'est-ce qui n'est pas commode ?

— La phobie de l'avion. M. Richardson ne prend jamais l'avion, n'est-ce pas ?

— Si, très souvent...

Elle s'arrêta, soudain écarlate, réalisant qu'elle s'était fait piéger, sans comprendre comment. Ils n'avaient pas dû accorder leurs violons sur ce coup-là. Elle cherchait un moyen de contre-attaquer, mais Marchand fut plus rapide :

— Vous saviez qu'il était en Bretagne le 9 décembre, quand sa fille a été étranglée ?

Le visage d'Aline Lebrun avait une aptitude étonnante à changer de couleur. Elle n'était pas non plus dans cette confidence.

— Impossible, il était à Londres.

— Non, mademoiselle Lebrun. Il était à Dinard. Je peux voir vos livres de comptes ?

Subitement, la créature hautaine se métamorphosa en tigresse.

— Quels livres de comptes ? D'où débarquez-vous ? Vous croyez que j'ai un cahier où je note les ventes de la journée, comme un vulgaire épicier ? Il faudra vous adresser au comptable mais il ne vous dira rien si vous n'êtes pas dûment mandaté par un tribunal.

Elle marquait un point, et poursuivait sur sa lancée :

— Peter n'a pas tué sa fille ! Il n'avait pas besoin de son argent. C'est bien ce que vous imaginez, non ? Il en a beaucoup plus qu'elle ! Cette fichue garce lui aura gâché la vie jusqu'après sa mort. Il était beaucoup trop gentil avec elle. Vous ne pouvez pas imaginer comment elle le traitait, et lui, il supportait tout. Il se reprochait de ne pas être capable de remplacer sa mère. Elle en avait fait son esclave, de sa mère, cette saleté. Mais Peter ne lui aurait jamais fait de mal. Il ne lui a même pas donné les fessées qu'elle méritait quand elle était gamine. Moi je l'aurais bien étranglée...

Elle s'arrêta, consciente d'en avoir trop dit. Elle suait la haine accumulée au cours des années, la haine et la jalousie. Retrouvant son sang-froid, elle fit un sourire narquois.

— Il me sera facile de prouver que je n'ai pas quitté Paris. Je n'ai rien d'autre à vous dire.

Marchand réussit difficilement à obtenir l'adresse de la banque du propriétaire de la galerie, et de son notaire, le même que celui de Lola. Aline Lebrun affichait désormais un mutisme boudeur qui cachait mal son inquiétude. Alors que le lieutenant se dirigeait vers la sortie, elle le rattrapa :

— Dites, lieutenant, est-ce que je peux faire quelque chose pour lui ? Il a contacté un avocat ?

— Je pense.

Lebris avait dit qu'il attendait pour interroger son suspect l'arrivée d'un maître du barreau parisien.

— Mais pourquoi ne m'a-t-il pas appelée ? murmura-t-elle.

— Il n'avait droit qu'à un coup de fil, lança le policier déjà sur le trottoir.

Comme il le craignait, le banquier se réfugia derrière le secret professionnel. Il laissa pourtant deviner la considération dans laquelle il tenait cet important client. Le notaire accepta de le recevoir et lui assura que la succession de Maud Richardson s'était réglée sans aucun conflit entre le père et la fille.

— M. Richardson semblait très heureux que l'avenir de cette jeune femme soit assuré. Et il n'avait vraiment plus besoin de l'argent de sa femme, susurra l'homme de loi. C'est tout ce que je puis vous confier.

Perplexe, Marchand regagna le commissariat du treizième. La brigade s'était amusée à reconstituer une partie des photos. On y voyait Richardson et une brune massive, son épouse sans doute. Parfois, une fillette blonde souriait à l'objectif. Lola. En miettes. Il était évident que si le gros avait trucidé sa fille, ce n'était pas pour lui voler son héritage. Le lieutenant allait appeler Lebris pour lui raconter ses visites de l'après-midi. Il ne résisterait pas au plaisir de lui décrire Aline Lebrun ! Puis il filerait sur Rennes, le coffre plein des documents saisis lors de la perquisition. Ce serait bon de rentrer à la maison.

Maître Levaillant était un homme d'une cinquantaine d'années, petit et trapu, semblant perpétuellement pressé. Il serra la main des policiers et s'assit en regardant sa montre.

— Capitaine Riou, présenta Lebris. De la Sûreté urbaine de Marville. Nous avons dû mener là-bas des investigations, dans le cadre de l'enquête. Je suppose que vous ne voyez pas d'inconvénient à ce qu'elle soit présente ?

Si « nous avons dû » agaça Carole, elle n'en montra rien, trop contente d'être tolérée. L'avocat lui lança un coup d'œil rapide, indifférent, et accepta sa présence en balayant l'air du revers de la main. Il réservait sa courtoisie, presque obséquieuse, à Richardson, qui le suivait. La garde à vue avait à l'évidence affecté celui-ci. Les traits de son visage mangé par des poils gris, l'énorme masse de chair difficilement contenue par les vêtements, tout s'était affaissé. Il sentait la sueur froide, ses mains se crispaient spasmodiquement.

— C'est une mascarade, déclara-t-il. Je suis innocent.

La voix se raffermit :

— Peut-on me rendre mes cigares ?

Lebris ébaucha une grimace de dégoût, mais chargea

Boitel qui s'était installé devant l'ordinateur d'aller récupérer la boîte de havanes et de faire monter du café. Bientôt, un nuage de fumée âcre empuantit l'atmosphère. Le capitaine récapitula les charges qui pesaient contre le marchand de tableaux et conclut :

— Nous avons donc la preuve formelle que, contrairement à vos allégations précédentes, vous étiez sur les lieux du crime le samedi 9 décembre. Vous êtes arrivé par l'avion du matin, avec un billet aller-retour. Vous êtes reparti le soir, en train. Pourquoi ? Vous avez été vu à l'Hôtel des Roches et avez tenté d'en soudoyer le gérant afin qu'il taise votre présence. Pourquoi avez-vous tué votre fille, monsieur Richardson ?

Le sourire de Levaillant s'était rapidement effacé et il oubliait de regarder l'heure. Il contre-attaqua néanmoins avec une apparente conviction :

— Lola Richardson, si je ne m'abuse, a été retrouvée le 16 décembre. Comment pouvez-vous être sûrs qu'elle était morte le 9 ?

— Nous n'en sommes pas sûrs, effectivement. Le légiste situe le décès entre le 8 et le 11.

— Il est donc possible qu'elle ait été encore en vie après le départ de mon client. Vous ne pouvez pas le nier.

— Possible, maître, mais peu probable. Personne ne l'a vue...

— Personne ne l'a vue, de toute façon, ni avant ni après. Je me trompe ?

Ça n'allait pas être facile. Lebris devinait les arguments qu'allait présenter l'avocat pour démontrer que la présence du corps chez Valençay et du cabriolet à Saint-Briac était incompatible avec la culpabilité de Richardson. Ces arguments, il se les répétait lui-même depuis des heures. Il tenta un autre angle d'attaque.

— Hier, à quatorze heures, vous avez quitté le

Grand Hôtel. Qu'avez-vous fait de l'heure dont vous disposiez avant notre rendez-vous ?

— J'ai marché un moment sur la digue de la grande plage. Ensuite j'ai repris ma voiture, j'ai roulé le long de la côte.

— Non, vous êtes allé à la Malouine, vous avez guetté le départ de la gouvernante du vieillard qui habitait en face de La Chênaie. Vous vous êtes introduit dans la maison et avez étranglé ce pauvre vieux. Vous pensiez qu'il vous avait vu pénétrant avec Lola, vivante ou morte, chez les Valençay ? Et vous craigniez qu'il ne vous reconnaisse parce que vous lui avez acheté autrefois des dessins de Picasso ? Il était aveugle et impotent. C'était un crime pour rien, monsieur Richardson. Qu'avez-vous fait de votre écharpe en soie verte ?

Carole observait attentivement les réactions de l'homme. Ou il était un comédien hors pair, ou son incompréhension était totale.

— Vous délirez. Les gens à qui nous avons acheté les Picasso sont morts, je vous l'ai dit. Je n'ai jamais mis les pieds à la Malouine avant que vous m'y emmeniez hier. Et je n'ai jamais eu d'écharpe en soie verte.

Lebris s'aperçut que sa collègue lui faisait signe. Il comprit ce qu'elle chuchotait.

— Monsieur Richardson, vous souvenez-vous de la date exacte de votre premier séjour à Dinard ?

L'homme se troubla, nettement, mais éluda la question.

— Non, je ne sais plus. C'est trop loin. J'ai oublié. Nous ne sommes restés que quelques jours.

Lebris décida alors de sortir sans délai sa carte maîtresse.

— Vous avez sans hésitation reconnu le corps de la victime comme étant celui de votre fille Lola. Ce que

319

vous n'avez pas dit, c'est qu'en réalité, elle n'était pas votre fille. Si vous nous racontiez ce qui s'est passé à la clinique des Églantines de Marville, le 12 mars 1969 ? Si vous nous racontiez pourquoi vous avez tué Muriel Letellier une semaine plus tard ? Car vous étiez aussi à Dinard le 19 mars 1969.

L'avocat fit un bond sur sa chaise.

— D'où sortez-vous ces affabulations ? Ne répondez pas, cher ami. Ils n'ont aucun droit d'évoquer une affaire dans laquelle il y a prescription et...

Il s'arrêta après avoir observé son client. Dans l'attitude de l'homme, tous avaient lu l'aveu de sa faute. Il était devenu livide, avait laissé tomber son cigare et s'était recroquevillé sur lui-même, comme s'il espérait escamoter son encombrante carcasse, cachant ses yeux derrière ses mains, tête baissée. Pendant un temps qui parut très long, chacun retint son souffle. Puis Richardson fit front. Il se redressa, s'exposa aux regards. Il sortit un mouchoir de sa poche et entreprit de nettoyer ses lunettes.

— Je ne vois pas de quoi vous parlez.

— Très bien. Je dois néanmoins vous avertir que nous avons le témoignage de la sage-femme qui a mis votre fille au monde. Elle affirme que la parturiente n'était pas votre épouse, même si elle en avait l'identité. Je vais également demander l'exhumation du corps de Muriel Letellier. Nous comparerons son ADN avec celui de Lola, que vous étiez si pressé de faire incinérer. Vous ne vous en sortirez pas.

Richardson quêta l'aide de son défenseur qui fit un geste d'impuissance. Il sembla alors prendre une décision, et Carole constata qu'il avait l'air presque soulagé.

— Bien sûr, dit-il, cela devait arriver. Vous avez reconstitué ses derniers jours. Il fallait bien que la bombe explose un jour. Letellier, avez-vous dit ? Elle s'appelait Letellier ? Je l'ignorais. Comme j'ignorais qu'elle était morte. Pauvre petite. Je ne l'ai pas tuée, je n'ai tué personne. Je vais tout vous dire.

Et malgré les protestations du maître du barreau, il raconta une histoire. Dans la pièce, la lumière peu à peu déclinait, les taches de clarté avaient déserté les murs sales. Nul ne s'en souciait. Richardson avait été un jeune homme de vingt ans sans le sou et ambitieux, venu d'Angleterre faire les Beaux-Arts à Paris. Il avait rencontré une femme un peu plus âgée que lui qui avait hérité d'une grosse fortune et s'intéressait – souvent de très près – aux jeunes artistes.

— J'ai tenté ma chance. Elle est tombée amoureuse. À l'époque, j'étais mince et j'avais des cheveux. Et elle n'était pas très jolie.

Il esquissa un sourire. Il reprenait de l'assurance.

— Nous nous sommes mariés. J'ai déchanté quand Maud a exigé un contrat de séparation de biens. Elle se doutait bien que je ne l'épousais pas pour ses beaux yeux et savait comment m'empêcher de la quitter. Elle ne m'a pas donné un sou, mais a acheté une petite galerie. Lorsque j'ai démarré, je n'en étais que gérant. Elle était ma propriétaire. Je lui payais un loyer, mais les bénéfices de la vente des tableaux me revenaient. Contrairement à ce qu'elle pensait, je me suis bien débrouillé, et je suis à présent plus riche qu'elle ne l'a jamais été...

— Arrivons-en aux faits, s'impatienta Lebris.

Carole sentait qu'il était nécessaire au narrateur de remonter le cours des événements. Autant pour lui que pour ses auditeurs. Dix ans avaient passé. Richardson n'aimait pas son épouse, mais respectait le contrat et quand il la trompait, s'arrangeait pour qu'elle n'en sache rien. Il travaillait et voyageait beaucoup.

— Maud avait sa vie à elle. Elle était très mondaine, sortait beaucoup. Mais elle se désespérait de ne pas avoir d'enfant. Petit à petit, c'est devenu une obsession. Chaque fois qu'elle avait ses règles, j'avais droit à des scènes et à des hurlements à n'en plus finir. Je lui ai conseillé d'aller consulter un spécialiste, mais elle a refusé. Elle prétendait que j'étais le seul responsable, que j'étais stérile. Elle m'insultait puis finissait toujours par fondre en larmes et se jeter dans mes bras. J'avais peur qu'elle demande le divorce. Je commençais à m'en sortir, mais j'avais encore besoin de son réseau de connaissances, des clients qu'elle me procurait. De plus, elle me faisait profiter de son luxe, du grand appartement, des domestiques. On s'habitue.

— Alors, vous lui avez proposé de lui acheter un enfant ? C'est ça ? Pour qu'elle vous pardonne de ne pouvoir lui en faire un ?

Richardson regarda Lebris avec l'air exaspéré de celui qu'on oblige à répéter dix fois la même phrase.

— Non, absolument pas. Je lui ai juste proposé l'adoption. Elle n'a pas voulu en entendre parler. Elle exigeait un nouveau-né à elle, tout de suite. Notre vie était infernale. Je savais que je n'étais pas stérile, mais évidemment, je ne pouvais pas le lui dire.

— Comment le saviez-vous ?

— J'ai eu un enfant. Un fils. Bien avant la naissance de Lola.

Il refusait clairement de s'étendre sur ce point. Il reprit :

— Ce que j'essaye de vous faire comprendre, c'est que quand elle m'a exposé son plan, je n'ai pas eu le courage de dire non. Je crois qu'elle me faisait un peu peur. Maud était quelqu'un de très autoritaire. Elle avait tout prévu, tout réglé. Je suis convaincu, même si elle ne me l'a jamais avoué, qu'elle avait renoncé à l'espoir d'être enceinte. Je n'ai été qu'un exécutant. Elle ne m'a pas dit comment elle avait rencontré la fille, ni ce qu'elle lui avait promis en échange. Elle a gardé son secret jusqu'à la fin. Une fois qu'elle a eu Lola, elle refusait catégoriquement d'aborder le sujet. Elle agissait comme si elle avait fini par oublier qu'elle ne l'avait pas mise au monde. J'ai fait ce qu'elle me demandait, la mort dans l'âme, c'est tout.

Lebris fronça les sourcils. Qu'est-ce que Richardson était encore en train de mijoter ? Un nouveau coup de bluff, sans aucun doute. Ce type espérait-il s'en tirer en rejetant ses fautes sur son épouse défunte ? Il n'avait pas son pareil pour ourdir des tissus de mensonges. Il ne s'en tirerait pas, il était cuit.

— Continuez, dit-il d'un ton rogue. Quel rôle vous a fait jouer votre femme, selon vous ?

— Quand nous sommes rentrés de Dinard, en août 68, elle n'était plus la même...

Carole ne put retenir une exclamation étouffée. L'avocat jeta à son client un regard consterné et Lebris aboya :

— Vous avez affirmé tout à l'heure que vous ne vous souveniez pas de la date de ce séjour !

Richardson haussa les épaules.

— J'ai toujours pensé que c'était à ce moment-là que Maud avait fait la connaissance de cette jeune fille. Je n'osais pas cacher que j'étais déjà venu, mais je préférais ne pas être trop précis. Maintenant que vous savez la vérité, cela n'a plus d'importance, n'est-ce pas ? De toute façon, ces gens ne portaient pas le nom que vous avez dit. Et leur propriété n'était pas dans le quartier de la Malouine. Picasso a passé trois étés à Dinard. Pas mal de familles ont pu le recevoir.

Le gros avait un sacré culot. Accusé de deux assassinats, il allait bientôt leur faire un cours d'art contemporain. Et en plus, il rallumait son cigare malodorant. Il faisait de plus en plus sombre. Lebris se leva et ouvrit une fenêtre. Tant pis si on crevait de froid, ça puait trop. Un bruit de cataracte vint frapper les oreilles. Il pleuvait de nouveau. L'hiver avait repris ses droits et le récit se poursuivait.

Maud lui avait d'abord annoncé, avec un rire forcé, qu'elle était enceinte. Devant son air ébahi, elle s'était fâchée. Pourquoi ne la croyait-il pas ? Elle avait ajouté qu'à partir de ce jour, c'était ce que le monde entier devait croire.

— Je venais d'acheter la maison de campagne, en Normandie. Mon premier investissement personnel. Elle me dit qu'elle allait s'y retirer pendant sa grossesse. Je savais bien qu'elle n'attendait pas d'enfant. J'ai cru qu'elle était devenue folle, que son désir obsessionnel de maternité s'était transformé en maladie mentale. Elle semblait cependant saine d'esprit. Elle m'a ordonné de la rejoindre durant les week-ends. J'y suis allé, et j'ai découvert sa prisonnière. J'étais horrifié.

Voilà donc où s'était réfugiée Muriel. Ou plutôt, où elle avait été enfermée durant les derniers mois de sa vie. Carole sentait la rage bouillonner en elle. Ces gens étaient des monstres. Mais étaient-ils les seuls monstres de cette histoire ? Elle observait Richardson. Depuis qu'il avait commencé à vider son sac, il était presque à l'aise. Dans son visage envahi par la graisse transparaissait une espèce de naïveté, étonnante de la part d'un homme d'affaires sexagénaire. Se libérer du secret qui avait pesé sur sa conscience durant toutes ces années lui rendait une forme d'innocence. Non, elle délirait. Il n'était pas innocent. Il avait tué Lola, et Muriel. Il ne fallait pas le croire, il essayait de les embobiner. Une question brûlait les lèvres de Carole, mais elle avait promis de rester silencieuse. Pourtant, il faudrait qu'elle la pose. Elle voulait savoir si les gens qui avaient reçu les Richardson avaient une femme de ménage. Elle voulait savoir si Maud avait bavardé avec cette employée. Elle voulait savoir si Suzanne avait vendu sa sœur.

— La jeune fille s'appelait Muriel. C'est tout ce que j'ai su d'elle. Elle passait ses journées dans une chambre aux volets fermés. Maud la nourrissait comme on engraisse des volailles. Elle veillait à équilibrer ses repas, la bourrait de vitamines. Il fallait que l'enfant soit en bonne santé. Je devais lui rapporter chaque semaine de Paris des livres et des revues, mais je n'avais pas le droit de lui parler. Une fois, en l'absence de ma femme, je suis entré dans la chambre. Muriel dormait, recroquevillée sur elle-même, en position fœtale. Ses joues étaient encore humides de larmes. Son ventre grossissait. Maud se pavanait dans le village avec, sous sa jupe, des coussins de plus en plus épais. Moi, je n'interviendrais qu'au moment de l'accouchement. Marville a été choisi d'abord parce que nous n'y connaissions personne, ensuite parce que c'était le port assurant des liaisons avec l'Angleterre le plus proche du village. L'idée était de prétendre que mon épouse avait eu des contractions alors qu'elle s'apprêtait à prendre le bateau pour aller accoucher auprès de sa belle-famille. L'histoire était plausible.

La suite correspondait au récit qu'avait fait la sage-femme. La voix de Richardson coulait désormais en un flot régulier accompagnant le chuintement des gouttes de pluie, épousant les volutes de fumée qui se baladaient dans la pièce malgré la fenêtre ouverte. Les doigts de Boitel sur le clavier tapotaient à l'unisson, en douceur. L'auditoire se taisait, le monde extérieur se taisait. La ville s'était résignée à replonger dans la somnolence sous la chape de grisaille, oublieuse de l'euphorie procurée par le soleil matinal. Même l'avocat ne bougeait pas. Ils étaient ailleurs, près de ce lit où une toute jeune femme mettait au monde un enfant qui porterait le nom d'une autre, une jeune femme qui n'avait plus qu'une semaine à vivre. Saloperie !

— J'étais terrorisé, persuadé que la supercherie serait découverte. Il était tellement évident que Muriel n'avait pas trente-cinq ans ! Je ne parvenais pas à jouer mon rôle de futur père affectueux et inquiet. Comment simuler le bonheur, alors que j'étais plein de haine ! Je haïssais Maud qui m'obligeait à cette comédie, je haïssais cette fille qui s'y était prêtée. Je haïssais aussi ce bébé, je n'en voulais pas. Mais mon épouse avait raison. Tout s'est passé selon ses prévisions. Au bout de deux jours, nous avons quitté la maternité. J'ai déposé la mère à la gare et j'ai ramené Lola à la maison. Maud s'est jetée sur elle telle une louve. Elle avait gagné. Il n'y a rien d'autre à dire. Si je dois payer pour cette faute, je paierai. Je n'ai tué personne. J'ai fini par considérer Lola comme ma fille et je l'aimais. C'est en partie pour elle que je n'ai pas divorcé. Et puis, ma complicité m'enchaînait. Quant à l'autre, je ne l'ai jamais revue. J'ignorais jusqu'à aujourd'hui ce qu'elle était devenue. Je ne connaissais même pas son nom de famille.

Il se tut. Son silence et l'intolérable impudence de ses derniers mots brisèrent l'envoûtement. Boitel toussa, se frottant les mains, le capitaine Lebris alla refermer la fenêtre, s'approcha de son présumé coupable, lui ôta le cigare de la bouche et, malgré les molles protestations de Levaillant, l'écrasa dans le cendrier. Ensuite il alluma le plafonnier. Richardson, comme s'il craignait d'être frappé, leva un bras devant son visage. Son assurance fondit d'un coup et chacun revit en lui non plus le beau parleur dont la voix les ensorcelait, mais la créature monstrueuse soupçonnée de trois meurtres.

— Ça suffit, tonna Lebris, frappant sur la table. Cessez de vous présenter en victime. Votre femme est morte, c'est facile de l'accuser ! Elle n'est pas sortie de sa tombe pour assassiner sa fille, non ? Laissons de côté la mort de Muriel Letellier pour l'instant. Enfin, bon Dieu, vous ne pouvez plus nier avoir été ici en même temps que Lola !

— D'accord, je suis venu. Mais je ne l'ai pas vue !

Au moment où l'avocat se penchait vers son client – qu'allait-il lui conseiller ? – le téléphone sonna et tous sursautèrent. C'était Marchand qui s'apprêtait à quitter la capitale. La conversation dura un certain temps. Lebris répondait par monosyllabes. Après avoir raccroché, il se plongea dans une profonde méditation, sans prêter attention aux chuchotements de Levaillant. Ainsi, le marchand de tableaux n'avait pas menti en prétendant que sa fortune valait à présent largement celle de sa femme. Il n'était pas en faillite. Il n'avait pas besoin de l'argent de sa fille. La question qu'il posa finalement était déconcertante :

— La femme dont vous avez eu un fils, elle ne s'appelle pas Aline Lebrun, par hasard ? Vous l'avez reconnu, ce garçon ?

Le haut-le-corps de Richardson, la rougeur subite de ses joues, et la colère dans son regard indiquèrent immédiatement au capitaine qu'il avait frappé dans le mille. Il tenait son mobile. Il insista :

— Alors, monsieur Richardson ?

— Vous êtes forts, vous les flics, pour fouiller dans la vie privée des gens. Oui, je vis enfin avec Aline. Nous nous connaissons depuis quarante ans et notre fils porte désormais mon nom. Ni Maud, ni Lola n'ont jamais rien su.

— Vous ne supportiez pas l'idée que Lola, qui ne vous était rien, hérite de vos biens et de ceux de votre épouse, n'est-ce pas ? Vous l'avez toujours détestée. Vous la supprimez, récupérez le magot et laissez tout au seul enfant que vous ayez conçu.

Carole admira... Du beau travail. Pourtant elle eut du mal à croire que l'expression qu'elle lut sur le visage de Richardson était feinte. Il semblait à la fois paniqué et totalement abasourdi. Assommé. Puis il se mit en colère, dressant toute sa masse devant le capitaine. Il se pencha au-dessus de la table et le saisit par les revers de sa veste en hurlant :

— Je vous interdis de m'accuser d'avoir tué Lola. Vous êtes complètement cinglé ! Je l'aimais ! Espèce de...

L'insulte fut ravalée, la charge de l'éléphant stoppée et Lebris sauvé grâce à la poigne de Boitel et de l'avocat. Carole n'avait pas bougé. Non qu'elle souhaitât du mal à l'officier, mais parce qu'elle avait été paralysée en se rendant compte que la rage de Richardson lui paraissait sincère. Pour la première fois, elle formula clairement dans son esprit le doute qu'elle en chassait désespérément depuis la veille. Et si ce n'était pas lui ? S'il n'était pas le double meurtrier, le féroce récidiviste parachevant trente ans après son œuvre de mort en se débarrassant aussi de la fille de Muriel ? Elle ne supportait plus son rôle d'observatrice. La frustration de ne pouvoir poser les questions qui l'obsédaient devenait insupportable. Elle sortit une cigarette de son sac et fut foudroyée du regard par son collègue outragé en train de rajuster sa cravate.

— Est-ce que vous allez vous décider à nous dire ce que vous faisiez à Dinard, le 9 décembre, hurla-t-il.

— J'avais rendez-vous avec ma fille.

On y arrivait quand même.

CHAPITRE XVII

Carole ferma les yeux. Elle était épuisée. Richardson se taisait, reprenant des forces avant l'explication finale ou bâtissant une fable crédible et Lebris, à présent assuré que le poisson était ferré, ne le bousculait plus. Malgré l'impatience avec laquelle elle attendait le récit, vrai ou faux, des événements du 9 décembre, elle ne parvenait pas à chasser de son esprit la conversation qu'elle avait eue en fin de matinée avec Suzanne. Sa cousine avait décroché à la première sonnerie. Elle faisait son ménage.

— Forcément, quand on a du monde, ça salit tout.

Carole devait-elle s'excuser d'avoir laissé tomber des miettes ? Elle préféra aller directement au but :

— Tu te souviens que jeudi soir tu as dit m'avoir téléphoné la veille à Marville et n'avoir pu me joindre ?

Suzanne avait confirmé. Elle se souvenait.

— Qu'est-ce que tu voulais me demander ?

— Je te l'ai déjà dit. Des conseils. Si je devais dire aux policiers que le fils Valençay avait l'habitude de partir sans fermer la maison, qu'il buvait, tout ça. J'étais inquiète, toi tu as l'habitude de ces choses.

Quand on est innocent et qu'on a quelqu'un de la police dans la famille, on l'appelle, non ?

C'était donc ça qu'elle avait pensé. Quand on est innocent... et Carole risquait de s'étonner qu'elle ne lui ait pas fait part de ses soucis.

— Suzanne, tu es sûre que le numéro que tu as est le bon ?

— Oui, évidemment. Il est dans mon carnet.

Elle l'avait donné, chiffre après chiffre. Le bon numéro. Suzanne prétendait avoir essayé de la joindre. Sur le coup, Carole n'y avait pas prêté attention. Elle était effectivement absente, ayant passé la soirée du mercredi chez les Palante. Et après, Modard avait été blessé. Dans un coin de son cerveau, pourtant, s'était nichée l'impression désagréable qu'un détail ne collait pas. Le petit caillou dans la chaussure. Et ce matin, quand elle avait écouté les mots de Marie Palante sur son répondeur, elle avait compris que sa cousine avait menti. Elle s'était revue chez elle, avant son départ, sortant de la douche et constatant que le voyant rouge clignotait sur l'appareil. Le téléphone avait sonné pendant qu'elle était dans la salle de bains. Marie venait aux nouvelles. Le numéro de son portable s'était affiché sur l'écran lorsque Carole avait appuyé sur le bouton. Même si on ne laissait pas de message, le combiné signalait ainsi tous les appels et mémorisait leur provenance. Un bon mouchard. Or, si en revenant de l'hôpital Carole n'était pas en état de vérifier le voyant, elle avait l'absolue certitude qu'il ne clignotait pas à son réveil et qu'il n'y avait eu qu'un appel, celui de son amie. Suzanne, ignorant ces prouesses de la technique, avait inventé son coup de fil. Et même après que Carole lui en eut démontré l'impossibilité, elle n'avait pas voulu en démordre, concédant simplement qu'elle avait pu faire une erreur de chiffre. Peut-être.

Quand on est innocent et qu'on a quelqu'un de la famille dans la police... Qui Muriel aurait-elle spontanément appelé au secours ? Qui avait pu côtoyer Maud Richardson à Dinard ? La phrase de Chapuis tournait en boucle, lancinante. « Elle a réussi à s'acheter une maison ? Difficile de s'enrichir quand on vient des Cognets. » Même devant lui Carole n'avait pas évoqué ses doutes. Richardson consentait à continuer. Il fallait chasser pour l'instant ce soupçon infernal. Suzanne n'était qu'une bigote maniaque et un peu cinglée. « Ma seule famille. Pourvu qu'il avoue ! »

— D'accord. Nous avions rendez-vous. Mais je vous répète que je ne l'ai pas vue ! J'avais prévu de rester jusqu'au dimanche. La preuve, j'avais retenu ma place sur le vol du dimanche. Vous savez aussi que j'avais pris une chambre ! Elle m'a posé un lapin. J'ai même téléphoné chez elle, à Paris, et laissé un mot sur son répondeur. Vous pouvez vérifier.

— Nous l'avons fait. Ça ne prouve rien. C'est du bluff. Vous avez tenté un autre coup de poker avec votre prétendue peur de l'avion.

— Mais merde, mettez-vous à ma place ! Vous m'annoncez qu'on a retrouvé son corps à Dinard. J'étais catastrophé. J'ai eu peur qu'on m'accuse, et j'avais raison. Alors j'ai tout essayé pour qu'on ne sache pas que j'étais venu. C'était perdu d'avance, en l'occurrence. Si j'avais eu l'intention de commettre un crime, j'aurais pris plus de précautions.

Carole s'était déjà fait cette remarque. Il n'avait pas rejoint sa fille avec l'intention de la tuer. Que s'était-il passé ?

— Je n'avais plus rien à faire à Dinard. J'ai décidé de rentrer à Londres. J'avais renoncé pour Lola à une vente importante, à Sotheby's. Du coup, je pouvais y assister. Je pensais qu'elle m'avait joué un tour. J'étais furieux mais pas inquiet.

— Moi, je crois que vous vous êtes enfui parce que vous l'aviez tuée. Nous y reviendrons. Maintenant je veux que vous me disiez ce que votre fille faisait à Dinard et pourquoi elle y souhaitait votre présence. Qui lui a appris que sa mère biologique était d'ici ? C'est vous ?

La nuit tombait. Dehors la vie devait continuer. Le bruit que le coupable était arrêté s'était faufilé dans tous les quartiers. On n'aurait pas eu peur trop longtemps et les préparatifs de la fête reprenaient sereinement. Au premier étage du commissariat, ils avaient oublié Noël. Les visages se creusaient. On tournait en rond. L'avocat semblait avoir abandonné la bataille. Richardson ne manifestait plus d'agressivité, seulement une immense lassitude.

— Moi ? Comment ? J'ignorais tout de Muriel. Je ne sais pas comment ma fille a retrouvé sa trace. Ni ce qui l'a menée à Dinard. Elle a pris le large à la mort de Maud. J'en souffrais, elle me manquait malgré son insolence, ses caprices. Je me faisais du souci pour elle. Elle n'a jamais été très équilibrée. Trop gâtée. Et puis, il y a environ un mois, Lola a déboulé rue de Seine, un soir, complètement hors d'elle, empestant l'alcool. Elle avait découvert qu'elle n'était pas notre enfant, à cause d'une réflexion du chirurgien qui venait de l'opérer. Une intervention bénigne. Elle possédait un groupe sanguin assez rare, AB, que ni mon épouse ni moi-même n'aurions pu lui transmettre, étant tous les deux du groupe O$^+$. Or, on avait dû faire une transfusion à sa mère, pendant sa maladie, dans cette même clinique, et j'avais donné du sang. Elle le savait. Cet abruti de chirurgien a remarqué les consonances anglaises de Richardson et lui a déclaré qu'il avait eu un couple de ce nom mais qu'évidemment ils ne pouvaient lui être apparentés. Lola a demandé pourquoi, et il le lui a expliqué. Quand il a vu sa tête, il a tenté de se rattraper mais le mal était fait. Lola a cru que nous lui avions caché qu'elle était adoptée, elle était folle de rage et exigeait la vérité. La vérité, je n'ai pas osé la lui asséner. J'ai perdu les pédales, lui ai juré que le chirurgien s'était trompé. Bref, j'ai nié, et elle ne m'a pas cru. Elle est partie en claquant la porte et ne m'a plus donné de nouvelles, jusqu'à son coup de téléphone. Le matin du 8 décembre.

— Vous affirmez donc qu'elle était vivante le 8 ? Où était-elle ? Que vous a-t-elle dit ?

— Qu'elle s'était débrouillée sans moi pour connaître ses origines, et qu'elle avait découvert que nous étions d'horribles salauds. Qu'elle avait épluché tous les papiers de celle qui se prétendait sa mère et qu'elle était sur la piste de celle qui l'était vraiment. Elle s'apprêtait à quitter Paris.

— Quels papiers ?

— Maud avait un secrétaire, toujours fermé à clé. Je n'ai jamais cherché à savoir ce qu'elle y cachait. À sa mort, Lola a emporté le meuble et son contenu. Mon épouse y avait peut-être laissé des documents concernant le marché qu'elle avait passé avec la jeune fille. Je n'étais au courant de rien. Elle avait mené cette affaire toute seule, sans me demander mon avis. Je vous l'ai dit. Mon rôle n'a consisté qu'à jouer le père à la maternité et à déclarer l'enfant à l'état civil.

Dans une enquête criminelle l'image de la victime est présente en permanence dans l'esprit des policiers, fantôme blême et silencieux ou face déformée par la terreur et criant vengeance. Les premiers jours, le spectre de la jeune femme nue et privée d'identité était solitaire. Il était rejoint maintenant par d'autres ombres à la fois proches et lointaines. Des morts revendiquant que justice leur soit rendue. Une autre femme, presque une adolescente, émergeait de temps anciens, avec son crâne fendu. Un vieillard à la bouche édentée usait ses dernières forces pour arracher la corde serrant son cou décharné. Et voilà que paraissait un démon femelle. Une goule émaciée par la maladie qui volait des enfants et réduisait son mari en esclavage. Une bête malfaisante tramant des complots en secret. Maud Richardson méritait-elle vraiment cette réputation posthume ? Elle n'était plus là pour se défendre.

— Et pourquoi vous donnait-elle rendez-vous à Dinard puisqu'elle vous considérait comme un salaud ? insista Lebris, incrédule...

— Elle triomphait, elle me narguait. Elle était allée à Marville, et avait réussi à retrouver la sage-femme qui l'avait mise au monde. « Viens mon petit papa, m'a-t-elle dit. Je pars à Dinard. Viens me rejoindre. Je t'attendrai à une heure demain à l'entrée de la grande plage. Je te présenterai peut-être maman. Mais tu la connais. Toi, tu étais là quand elle a accouché. »

— Et vous avez obéi, alors qu'elle vous en voulait à mort ? Vous vous êtes dit que vous teniez l'occasion de vous débarrasser d'une emmerdeuse faisant de l'ombre à votre fils ? Ou craigniez-vous qu'elle n'ait deviné que vous aviez autrefois exécuté sa mère ?

La tension était palpable. Lebris essayait par tous les moyens de déstabiliser Richardson. Il avait raison, c'était le but de l'opération. L'adversaire était coriace. Carole sentait qu'il n'avouerait pas, qu'il maintiendrait sa version des faits. Il avait recouvré son calme. Un pachyderme, oui, solidement posé sur son siège, opposant sa logique à la logique du flic. Son intelligence à l'autre intelligence. Une énorme masse feignant le chagrin et la bonne volonté, fabriquant l'image d'un homme meurtri n'ayant eu que le tort d'être un peu trop complaisant et pas assez curieux. Mais était-il réellement un simulateur ? Carole devait honnêtement répondre qu'elle n'en était pas du tout sûre. Plus l'interrogatoire avançait, plus elle craignait qu'il ne fût sincère. Et s'il disait vrai... il faudrait chercher ailleurs le meurtrier. Richardson ne regardait plus Lebris. Il ne fumait plus. Il s'adressait à la fenêtre, à la nuit, à lui-même.

— Je voulais lui parler, tout lui avouer, me réconcilier avec elle. L'aider à résoudre son problème. Et j'avais peur de ce qui l'attendait. Quoi que vous prétendiez, je ne savais pas que sa mère biologique était morte. Si elle était vraiment sur sa piste, ces retrouvailles trente ans après risquaient d'être douloureuses. Je voulais être aux côtés de ma fille. Ma fille, vous comprenez ! Alors j'ai pris l'avion et suis arrivé dans cette ville dont je me souvenais à peine. Je suis resté à l'entrée de la plage pendant près de deux heures. Elle n'est pas venue. Je ne sais rien de plus.

— Vous mentez, tonna le capitaine. Votre système de défense ne tient pas debout ! Personne ne connaissait Lola ici, et sa mère est morte depuis plus de trente ans. Elle n'a pas contacté le seul membre survivant de la famille Letellier. Elle n'en a pas eu le temps, on l'a supprimée avant. Vous l'avez supprimée. Qui à part vous dans cette ville aurait eu une raison de s'en prendre à une jeune femme inconnue ?

La voix de l'officier martelait sa conviction. Il voulait sonner l'hallali. Il voulait des aveux mais prenait conscience qu'il ne les obtiendrait pas. Il essaya encore et encore, les questions rusant à un rythme de plus en plus rapide. Où l'avez-vous étranglée ? Quand avez-vous déposé le corps chez Valençay ? Comment avez-vous pénétré dans la villa ? Comment vous êtes-vous procuré les clés ? Comment êtes-vous revenu de Saint-Briac après avoir dissimulé le cabriolet ? Qu'avez-vous fait des vêtements, des chaussures, du sac de votre victime ? Pourquoi l'avoir déshabillée ? Pour égarer la police ? Approuvé par son défenseur, Richardson se contentait de répéter qu'il ne savait pas, que ce n'était pas lui. Il n'avait rien à ajouter. Le flot était tari. L'homme restait parfaitement immobile, les yeux dans le vague. Levaillant suggéra qu'il ne fallait pas négliger la piste de la famille de la mère biologique.

— Quelqu'un a pu craindre que les révélations de Lola ne soulèvent un scandale ?

Lebris ricana :

— Les seuls survivants sont un vieillard paralysé et une vieille fille un peu simplette. Laissez tomber.

Un peu simplette ? Suzanne était sans doute cinglée, mais pas idiote. Lebris était pourtant un bon flic, malgré ses défauts. Carole comprenait mal qu'il n'attache visiblement aucune importance au fait que cette demoiselle un peu débile, selon lui, était gardienne de la propriété des Valençay. Qu'elle possédait l'un des deux jeux de clés existant. C'était inconcevable que cette étrange coïncidence ne le frappe pas... Non, c'était normal. Elle-même n'avait-elle pas failli éclater de rire lorsque Suzanne lui avait confié qu'elle craignait d'être accusée et arrêtée ? Suzanne n'était pas une coupable vraisemblable. Et le meilleur des flics aveuglé par des a priori passait parfois à côté de l'évidence imposée par la logique, surtout s'il ne savait pas que la bigote en question avait déjà menti. Carole devait se lever, elle devait parler à son collègue. Elle était en train de commettre une faute professionnelle grave. Mais qu'avait-elle à raconter ? L'invention d'un coup de téléphone alors que Suzanne avait peut-être tu un appel de Lola à l'autre S. Letellier ? L'achat d'une maison par une femme de ménage ? Une crise d'angoisse en sa présence ? La coïncidence entre la mort du vieillard et le fait qu'il avait, quelques heures avant, attiré l'attention de sa cousine qui paraissait ignorer son existence ? Et par-dessus tout, l'intime conviction que Richardson avait dit la vérité. Du vent. L'officier de police judiciaire ne l'écouterait pas. Elle se traita d'hypocrite. En réalité, elle était incapable de formuler les doutes qui l'assaillaient bien qu'elle fût de plus en plus certaine que la candidature Richardson n'était pas la bonne. Incapable de lancer la meute sur cette piste que contre toute attente nul n'avait flairée. Bon Dieu, qu'est-ce qui lui arrivait ? Elle n'aimait même pas cette bonne femme. Elle n'avait rien de commun avec elle sinon quelques vagues souvenirs. La seule parente qui lui restât ? Et alors ? Carole Riou n'avait pas besoin d'une famille. La solitude, elle connaissait. D'ailleurs, ce séjour à Dinard lui avait fait du bien, elle allait repartir sur des bases solides, construire sa vie à Marville. Dès que cette affaire serait réglée et que l'assassin de Muriel serait en prison. Quel qu'il soit. Simplement, si Suzanne était un monstre, c'était à Carole de le démontrer. C'était à elle de boucler la boucle, de régler les comptes pour Muriel et Lola. Pas à Lebris. Tout simplement ça.

Ledit capitaine avait fini par se taire. Il se leva et regarda sa montre. Il n'était même pas cinq heures et il avait l'impression qu'on était au milieu de la nuit. Il déclara que la séance allait se terminer et qu'il appelait le juge d'instruction.

— Nous verrons bien s'il décide qu'il y a assez d'éléments pour que vous soyez déféré ou si nous prolongeons la garde à vue de vingt-quatre heures.

— Qui s'occupera des obsèques de ma fille ? murmura Richardson.

Sa combativité l'avait abandonné. Il semblait seulement abattu. Lebris sortit du bureau. Carole décida de profiter de son absence. Elle s'approcha du suspect, posa la main sur son bras. Il sursauta et parut découvrir son existence.

— Je peux vous poser une question ?

— Une de plus ou une de moins, répondit-il.

Son défenseur ouvrit un œil interrogateur.

— Ne vous inquiétez pas, maître, je ne suis pas là à titre officiel.

Et elle fit signe au lieutenant Boitel qu'il n'enregistrât pas ses propos.

— Vous pensez, avez-vous dit, que votre femme a conçu son projet, disons de mère porteuse, lors de votre séjour à Dinard. C'est donc là qu'elle aurait selon vous pu rencontrer Muriel ? Vous les avez vues ensemble ?

— Bien sûr que non ! Cette jeune fille, je l'ai vue pour la première fois enfermée dans la chambre où Maud la faisait couver...

— Alors avez-vous une idée de la manière dont elle a mis le grappin dessus ? Il est peu probable qu'elle ait croisé par hasard une gamine enceinte, paniquée et prête à accepter un marché aussi ignoble !

— J'y ai réfléchi. Franchement, je ne sais pas. Je ne suis même pas certain que leur rencontre ait eu lieu à Dinard. Simplement, elle m'a parlé de sa pseudo-grossesse quelques jours après notre retour. Ensuite elle est partie dans l'Eure. Elle avait dû y donner rendez-vous à la petite.

— Essayez de vous rappeler. Pendant que vous habitiez chez ces gens, est-elle sortie seule ? Allait-elle à la plage ? L'y avez-vous vue en train de bavarder avec quelqu'un ?

— Non. Elle détestait la plage. Elle a été de mauvaise humeur toute la semaine et est restée presque toujours enfermée. Nous sortions plutôt le soir, elle adorait jouer au casino. Mais je l'accompagnais.

— Et dans la journée, vous sortiez ?

— Nos hôtes m'ont fait un peu visiter la région, oui.

— Donc, elle était seule dans la villa. Monsieur Richardson, ces gens étaient riches. Ils devaient avoir du personnel ?

À la lueur qui passa dans les yeux de son interlocuteur, Carole sentit qu'elle avait éveillé un souvenir. Elle devina qu'elle touchait au but.

— Je n'y avais pas repensé, mais vous avez raison. Il y avait une femme de chambre, enfin une bonne, plutôt. Une grande fille maigre et renfrognée. Pas très propre à ce qu'il me semblait. Elle était toujours fourrée avec Maud. Quand j'arrivais dans la chambre, elle me fuyait. J'ai demandé à mon épouse quel plaisir elle pouvait trouver dans la compagnie de cette personne. Elle m'a répondu sèchement : « C'est une femme. Elle, elle me comprend. » Vous croyez que...

— Je ne crois rien. J'essaie de reconstituer les faits. Vous la reconnaîtriez ?

— Tant d'années ont passé. Je ne peux le garantir. Peut-être.

— Et le nom de vos hôtes ? Il ne vous revient vraiment pas ?

— Attendez... Bouvier, Bouvreuil... quelque chose comme ça.

Lebris revenait dans le bureau. Carole regagna son coin. Elle transpirait.

— Bien, dit le capitaine. Le juge d'instruction estime que les présomptions qui pèsent sur vous sont suffisantes pour que vous soyez déféré au parquet. Vous êtes mis en examen pour homicide volontaire. L'enquête se poursuivra donc sous sa direction. Il ordonne en conséquence que vous soyez écroué dès ce soir.

L'avocat protesta pour la forme. Richardson se

contenta de s'enquérir de ce qu'il adviendrait du corps de Lola.

— Le juge décidera.

— Je peux téléphoner ?

Il appela Aline Lebrun. La conversation dura peu. Il l'avertissait que son absence risquait de se prolonger. Qu'elle ne s'inquiète pas. Qu'elle embrasse Frédéric. Deux agents vinrent le chercher. Richardson se mit péniblement debout. Telle une tour massive vacillant sur ses bases, il les dominait de sa haute taille. Sur un signe affirmatif de l'officier, les gardiens lui passèrent les menottes. Levaillant serra la main de son client. Sa courtoisie s'était faite plus distante.

— Je reste à votre disposition, cher ami. Après les fêtes, n'est-ce pas ?

Il fila, se glissant comme un chat dans l'entrebâillement de la porte. Le trio se mit en marche. Le prisonnier se retourna vers Carole avant de disparaître dans le couloir. Elle comprit le sens de son regard et en conçut un lourd sentiment de culpabilité : il la considérait comme son dernier recours. Aurait-elle pu lui éviter de dormir en prison ? Sans doute pas. Lebris était sorti. Elle salua Boitel.

— Bonne soirée, lui dit-il. Vous n'y croyez pas, hein ?

— À quoi ?

— À la culpabilité de Richardson.

— Je n'en sais rien. Je vais aller voir ma cousine Letellier.

Pourquoi avait-elle dit cela ? Instinctivement, pour que quelqu'un sache où elle avait l'intention de se rendre. Elle était sur le trottoir et tirait voluptueusement la première bouffée d'une cigarette quand le fourgon démarra, faisant hurler sa sirène. Des journalistes coururent sur la chaussée. Des flashes jaillirent dans l'obscurité. Lebris était sorti aussi, en veste. Il annonça la conférence de presse du procureur à dix-huit heures à Saint-Malo et les voitures démarrèrent en trombe. Le capitaine amorça un demi-tour vers l'entrée du commissariat, se ravisa et revint vers Carole.

— Vous avez prévu quelque chose, ce soir ? On pourrait dîner ensemble ?

Elle le considéra avec stupéfaction. Et après le repas, lui proposerait-il des galipettes dans une chambre d'hôtel ?

— Je suis désolée. Je suis déjà invitée. Merci quand même.

Il n'insista pas.

— Au revoir, alors. Passez un bon Noël.

Noël. Carole avait d'autres soucis en tête. Elle s'installa au volant de sa voiture et sortit son portable de son sac. Elle n'avait pas pris le temps de vérifier la nouvelle que Marie Palante lui avait annoncée le matin. Savoir où en était Modard était soudain une priorité absolue. Elle composa de mémoire et sans une hésitation le numéro du service de réanimation. Le malade n'y était plus.

— Il a été transporté en postopératoire. Il a repris connaissance, vous savez. Sa vie n'est plus en danger. Je vous passe sa chambre.

Le soulagement est très voisin du bonheur. Béatrice décrocha à la première sonnerie.

— Carole ? Emmanuel nous a dit que vous étiez en Bretagne. Vous êtes gentille d'appeler. Je vous passe Alain. Pas trop longtemps, il est encore faible.

— C'est toi, chef ?

Elle eut du mal à reconnaître la voix de son adjoint. Il parlait comme un petit garçon. Ses yeux s'embuèrent.

— Je suis encore là. Un sacré bol, hein ? Je te dois une fière chandelle, à ce qu'il paraît. Tu m'as sauvé la vie. Merci, Carole. Reviens vite.

Elle le quitta et démarra rageusement dans une bordée de jurons. Elle aurait préféré qu'il l'engueule. C'eût été moins difficile à supporter qu'une reconnaissance qu'elle ne méritait pas et qui faisait peser encore plus lourd le poids de sa faute. Il avait failli mourir à cause de son incompétence et il la remerciait ! Elle s'arrêta devant l'entrée de la plage pour se calmer. Le père Hitchcock ne s'était pas débarrassé de ses oiseaux et faisait triste mine, debout sur son œuf, avec la flotte qui lui dégoulinait dessus. Richardson lui ressemblait un peu, au fait. Tout à coup, elle se mit à rire. Alain Modard vivrait. Qu'importaient les états d'âme de Carole Riou ? Pourquoi fallait-il qu'elle ait ce frénétique besoin d'être punie ? Elle n'était plus la vilaine petite fille qui faisait de la peine à sa mère. Celle qui n'osait pas pleurer sa cousine parce que c'était un péché. Elle ne conduisait pas la voiture quand Pierre était mort. Elle venait juste de lui dire qu'il roulait trop vite, et il s'était moqué d'elle. La vie qui venait d'être rendue à son adjoint coulait en même temps en elle comme une sève inespérée. Elle les aimait, Modard et les autres. Elle aimait Emmanuel. Une impatience la saisit d'être dans ses bras. Juste une mission à terminer.

Boitel s'apprêtait à quitter le commissariat. Il traînaillait. Sa femme était partie à Rennes pour les achats de Noël. Ça l'avait esquinté de taper pendant des heures sur ce foutu clavier. Enfin, c'était fini, le gros avait été embarqué et on était débarrassé des mecs de la PJ. La brigade du soir venait de remplacer l'autre. Lefrileux avait un écouteur à l'oreille. Vu la rougeur de son teint, il n'avait pas bu que de la limonade. Il expliqua que son épouse passait l'après-midi avec leur fille. Il en avait profité pour retrouver de vieux copains. Le lieutenant sourit. Une drôle de bande, sûrement !

— On avait raison. C'était bien la fille de Muriel Letellier.

Il lui raconta les derniers rebondissements.

— J'ai dans l'idée que Carole Riou n'est pas persuadée de la culpabilité de l'Anglais. Elle lui a posé de drôles de questions quand Lebris a eu le dos tourné. C'est bizarre qu'elle l'ait laissé le mettre en tôle.

— Elle n'avait rien à dire. C'est lui qui était responsable de l'enquête. Il l'a bien fait comprendre, non ?

— Certes. Il est parti il y a une demi-heure. Pas dit merci, ni au revoir. Il avait l'air vexé. Pas sympa, j'aime mieux le lieutenant. Bon, j'y vais. Ma petite chérie ne va plus tarder. Je suis de garde, cette nuit. Ne me refais pas le coup de la semaine dernière, j'ai besoin de dormir, moi !

— Dormir ? ironisa le brigadier.

Boitel n'eut pas le temps de répondre. Deux mômes pointaient le nez derrière la porte du hall. Des petits mômes trempés des pieds à la tête laissant une rivière dans leur sillage. Leurs yeux brillaient et il était difficile de savoir si c'était de peur ou d'excitation.

— Entrez et fermez la porte ! Qu'est-ce que vous voulez, les gars ?

Le blond poussa le brun en avant :

— C'est lui, c'est Bertrand. Il a un truc à dire. À propos du vieux monsieur qui a été étranglé hier.

Fabien Boitel regarda le brigadier. Les gamins avaient l'air sérieux. On avait déféré un assassin potentiel mais il pouvait perdre cinq minutes à les écouter.

— Venez dans mon bureau, mais enlevez d'abord vos blousons. Quel âge vous avez ?

— Onze ans, dit le blond.

— Je vous écoute.

Celui qui se prénommait Bertrand fouilla dans la poche de son jean et en sortit une enveloppe froissée.

— C'est rapport à la lettre anonyme. On n'osait pas en parler et on voulait jouer les détectives. Mais ma mère a dit qu'on avait arrêté un monsieur. Lui, il avait vu une dame. Alors on a dit qu'on allait chez Nicolas et on est venus.

Boitel était perdu. Qu'est-ce que c'était que cette histoire de fous ? Néanmoins, un frémissement courut dans ses veines. Une dame ? Il pensa à la domestique dont s'était souvenu Richardson. Carole Riou avait une idée derrière la tête à propos de cette bonniche.

— On reprend de zéro. Qui a vu une dame ? Quelle lettre anonyme ? Fais-moi voir.

L'enfant tendit la missive, en expliquant :

— Ma mère travaillait chez le vieux Debrincourt, celui qu'est mort. Deux jours par semaine, quand l'autre gouvernante avait ses congés. On dormait là-bas. Tout le monde pensait que M. Édouard il pouvait plus parler, qu'il était comme un légume. Mais c'était pas vrai. À moi, il avait dit son secret. Il faisait juste semblant pour qu'on l'embête pas. Il y voyait bien. J'avais le droit de toucher les photos avec Picasso, tout ça. J'avais promis, j'ai jamais rien dit à personne. La semaine dernière il m'a dit de piquer cinquante francs dans le porte-monnaie et de lui acheter de la colle. C'était pas du vol, hein ? Ils étaient à lui, les sous et je lui ai rendu la monnaie. Il m'a donné dix francs, mais j'avais rien demandé.

La colle. La solution était simple. Et Carole avait raison. Le vieux n'était pas aveugle. Boitel regardait l'enveloppe. Des lignes étaient tracées, des arabesques étranges et sinueuses. Illisibles. Il commençait à sortir le feuillet, quand il se rendit compte que quelque chose clochait :

— La colle, tu l'as achetée quand ?

— Pas jeudi, celui d'avant.

— Avant qu'on ait trouvé la dame dans la maison d'en face ?

— Oui, avant. Mais moi je crois qu'il le savait, qu'il y avait une dame morte. Il était pas comme d'habitude. Il arrêtait pas de se marrer, et il faisait moins attention à moi.

S'il le savait avant la découverte du corps, il avait forcément vu l'assassin. Il fallait rappeler Lebris.

— Continue, bonhomme.

Le bonhomme prenait de l'assurance. Il était un héros, non ? Le héros espérait seulement que sa mère n'allait pas le priver de ses cadeaux de Noël quand elle apprendrait qu'il était allé chez les flics sans permission et tout ce qu'il lui avait caché.

— Avant-hier, il m'a donné la lettre, et dix francs pour le timbre. Le reste en bonbons. Mais j'ai pas acheté le timbre, ajouta-t-il penaud.

— Pourquoi ? Tu voulais garder l'argent ?

— Non, non, mais ça servait à rien de la poster, cette lettre. Personne aurait pu lire ni l'adresse ni le nom. Il n'était pas complètement gâteux, mais un peu quand même, vous comprenez. Il a pas réalisé qu'il pouvait plus écrire.

Le destinataire n'avait jamais eu le message. Comment avait-il su que le vieux l'avait vu ? Boitel déplia la feuille de papier. Édouard Debrincourt ne savait plus écrire, mais avec les lettres découpées, il s'en sortait fort bien et avait gardé son orthographe.

Madame je vous ai vue transporter votre victime la nuit de dimanche à lundi je ne vous dénoncerai pas je suis trop vieux mais venez me voir parce que je m'ennuie juste en face je ne bouge pas beaucoup vous me raconterez pourquoi vous avez fait ça je ne dirai rien vous êtes forte le cadavre avait l'air lourd quand vous

l'avez sorti du coffre de la voiture je dis ça pour que
vous soyez sûre que j'ai tout vu.

Il avait vu une femme amener, en voiture, le corps
de Lola Richardson dans la nuit de dimanche à lundi.
Une femme. Pas un acheteur de dessins de Picasso. La
bande du fils Valençay était repartie. Richardson avait
pris le train de Paris le dimanche soir. Il n'aurait pas
eu le temps de revenir. Ou il était innocent, ou il avait
une complice sur place. Ou le vieux était givré. Merde.
Si seulement il pouvait déchiffrer le nom.

— Tu aurais dû nous apporter cette lettre plus tôt,
grogna-t-il.

Mais au fond, n'était-il pas ravi à l'idée que la PJ
s'était encore plantée ?

— Ben, M. Édouard, il est mort qu'hier ! J'avais
pas ouvert la lettre, moi. Je comptais la lui rendre. Je
l'ai lue que quand on m'a dit qu'il avait été assassiné.
C'est là que j'ai compris que c'était une lettre anonyme ! J'avais la trouille. J'en ai parlé avec Nicolas cet
après-midi. Et on est venus.

— Bon, tu vas me laisser cette lettre et tu vas rentrer
chez toi et tout dire à ta maman. Il faudra qu'elle
revienne avec toi pour que tu signes une déposition.
D'accord ?

De toute façon, Bertrand n'avait pas le choix. Tête
basse, il acquiesça. Le lieutenant les laissa repartir puis
retourna auprès de Lefrileux. Comme d'habitude,
celui-ci avait l'écouteur à l'oreille. Il fit un signe du
bras au lieutenant.

— L'identité judiciaire, annonça-t-il une minute
plus tard. Les cheveux dans le cabriolet, ce ne sont pas
ceux de Richardson.

— Il a un portable, Lebris ?

Le téléphone n'était pas en service. À son domicile

346

Boitel tomba sur le répondeur. Le capitaine devait être en goguette. Marchand n'était pas encore rentré chez lui. Le jeune lieutenant ne laissa pas de messages. Ces choses-là ne se disent que de vive voix. Il attendrait le lendemain matin. Il rentra chez lui. Il emporta la lettre. Qui était cette « madame » ? Une femme aux cheveux gris coupés courts ?

Carole arriva à la sortie de Dinard. Route de Saint-Lunaire. Et après Saint-Lunaire, Saint-Briac. De chez Suzanne, le coin de la côte vers lequel se diriger le plus spontanément, de nuit, pour se débarrasser d'un cabriolet un peu voyant. Avait-elle pu revenir à pied ? Elle était costaud. Une heure de marche ne devait pas lui faire peur. Moins qu'au gros Richardson. Carole imagina soudain un sac poubelle, lesté de cailloux, contenant des vêtements, un sac à main, des chaussures, qui tombait à la mer avec un plouf à peine perceptible. On ne le retrouverait jamais. La jeune femme était parfaitement calme, froidement déterminée. Elle fut déçue de constater que tout était éteint dans la maison. Suzanne n'était pas là et sur la pelouse tondue à ras les nains de jardin qu'aucune lampe n'éclairait s'étaient fondus dans l'obscurité comme pour se faire oublier. N'y avait-il pas une messe le samedi soir ? Carole fit demi-tour et repartit vers l'église de Saint-Énogat. Muriel était à ses côtés une présence presque palpable. Elle fixait l'objectif, ses deux bras de part et d'autre de son assiette. Dans la salle à manger des Cognets. Qui avait pris la photo ? Il y avait du vin sur la nappe. Une bouteille cassée. Elle se souvenait à présent. Le père de ses cousines était tombé sur le sol. C'était Suzanne qui avait cassé la bouteille, en la tapant très fort contre la cuisinière de fonte trônant dans le fond de la pièce. Elle brandissait le tesson en hurlant

347

« Espèce de sale ivrogne ! » La petite fille était terrorisée et pleurait. Puis Suzanne s'était calmée et sanglotait aussi. Sur le chemin du retour, la mère de Carole gémissait. Pourquoi fréquentait-on ces gens ? Elle reprochait à son mari d'avoir bu trop de vin et à sa fille d'avoir énervé tout le monde en gigotant sans arrêt. Carole était arrivée devant l'église dont s'échappait la musique d'un orgue. En descendant de voiture, elle s'aperçut que la peur était revenue. Mais il fallait arrêter de tergiverser. Elle voulait une certitude.

CHAPITRE XVIII

Carole pénétra dans l'église par une porte latérale, ouvrant sur une rue étroite et sombre. À l'intérieur, sous la haute voûte du monument massif et au style indéfinissable, un petit nombre de fidèles écoutaient la messe. Quelques familles en cachemire bleu marine et chaussures vernies, sans doute les propriétaires des monospaces immatriculés à Paris et garés devant le porche. Les gens des villas. Mais la majorité de l'assemblée était composée de femmes, des femmes âgées. Des fichus aux couleurs ternes recouvraient leurs cheveux gris et leurs manteaux de lainage exhalaient une odeur de chien mouillé se mêlant à l'encens et à la fumée des cierges. Dans un coin médiocrement éclairé, un Enfant Jésus en plâtre reposait dans la paille d'une crèche aux personnages décolorés. L'Immaculée Conception était une légende qui devait parfaitement convenir à Suzanne. Le curé, un vieux à l'estomac rebondi et la voix chevrotante, finissait son sermon. Carole à pas de loup avança dans la travée en examinant les visages attentifs. Elle aperçut sa cousine au deuxième rang, assise les mains jointes et contemplant le prêtre avec une expression à la fois sévère et extatique. Elle recula discrètement, prise de vertige. Lebris avait raison et elle délirait. Comment imaginer cette pauvre demoiselle, qui n'avait que la religion pour donner un sens à sa vie, en meurtrière sanguinaire ? Après tout, avec trente ans de crédit et des milliers d'heures de ménage, elle avait pu la payer sa maison. Elle ne devait pas dépenser grand-chose. Pourtant Carole décida de rester et s'installa sur l'un des derniers bancs. Suzanne serait ravie qu'elle ait assisté à l'office ! Docilement, elle se leva, baissa la tête, se rassit. Elle n'invoquait pas le Dieu des chrétiens, elle n'écoutait pas les prières. Son esprit était ailleurs et fonctionnait comme un moteur bien huilé dans l'apaisant marmonnement du rituel. Il reconstituait la genèse d'un drame, l'histoire d'une famille marquée par la fatalité. Quels chemins tortueux avaient parcourus leurs ancêtres pour que les Letellier échouent aux Cognets ? Quelle accumulation de misères et de brimades avaient-ils subies ? Exclus et humiliés dans un monde qui prospérait. Dans leur enfance, les gamines n'avaient connu que les coups et la violence qui avaient tué leur mère et le père en cherchant son salut dans le giron de l'Église catholique les avait privées aussi de la solidarité du quartier. Muriel avait espéré avoir une chance de s'en sortir, mais les dés étaient pipés. Elle était trop naïve. Durant un mois de mai un peu fou, elle avait cru prendre sa revanche sur le malheur, et elle avait été flouée. Le temps n'était pas venu dans le milieu d'où elle venait, pour qu'une fille pût impunément se trouver enceinte d'un bébé sans père. Sans argent et sans amis, elle n'avait eu ni les moyens d'un avortement clandestin ni la force d'assumer seule la venue de cet enfant. Elle avait cherché un refuge auprès des siens. On lui avait alors proposé un immonde marché qui la débarrassait du scandaleux bâtard. On ? Son père ou Suzanne. Suzanne. La bonniche, l'aînée condamnée au travail dès l'âge de quatorze ans. La laide que les garçons ne regardaient même pas et qui avait suivi son père en bigoterie pour combler le vide. Suzanne haïssait les Cognets et était prête à tout pour s'en échapper. Elle jalousait sa sœur partie étudier à Paris. Annie Chapuis l'avait suggéré. Et cette sœur, cette fille perdue l'appelait au secours, avec le fruit de ses péchés dans les entrailles. Au même moment, chez les patrons, la riche Parisienne se lamentait de ne pas enfanter. C'est le bon Dieu qui l'envoyait. On allait arranger ça. Carole comprit que l'instant de doute était passé. Suzanne ne méritait aucune pitié. Elle hésita sur la conduite à tenir. La sagesse eût voulu qu'elle retournât au commissariat et qu'elle tentât de joindre la PJ. Ou qu'elle prévînt Chapuis. La sagesse... elle n'avait pas plus de preuves qu'une heure auparavant. Autant prolonger un peu le cavalier seul.

La messe se terminait. Carole sursauta quand les cloches se mirent en branle. Après une ultime génuflexion, les fidèles commençaient à sortir. Il ne fallait pas manquer Suzanne. Elle avança à sa rencontre dans la travée centrale, frôlant des manches encore humides. Un petit garçon en chaussettes blanches demanda à sa mère si c'était le Père Noël ou le petit Jésus qui descendrait dans la cheminée. Carole ne voyait plus sa cousine. Où était-elle ? Elle la repéra enfin, juste devant l'autel. Elle bavardait avec une femme aux cheveux roux. Le curé les rejoignit, puis se dirigea vers la sacristie. Pourvu qu'elles ne le suivent pas. Non, le trio se séparait, les femmes venant vers elle. Dans l'échancrure du manteau noir de Suzanne, une écharpe de soie verte. Vert bouteille. Lebris avait parlé des fibres analysées par la police technique, la veille au soir.

— Carole ! Tu es venue à la messe ? Quelle bonne idée ! Il faut prier Notre-Seigneur à la veille de Noël et lui demander de nous pardonner nos péchés. C'est bien. Tu rentres avec moi ?

— Non, Suzanne. Pas ce soir. Je suis venue te demander quelque chose. Tu n'étais pas chez toi et j'ai pensé que je te trouverais à l'église.

— Ah... Tu aurais dû m'avertir que tu allais passer.

Son dépit était net. Elle n'avait pas sauvé la brebis égarée. Carole n'avait pas eu envie de lui faire ce plaisir. Certainement pas.

— As-tu travaillé en 1968 chez des gens qui s'appelaient Bouvier, ou Bouvreuil ? Y as-tu rencontré une certaine Maud Richardson ?

Elle avait élevé la voix malgré elle. Ça résonnait sous la voûte de pierre. Un éclair de colère passa dans les yeux de Suzanne.

— Chut... Parle moins fort, voyons. C'est un lieu sacré.

Elle chuchotait.

— Tu n'as pas répondu.

— Qu'est-ce que tu veux que je réponde ? Je ne connais pas ces gens-là.

— Tu es sûre, Suzanne ? Moi je crois que si. Muriel est venue au mois d'août te demander de l'aide, parce qu'elle était enceinte et désespérée. L'autre femme voulait un bébé. Ça tombait bien. Tu l'as mise en contact avec Muriel. Comment as-tu convaincu ta sœur de vendre son bébé ?

Ce qu'elle lut sur le visage de sa cousine ôta à Carole ses dernières incertitudes. L'espace de quelques secondes, ses traits s'étaient déformés trahissant une haine implacable. Pas de la peur, de la haine. Tout aussi brutalement, Suzanne reprit son masque habituel, lisse, innocent, de brave dame un peu sotte.

— Je ne comprends rien à ce que tu racontes. Je n'ai pas vu Muriel cet été-là. Et je te répète qu'elle n'a jamais eu de bébé.

Elle avait haussé le ton. Sa voix filait dans les aigus. L'endroit ne se prêtait pas à de longues explications. Les cloches cessèrent de sonner. Le silence pesait lourd dans la nef désertée. Les lampes s'éteignirent. Seule la lueur vacillante des cierges éclairait les deux silhouettes. Carole prit le bras de sa cousine et l'entraîna de force vers le porche.

— Elle a eu un bébé. Pourquoi nies-tu l'évidence ?

— C'est faux ! Elle était un ange, pas une de ces putains. Sinon, penses-tu que j'aurais mis son portrait au mur au côté de la Sainte Vierge ? Que je lui aurais bâti un tombeau de chrétienne ? C'est toi, l'impie. Tu n'es même pas allée sur sa tombe.

Carole se rendit compte qu'elle débitait des mensonges fabriqués au cours des années. Elle avait fini par se persuader qu'elle avait bien agi. Dieu ne l'avait pas punie, donc il l'approuvait. Le culte voué à la morte prolongeait la mystification. Le sacrifice était accepté car Suzanne avait offert à son Seigneur une vierge martyre... L'arrivée de Lola – elle avait téléphoné, sans doute s'était-elle fait piéger dans la maison à l'apparence si inoffensive – avait dû pulvériser le mythe patiemment construit. Écœurée, Carole se laissa emporter par la colère :

— Si, je suis allée sur sa tombe. Pourquoi as-tu tué Muriel ? Parce qu'elle réclamait sa part de l'argent ou parce qu'elle avait décidé de tout avouer pour récupérer l'enfant ? Et Lola ? Parce que son existence t'était insupportable ?

Suzanne porta les mains à son cou et dénoua son écharpe. Carole se prépara à cogner, mais il ne se passa rien. La vieille fille mit le foulard dans sa poche, et murmura :

— Tu as blasphémé dans la maison de Dieu. Je ne veux plus jamais te voir. Tu ne fais plus partie de ma famille. Dommage. Je comptais te léguer ma maison. Tu n'auras rien. Adieu.

Elle tourna les talons. Elle ne s'en tirerait pas comme ça. Carole la rattrapa, la saisit par l'épaule et l'obligea à la regarder :

— Je dois te livrer à la justice. Donne-moi cette écharpe.

Suzanne se dégagea brutalement, et s'éloigna du porche de l'église en courant presque, cette fois. Carole avait eu le temps de voir ses yeux et frémit. Son instinct de flic la poussait à poursuivre la fuyarde, à la maîtriser et à l'emmener au commissariat. Mais elle était clouée sur les dalles de pierre. Clouée par l'œil de basilic, et parce qu'elle n'avait aucun moyen d'agir. Elle était impuissante. Elle regretta soudain le stupide entêtement qui l'avait poussée à ne pas partager ses soupçons et à laisser Lebris envoyer Richardson en prison. Au nom de quelle absurde solidarité familiale ? Le sens de la mission dont elle s'était crue chargée lui échappait désormais. Pourquoi s'était-elle imaginé que c'était à elle et à personne d'autre de venger Muriel et Lola ? Elle n'avait pas besoin de croisade pour retomber sur ses pattes. Elle était adulte. Et officier de police judiciaire. Elle se précipita enfin vers la ruelle. Il pleuvait. Les feux arrière de la Twingo s'éloignaient. Et maintenant ?

Fabien Boitel était vautré dans le canapé, un verre de bourbon à la main, et faisait machinalement danser les glaçons. Sa Cathy était rentrée et remuait des casseroles dans la cuisine. Il n'avait pas proposé de l'aider, pas ce soir. Il en avait sa claque. Encore vingt-quatre heures de garde avant le prochain repos, mais il était peu probable qu'il fût de nouveau sorti du lit cette nuit. Pas à Dinard. Il se redressa, poussa un soupir, sortit une troisième cigarette du paquet qui d'ordinaire lui durait cinq jours. L'enveloppe le narguait sur la table basse. Il avait le sentiment confus qu'il y avait urgence à déchiffrer les pattes de mouche, bien que la tâche semblât impossible. Il réfléchit. Les lettres n'étaient pas formées, les lignes se chevauchaient et la main qui tenait le stylo tremblait tant qu'elle dessinait des sinusoïdes. Cependant le vieillard avait été capable de composer, avec les lettres découpées dans des journaux, un message parfaitement cohérent et bien orthographié. Il était certes irresponsable et avait cherché ce qui lui était arrivé. N'empêche que paradoxalement, il avait manifesté plus de puérilité que de sénilité ! En fait, derrière le résultat catastrophique, il y avait une intention consciente. Un nom, une adresse. Peut-être un prénom. Bon sang, qu'il était con de ne pas y avoir pensé plus tôt ! Si Édouard Debrincourt avait écrit à la femme qu'il avait vue, c'est qu'il la connaissait ! Le terme de lettre anonyme employé par les mômes lui avait bouché l'entendement. Ce n'était pas une lettre anonyme. L'expéditeur indiquait clairement qui il était, ou du moins où il vivait, et le destinataire était censé être atteint par le facteur. Identifiable. Il se précipita vers l'annuaire et trouva le numéro de l'unique Debrincourt de Dinard. Une voix masculine lui répondit. Le fils. Affable, mais incapable de dire qui son père pouvait fréquenter. En réalité, personne ne devait plus venir le voir depuis des années. À part Mathilde, sa gouvernante et l'autre femme qui s'occupait de lui, bien sûr. L'autre femme, c'était la mère de Bertrand. Il ne pouvait s'agir d'elle.

— Vous pouvez me passer la gouvernante ?

— Je suis désolé, c'est impossible. Elle est partie dès ce matin. Vous comprenez, nous n'avons plus besoin d'elle. L'inspecteur l'a autorisée à quitter la ville.

— Vous avez son adresse ?

— Elle vit à Dinan, mais elle n'y est pas. Elle devait rejoindre sa sœur, je crois, à Laval. Une sœur mariée. J'ignore son nom. Dites-moi, que se passe-t-il ? Du nouveau ? Je viens pourtant d'entendre à la télévision le procureur annoncer que l'assassin était en état d'arrestation. On aurait d'ailleurs pu nous prévenir.

Boitel coupa court aux récriminations de son correspondant et raccrocha, dépité. Une femme aux cheveux gris. La voix de Carole Riou envahit sa mémoire. Je vais voir ma cousine Letellier. La sœur de la première victime. Femme de ménage des Valençay. Plus toute jeune. Elle venait fréquemment à La Chênaie. Le vieux avait pu avoir la curiosité de s'enquérir de son nom. Même dans la nuit il avait reconnu la voiture et la silhouette familière.

— Cathy ! Tu peux venir ?

Il lui tendit l'enveloppe, et la loupe posée à côté.

— Aide-moi. Est-ce que ça pourrait être écrit « Letellier », là-dessus ?

Carole hésitait. Si seulement elle avait pu lui arracher cette fichue écharpe. Maintenant, elle allait s'en débarrasser. Si Suzanne avait bien étranglé deux personnes avec ce bout de tissu, elle avait un sacré toupet de se balader avec. Elle semblait, il est vrai, assurée de l'impunité. Complètement folle. Il fallait prévenir les collègues. Mais qu'avait-elle à dire de plus qu'une heure auparavant ? D'abord essayer de rattraper Suzanne. Elle s'était sûrement réfugiée chez elle. Sa maison. L'unique chose qui comptât.

Elle n'y était pas. Les lumières étaient éteintes, la porte d'entrée verrouillée et la voiture invisible. Carole n'avait plus qu'à repartir. Elle devait réfléchir. Calmement. Tenter de reconstruire une histoire cohérente pour enlever l'adhésion de la PJ. On retrouverait la criminelle, ce n'était pas à une heure près. Au premier étage, la main qui avait appuyé sur l'interrupteur au moment où le bruit de moteur se rapprochait se glissa sous le lit et en ramena une boîte pleine de clés étiquetées. Quand la Clio de sa cousine eut disparu, la grande femme sèche ricana. Elle enfila son manteau, vérifia que l'écharpe était toujours dans la poche, y ajouta deux clés. Elle sortit dans le noir.

— À bientôt, murmura-t-elle aux volets blancs, à la pelouse tondue et aux nains au sourire niais.

Elle s'installa au volant de son véhicule qu'elle avait garé deux rues plus loin. Le capitaine Carole Riou qui avait décidé de rentrer à La Richardais pour manger un peu et faire le point ne s'aperçut pas qu'elle était suivie, ni quand elle s'arrêta devant une supérette, ni quand elle tourna à gauche pour descendre vers la cale sur la Rance. La Twingo s'était immobilisée avant le carrefour.

Le lieutenant Marchand avait regagné son domicile. Une bonne odeur de volaille rôtie l'accueillit, le sapin était décoré et sa femme lui apporta ses pantoufles.

— Un dénommé Boitel a essayé de te joindre. Il n'a pas voulu laisser de message.

— Boitel ? Je dois le rappeler ?

— Il n'a rien dit.

— On verra demain. J'en ai marre. Lebris n'a pas donné signe de vie ? Alors, on passe à table. Pas de problème.

Lebris s'était vite remis de sa déconvenue. Cette Riou, finalement, elle était un peu vieille pour lui. Il profitait à présent de la chaleureuse hospitalité de la secrétaire de son dentiste, dont il avait traîné le parfum dans son sillage toute la journée du vendredi. Avec le sentiment du devoir accompli, il plongea sous les draps.

Carole posa sur la table de la cuisine les provisions qu'elle avait achetées. À vrai dire, elle n'avait pas faim. Elle éprouvait une impression désagréable, une angoisse diffuse. L'origine en était facile à deviner. Ce n'était pas la première fois qu'elle était confrontée à la folie meurtrière, mais c'était la première fois qu'elle était impliquée autrement que dans l'exercice de son métier. La veille encore, elle dînait avec l'assassin. Deux jours plus tôt, Suzanne lui paraissait une sorte de planche de salut. Elle avait en cela suivi les traces de Muriel et se sentait trahie, comme Muriel l'avait été. Impossible de se concentrer. Trop de fatigue, trop de solitude. Derrière les fenêtres, toute la largeur de l'estuaire. La noirceur de l'estuaire. Les habitants des maisons voisines étaient absents, sans doute en famille pour les fêtes. Où était Emmanuel ? Chez lui, au-dessus de la librairie, ou avec sa mère, à Saint-Véran. Il n'avait pas rappelé, fidèle à sa décision. Il attendait que Carole fît le premier pas. Elle allait le faire. Sous le regard ironique d'Alfred Hitchcock, elle avait compris que les comptes étaient presque réglés. Juste quelques dernières brasses à nager en eaux troubles. Définitivement clore la lamentable saga de la famille Letellier, délivrer André Chapuis des questions qu'il se posait depuis tant d'années. Faire en sorte que la vraie coupable soit mise hors d'état de nuire. Carole avait renoncé à changer le monde, mais espérait encore y apporter des améliorations. En commençant par sa propre vie. Elle composa le numéro d'Emmanuel. Pas de réponse. Il n'était pas non plus chez sa mère. La jeune femme qui s'occupait de la malade ne l'avait pas vu depuis deux jours, et Marie Palante était partie le matin même pour la Bourgogne. Où es-tu ? J'ai besoin de toi. Elle grignota un morceau de fromage, se servit un verre de bordeaux et s'installa dans un fauteuil du salon. Elle se força à penser aux crimes. Logiquement. En partant de l'idée que Richardson avait dit la vérité. Que faisait Muriel à Dinard une semaine après son accouchement ? Elle n'avait pas revu Maud Richardson, puisque son mari l'avait juste déposée à la gare. Donc, n'avait pas touché d'argent à ce moment-là. Il y avait obligatoirement de l'argent en jeu. Les détails de l'opération s'étaient réglés entre les deux femmes, à Dinard. Elles menaient le jeu. Suzanne avait donc reçu la somme convenue après l'abandon de Lola. Carole s'imagina aisément la suite. L'aînée donne rendez-vous, de nuit, à sa sœur sur la promenade du bord de mer, ou dans les rochers. Il vaut mieux que le père ne la voie pas. Que se produit-il alors ? Suzanne veut tout garder pour elle, ou bien Muriel qui semblait désespérée à la clinique, qui pleurait dans le train, veut annuler le contrat et récupérer son bébé. C'est plutôt cela. Elle essaie de convaincre sa sœur de rendre la somme versée et Suzanne voit s'envoler ses espoirs de quitter les Cognets. Elle attrape un gros caillou qu'elle repère par hasard et frappe. Sans doute pas de préméditation. Un coup de sang. Et après ? Personne n'a jamais soupçonné Suzanne. Elle a attendu trois ans pour utiliser l'argent et acheter sa maison. Elle s'est persuadée que si elle avait échappé à la justice, Dieu l'avait décidé. D'ailleurs, sa vie ressemble dès lors à une œuvre de rédemption. Le mausolée, la chambre temple, le vieux père soigné avec dévouement. Le vieux père ! Carole se rappela soudain ce qu'avait dit Chapuis. Suzanne avait fourni un alibi à son père, après son attaque. Elle avait affirmé qu'ils étaient ensemble toute la soirée. Mais alors... Lui savait forcément que sa fille

aînée était sortie. Et devant le cadavre de la plus jeune
– la préférée ? – il avait compris que l'autre était coupable. Il avait payé pour l'alcool ingurgité, fait une
attaque et s'était retrouvé paralysé à vie, à la merci de
ce monstre, dans un effroyable et inéluctable tête-à-tête
de trente ans. Dans la maison qui était le prix du sang.
Carole sentit une nausée l'envahir. Elle remplit son
verre et alluma une cigarette. Trente ans de supplice.
Il avait racheté ses fautes.

Dans son cerveau, l'histoire se mettait en place. Tout
se tenait. Suzanne aurait coulé une vieillesse paisible
au milieu de ses meubles cirés si Lola n'avait pas
découvert qu'elle n'était pas la fille des Richardson.
Quel document traînait dans le secrétaire de Maud ? Le
fameux contrat ? Il avait mis la jeune femme sur la
piste des Letellier. Des S. Letellier. Une signature peut-
être. Lola avait téléphoné à Suzanne, s'était rendue
chez elle, le samedi 9 et n'en était pas ressortie vivante.
Son père l'avait bien attendue en vain à l'entrée de la
plage. Lola ne pouvait plus honorer aucun rendez-vous.
Ensuite, Suzanne avait organisé de façon machiavélique la mise en scène qui devait détourner les soupçons vers le fils Valençay et retarder l'identification du
corps. Elle devait savoir qu'Alexandre était venu, et
avoir patienté jusqu'à son départ pour agir. Elle avait
encore trouvé la force de conduire le cabriolet à Saint-
Briac et de le précipiter à la mer. Avec le sac contenant
les affaires de sa victime. Elle avait réalisé que la villa
d'en face était occupée quand Édouard Debrincourt
avait frappé à la vitre le matin où elles avaient fait le
ménage. Un témoin qu'il fallait supprimer. Alors elle
avait guetté Mathilde, et profité d'une de ses sorties
pour s'introduire dans la propriété. Elle avait eu de la
chance, la porte n'était pas fermée à clé, nul ne l'avait
vue. D'ailleurs, même si on l'avait croisée, qui aurait

pensé que la demoiselle aux cheveux gris avait les bras assez musclés et l'âme assez noire pour serrer un foulard de soie autour d'un cou jusqu'à ce que mort s'ensuive... « Pas Lebris, pas moi... » Carole bâilla. Appeler le commissariat. Organiser les recherches. « Aucune pitié, je veux sa peau. Je déteste ce silence. » Mais ses paupières étaient trop lourdes, ses membres engourdis. Combien de verres de bordeaux avait-elle bus, sans s'en rendre compte ? Elle n'eut pas le courage d'attraper son portable. Elle s'endormit. Dehors, on la regardait par la fenêtre dont elle n'avait pas fermé les volets. Cinq minutes plus tard, une clé fut introduite dans la serrure et celle qui y était déjà tomba sur le sol. Carole ne l'entendit pas. Il y avait un paillasson.

Boitel poussa un cri de triomphe. Avec Cathy, ils étaient arrivés à la conclusion formelle que le nom sur l'enveloppe ne pouvait être que Letellier. Il n'y avait pas de prénom. Juste Mademoiselle. La similitude de deux groupes de lettres les avait aidés : « ell », ça revenait bien. Pour l'adresse, trop compliqué. Il se resservit une goutte de bourbon.

— Qu'est-ce qu'on fait ? demanda Cathy.

Elle était tout excitée d'avoir participé au jeu. Son époux eut bien envie de ne rien faire et de l'entraîner vers le lit conjugal, mais la conscience professionnelle fut la plus forte. Il éprouvait aussi une vague inquiétude. Si cette femme était bien coupable elle avait tué deux fois. Voire trois. Et Carole Riou était avec elle. L'inquiétude se transforma en une violente appréhension. Merde. Il faut la prévenir. Il fouilla ses poches à la recherche du numéro de portable que la collègue lui avait laissé la veille et finit par le dénicher. L'appareil était branché et émit plusieurs sonneries avant que le répondeur ne se mît en route. Il laissa un message. « Rappelez-moi très vite. » Ça ne suffisait pas.

— Donne-moi l'annuaire.

Letellier Suzanne. Une impasse près de la route de Saint-Lunaire. Pas de réponse. Le vide, une maison noire et muette au bout du fil. Où étaient-elles passées ? Il regarda le combiné, impuissant. Le sentiment d'urgence était réapparu. Aller voir par lui-même chez cette bonne femme ? Il n'y avait apparemment personne. Répond-on au téléphone si on vient de tuer quelqu'un ? Où habitait Carole ? Il n'en avait pas la moindre idée. À qui l'aurait-elle dit ? Lefrileux ? Il appela le commissariat. Le brigadier le renvoya sur Chapuis. André Chapuis savait. La cale de La Richardais.

— Je viens avec vous. Rendez-vous aux feux, avant le barrage. Prenez la route de La Richardais et attendez-moi. Je vous guiderai.

Dans un réflexe professionnel, le lieutenant prit son arme de service. Les menottes étaient dans sa voiture.

Ce fut la sonnerie insistante de son portable qui éveilla Carole. Elle ne put l'attraper. Il était déjà trop tard. Quelqu'un était derrière elle et une lanière de tissu serrait sa gorge. Elle sut immédiatement qui avait pénétré dans la maison. Suzanne répandait une odeur aigre. Dans un réflexe, Carole réussit à passer les mains entre sa peau et l'écharpe et tira sur le tissu. L'air passa à nouveau et elle put respirer. Elle mobilisa en un quart de seconde toute son énergie et installa dans sa mémoire le programme de défense de l'école de police. C'était trop con ! Elle n'avait pas l'intention de se laisser étrangler par une vieille fille de plus de cinquante ans. La détourner de sa volonté de serrer. La faire parler. On lui avait appris ça.

— Comment es-tu entrée ?

— J'ai le double de tes clés. J'ai le double de toutes les clés. Même si on me les reprend, je reste maîtresse de mes villas. Elles sont à moi plus qu'à ces gens qui ne viennent presque jamais. J'y entre quand je veux. Enlève tes mains !

Elle hurla et accentua la pression sur le nœud. La force, dans ses bras, était énorme. Aucun espoir que la soie se déchire, elle résisterait. Peu à peu, les doigts de Carole, loin d'éviter la compression, s'enfoncèrent dans sa chair, lui causant une souffrance insupportable. Elle ne pouvait plus avaler sa salive, sa glotte était obstruée. Il lui semblait que sa gorge allait exploser, libérant des geysers de sang. Un voile noir passa devant ses yeux. Sa bouche s'ouvrit, aucun son n'en sortit. Elle allait mourir. L'autre papotait et les paroles parvenaient à sa victime comme à travers une masse cotonneuse.

— Je te surveillais. Tu ne pourras plus rien dire. Personne ne devinera. Tu t'es endormie, ma pauvre fille. Je n'avais plus besoin d'attendre. Plus vite ce sera fait, plus vite je pourrai rentrer chez moi.

La mort, non, pas maintenant. La mort, Carole l'avait souhaitée après la disparition de Pierre et toujours l'instinct de survie avait été le plus fort. En cet instant, elle ressentait l'ardent désir de vivre. Le désespoir l'envahit, plus violent que la douleur. La panique lui faisait agiter en vain les bras et les jambes. Ses oreilles bourdonnaient de plus en plus, elle étouffait. Elle faillit renoncer à lutter, puis dans un sursaut de lucidité mobilisa ses dernières forces dans un coup de reins rapide, faisant basculer le fauteuil en arrière. Suzanne, déstabilisée, dut reculer et lâcha les bouts du foulard. Carole se releva rapidement. La tête lui tournait, des nausées la secouaient mais l'air affluait dans ses poumons. Debout, elle ne craignait plus cette vieille folle. On lui avait appris à se battre. Les deux femmes s'empoignèrent. Suzanne criait sa haine, griffait, battait l'air de ses bras noueux. Carole était efficace et précise. Son poing partit, atteignit la tempe gauche de l'ennemi qui s'écroula. Alors seulement elle prit vraiment conscience que l'adversaire était sa cousine et se précipita vers la cuisine pour vomir dans l'évier. Elle n'avait aucune notion du temps écoulé, chaque respiration lui brûlait les poumons. Suzanne se relevait, marchait vers elle avec des allures d'automate, crachant des injures. Ça ne s'arrêterait pas ! De grands coups frappés dans les vitres lui évitèrent, à son grand soulagement, d'avoir à se servir du couteau de cuisine qu'elle brandissait. Elle reconnut Boitel derrière la fenêtre, l'arme au poing. Une minute plus tard, la criminelle était maîtrisée par les deux hommes entrés en trombe. André Chapuis regardait cette créature échevelée avec des yeux exorbités. Il contemplait le Mal. Il l'avait poursuivi pendant une grande partie de son existence. Il tenait sa revanche.

Dix minutes plus tard, Suzanne se mit à parler. Spontanément, avec une évidente complaisance, elle révéla tous les détails de ses crimes. Ils l'avaient menottée. Elle les effrayait encore. Boitel avait appelé du renfort. Lefrileux lui envoyait le fourgon. En attendant, ils écoutèrent, fascinés, la confession de la vieille fille. Réalisait-elle ce qu'elle risquait ? Difficile de savoir s'ils avaient en face d'eux une démente ou une meurtrière lucide et calculatrice. Par moments, la flamme de haine disparaissait de son regard, qui devenait terne et sans expression. Ils voyaient alors une demoiselle présentant le masque de la respectabilité, le visage lisse de l'innocence. Et parfois elle se déchaînait, bavant son venin, crachant des mots obscènes particulièrement incongrus dans la bouche de cette créature asexuée.

Le scénario que Carole avait imaginé pour expliquer la mort de Muriel était le bon. La jeune fille n'avait pas supporté qu'on lui arrache l'enfant. Elle regrettait d'avoir consenti à ce que lui proposait sa sœur, était prête à avouer la supercherie pour revenir en arrière. Suzanne avait jeté aux orties le mythe de la pure victime, effacé trente ans d'affabulation.

— Cette impie avait osé me demander de l'argent pour se faire avorter ! Elle savait, pourtant, que c'était un péché mortel. J'allais la chasser quand j'ai pensé à cette Mme Richardson. Elle était bien contente, la Muriel, que je lui annonce que tout était arrangé. Et après, quand on a eu l'argent, elle s'est mise à faire la maligne. Elle voulait pourtant le tuer, au départ, ce bébé à qui j'avais sauvé la vie. On avait rendez-vous sur la digue pour que je lui verse sa part. Au lieu d'être contente, elle sanglotait, me menaçait.

Le caillou était à ses pieds. Elle avait frappé et s'était enfuie. Pendant des jours et des jours, elle avait craint qu'on ne la mette en prison. Il ne s'était rien produit de tel. Alors, elle avait patienté trois ans et réalisé son rêve. Propriétaire, loin des Cognets. Si son père se doutait de quelque chose ? Elle sourit. Quelle importance ?

André Chapuis serrait les poings. Il s'était complètement fourvoyé. Pas une seconde il n'avait envisagé la culpabilité de Suzanne. Comment l'aurait-il pu ? Il la plaignait. Une brave fille de vingt-cinq ans, frappée par le malheur. Une bonne chrétienne à l'enfance sacrifiée. Et Lola ? Pourquoi avait-elle tué Lola ?

— Une fière salope, celle-là. Elle m'a téléphoné. Elle avait trouvé la reconnaissance de dette dans le secrétaire de sa mère. Encore une belle ordure, la mère. Elle m'avait juré qu'elle la détruirait au bout de dix ans. Je n'avais pas le choix. Je n'aurais pas eu mes vingt millions sans cela. Elle m'avait tout écrit au brouillon. J'ai recopié. Je soussignée, S. Letellier, demeurant à Dinard, reconnais devoir... Je lui ai envoyé le document par la poste le jour de la naissance de Lola et j'ai reçu l'argent le lendemain, comme convenu. Elle était sûre comme ça que je ne la ferais pas chanter. Elle avait pas confiance. La fille, quand elle a vu la date, elle a compris. Son erreur c'est qu'elle a cru que c'était moi, sa mère. Idiote. Elle était méchante. Une créature du Diable. Elle m'a regardée et elle s'est mise à rire. Elle n'en pouvait plus de rire. « C'est toi qui m'as vendue » qu'elle disait. « Et la sage-femme qui t'avait trouvée jolie ! Comment ma mère a-t-elle pu commander un enfant à une mocheté pareille ! J'ai eu de la chance, on dirait. C'était qui mon père ? Le seul mec qui t'ait jamais baisée ? »

Les mots de Lola Richardson étaient gravés dans la mémoire de Suzanne, mais aussi le son de sa voix, ses intonations. Elle les reproduisait fidèlement, revivant la scène qui l'avait mise hors d'elle, et les trois témoins se crurent l'objet d'une hallucination, comme si la morte ressuscitait dans le corps de l'autre.

Suzanne n'avait pas voulu en entendre plus. L'existence même de sa visiteuse démolissait trente ans d'hypocrisie, ranimait le souvenir du péché commis un soir de mars. Lola ne se méfiait pas, elle riait tellement. Suzanne devait la faire taire. Elle ne supportait plus l'humiliation. Ni que sa maison, son refuge fussent souillés par les sarcasmes de cette femme. S'étant placée derrière sa visiteuse, elle avait saisi l'écharpe posée sur une chaise en revenant du marché, d'un mouvement brusque la lui avait passée par-dessus la tête et avait serré, serré. Lola s'était débattue, avait donné des coups de pied, renversé une chaise. Suzanne n'avait pas lâché. Mine de rien, elle était beaucoup plus forte que cette Parisienne. Finalement la sale bête était tombée. Enfin, elle se taisait.

Lola était arrivée le samedi en fin de matinée. À midi, elle était morte. Après avoir brûlé la reconnaissance de dette et caché le cadavre dans la cave, Suzanne avait réfléchi à la manière de le faire disparaître. En fin d'après-midi, elle était allée demander conseil au bon Dieu, et là, devant l'église, avait vu passer les deux voitures. Elle avait bien reconnu Alexandre Valençay. La solution était trouvée. Quand ils seraient repartis elle porterait le corps à La Chênaie. Dans la Malouine, des recoins derrière les portails pour se dissimuler, ça ne manquait pas. Elle avait guetté leur départ, comme elle avait guetté celui de la gouvernante du vieux fou. Elle avait attendu la nuit pour amener son paquet. C'était lourd, elle s'était fait mal au dos en le mettant dans le coffre. Mais elle avait réussi à l'en sortir, l'avait traîné dans le hall, puis pris dans ses bras et allongé sur le plancher du salon. Il n'y avait plus qu'à partir en laissant ouvert et à s'arranger pour que la police apprenne que ce voyou avait l'habitude de se saouler et d'oublier de fermer la villa.

— Pourquoi l'avoir déshabillée ? murmura Carole, la bouche sèche.

Suzanne se rengorgea.

— Pour qu'on ne sache pas qui c'était, je lui ai tout enlevé. Les habits, les bijoux, les papiers. Ils sont au fond de la mer. Cette putain, elle ne méritait pas mieux. Et Alexandre Valençay, c'est une vermine. Si elle était nue, la police dirait qu'ils l'avaient tuée pour la violer ! Je lui ai même enfoncé une petite bouteille dans le... enfin où vous savez.

Ils étaient effarés. Capable des pires vilenies, Suzanne ne pouvait prononcer le mot vagin. Elle croyait simuler un viol, mais ignorait qu'il y aurait eu du sperme... Il restait un point à éclaircir.

— Et sa voiture ? Où était sa voiture ? Personne ne l'a vue ?

— Elle l'avait laissée assez loin de chez moi, le long du stade. Invisible de la route. La carte grise et les clés étaient dans son sac. Avec le numéro d'immatriculation, j'ai bien fini par la trouver. Dès la première nuit, je l'ai balancée du haut du rocher.

Tout à coup, l'attitude de Suzanne changea. Le flot ininterrompu de ses aveux se tarit. Elle secouait ses mains prisonnières, se débattait et cracha en direction de Carole.

— C'est ta faute si Dieu m'a abandonnée ! Pourquoi m'as-tu harcelée avec cette histoire de téléphone ? Et pourquoi as-tu fait apparaître ce vieux débris derrière une fenêtre ? Il n'était pas là avant ! J'ai été obligée de le tuer. Il avait pu me voir. Toi aussi tu seras punie. Je me vengerai. Laissez-moi partir ! Mon Dieu pourquoi m'as-tu abandonnée ? Je veux ma maison ! Personne ne me prendra ma maison !

Sous les yeux épouvantés du jeune lieutenant, du flic en retraite et de Carole, elle se mit à hurler puis se calma et, d'une voix de petite fille, venue de très loin, commença à chanter des cantiques. Elle ne s'arrêta plus jusqu'à l'arrivée des agents et du fourgon. Elle fut entraînée dans la nuit.

— J'y vais, annonça Boitel.

Il était livide.

André Chapuis et Carole restèrent silencieux. Autour de la maison la nuit, indifférente, charriait ses odeurs marines. Ils firent quelques pas sur la jetée. Des étoiles apparurent entre des pans de nuages effilochés. Une soirée ordinaire. Des familles dînaient devant la télévision, en pensant aux fêtes prochaines. Les gens ordinaires. Dans tous les quartiers. Des vies, avec de la violence, de l'alcool et de l'espoir.

— Ainsi, je sais, dit Chapuis. Je ne suis pas certain d'en être satisfait.

Carole ne répondit pas. Il n'y avait rien à ajouter.

La marée montait doucement et dans le noir les liserés d'écume léchaient le sable lisse que nul pas n'avait foulé. Des deux côtés de la plage, sur les promontoires rocheux, quelques trouées lumineuses perçaient les masses à peine distinctes des villas. Des êtres vivants dans la nuit apaisée ou des fantômes d'une autre époque ? La pluie s'était arrêtée. Des feux clignotaient sur la mer, verts, rouges ou blancs. Les écueils aussi résistaient au temps, immuables comme la beauté de Dinard.

Dans le quartier des Grands-Prés, Raymond, le père de Thomas, venait de fermer son bar et s'apprêtait à regagner son appartement. Il regarda Joël qui s'éloignait dans la nuit en titubant, et soupira. Le pauvre n'en avait plus pour bien longtemps, il crèverait bientôt dans son coin. Il crèverait de la malédiction des Cognets. Avant d'éteindre les néons et la guirlande du sapin, Raymond prit l'enveloppe arrivée le matin et qu'il avait glissée entre deux bouteilles. Encore une fois, pour le plaisir, il en sortit le bulletin trimestriel de son fils. Bon élève, bon travail. Allons, il pouvait être fier. Les garçons ne faisaient même pas de cauchemars et semblaient avoir déjà oublié leur aventure. Timidement, ils avaient demandé l'autorisation d'aller se balader, cet après-midi. On leur avait dit d'accord, mais pas à la Malouine, et ils avaient protesté. Ils avaient eu raison. Les rues étaient à tout le monde, et la mer et la plage. Raymond s'était rapproché de la mer. Thomas, un jour, bâtirait au bord de l'eau. Qui l'en empêcherait ?

Carole avait préféré rester seule, malgré l'insistance de Chapuis qui l'invitait à venir dormir chez lui.

— Vous êtes sûre que ça va aller ?

Elle n'était pas sûre, mais elle ne voulait pas bouger d'ici.

— Vous viendrez réveillonner avec nous demain ?

Elle promit. Sa gorge lui faisait mal, tout son corps n'était qu'une courbature. Suzanne avait été emmenée dans le fourgon, écumante de rage et menottée. Elle ne reverrait sans doute jamais sa maison. Qu'allait-on faire d'elle ? Qui l'interrogerait ? Serait-elle déclarée irresponsable par les psychiatres ? Ce n'était plus le problème de Carole. Pas plus que Noël ni l'achèvement d'une année, d'un siècle, d'un millénaire. Dans sa vie à elle, la cassure du temps était réparée. Elle regarderait enfin sereinement en arrière. Elle n'était pas coupable de son enfance. La petite aiguille s'était posée sur la grande et l'avenir commençait. Elle se leva, mit sur la platine un vieux disque de tango rapporté par son père d'un voyage en Amérique latine et se pelotonna dans un fauteuil, les bras autour des genoux. Le petit homme effacé avait-il dansé un jour sur ces airs ? Dans quel port lointain ? Il était trop tard pour le lui demander. Peut-être pas trop tard pour apprendre à le connaître. Peut-être pas trop tard pour la tendresse. Sa maison était à présent la sienne. Pendant les jours de vacances qui lui restaient, Carole chercherait des pistes dans les tiroirs où il les avait cachées pour elle. Les traces de la vie de son père. Le passé, ce n'était pas seulement la mort de Muriel. C'était aussi des racines, l'héritage d'un homme qui n'avait pas été qu'absent. La main qui tenait la sienne et la voix qui racontait des voyages lointains. Elle se souvint soudain, dans la couleur du tango. Un soir d'été, ils avaient marché sur la grève, parmi les bateaux échoués. Le soleil se couchait et le ciel flamboyait. Il avait dit :

— C'est aussi beau que dans les îles.

Quelles îles ? Malgré la lassitude physique, Carole se sentait disponible, bouillonnante d'énergie, prête à tous les défis. Mais son appétit rencontrait un vide. Où était Emmanuel ?

La musique couvrit le bruit de la portière qui claqua. Emmanuel descendit de la voiture et courut sur l'allée gravillonnée. Il avait fermé la librairie à quatre heures, jetant à la rue les clients. Il arrivait.

Je tiens à remercier ma famille, mes amis, mon éditeur et tout particulièrement mon mari, pour leur infinie patience.

Je remercie tous ceux qui ont répondu à mes questions étranges, particulièrement André, et toujours l'indispensable P.G.

Une bise aux frapiens et aux rompoliens qui se reconnaîtront, et un souriard de son choix pour Albédo dont la cyber-amitié m'a accompagnée au long cours.

Enfin, je demande aux habitants de Dinard, la ville de mon enfance, de me pardonner toutes les libertés que j'ai prises avec notre charmante cité. Ceci est un roman. Et bien sûr toute ressemblance avec des personnes ou des événements réels ne serait que fortuite.

Psychose
à Aubin-Corbier

Yvonne
Besson

Un coin tranquille
pour mourir

Policier

POCKET

(Pockt n° 12671)

Une série de décès pour
le moins étranges s'abat
sur le collège Aubin-
Corbier : un stagiaire
est retrouvé les poignets
tailladés dans les toilettes
de l'établissement. Puis
c'est au tour du mari
infirme de la conseillère
pédagogique de chuter
du haut d'une falaise.
Simples suicides ou
meurtres prémédités ?
C'est à la sémillante
Carole Riou,
commandant de police
judiciaire, de trancher.
Seulement entre un jeune
prof drogué aux polar
et une enseignante
maniaco-dépressive, la
course aux suspects
s'annonce délicate…

Il y a toujours un Pocket à découvrir

Le feu aux poudres

Pascal
Basset-Chercot
Le bûcher du Boiteux

Policier

Une enquête de l'inspecteur
Déveure, dit Le Boiteux

(Pocket n° 12155)

L'inspecteur Déveure a le génie de toujours se trouver en face d'affaires aussi bizarres qu'inextricables. Cette fois-ci, le devoir appelle le Boiteux sur les bords de la Bièvre : dans le garage d'une villa à l'abandon, on retrouve deux corps enlacés, poignardés, et pour finir carbonisés. Ce couple calciné – un jeune marginal lardé de coups de couteau étreignant une septuagénaire –, semble défier le flic au pied-bot…

Il y a toujours un Pocket à découvrir

Pas de temps mort
pour Melchior

(Pocket n° 12111)

La semaine devait bien commencer pour le commissaire Melchior de Fontenay Central. Mais au cours d'une mission, voilà qu'un jeune voyou blesse son adjoint et ami, le lieutenant Chemineau. Plus tard, un adolescent lui tire dessus et le manque de peu, puis les cités chaudes placées sous sa responsabilité s'embrasent, et enfin pour clore le tableau, son petit-fils disparaît. Déstabilisé, égaré dans un univers qui est pourtant le sien, Melchior traverse une passe difficile. Mais il doit tenir bon, faire son travail, et sauver les innocents…

Il y a toujours un Pocket à découvrir

Faites de nouvelles découvertes sur
www.pocket.fr

- Des 1ers chapitres à télécharger
- Les dernières parutions
- Toute l'actualité des auteurs
- Des jeux-concours

Composition et mise en page

NORD COMPO
m u l t i m é d i a

Imprimé en juin 2007 en Espagne par LIBERDÚPLEX
St. Llorenç d'Hortons (Barcelone)
Dépôt légal : juillet 2007

 12, avenue d'Italie - 75627 PARIS Cedex 13